I0494930

afgeschreven

Geert De Vriese

365 STERKE SPORT-VERHALEN

Houtekiet
Antwerpen / Utrecht

© Geert De Vriese / Houtekiet 2014
Katwilgweg 2, B-2050 Antwerpen
www.houtekiet.be
info@houtekiet.be

Omslag Maarten Deckers
Zetwerk www.intertext.be

ISBN 978 90 8924 303 4
D 2014 4765 33
NUR 480

Inhoud

Van de maffia tot de regen

De waanzinnigste dopingsmoezen

De clenbuterol die in 2002 bij Frank Vandenbroucke thuis werd gevonden was volgens hem bestemd voor zijn hond, Alberto Contador had in 2010 "alleen maar een besmet stuk vlees gegeten" en Floyd Landis won de Tour van 2006 naar eigen zeggen op twee biertjes en vier whiskey's. Drie klassiekers in het tragikomische genre van de dopingsmoes. Maar er werden nóg opmerkelijker verklaringen genoteerd van betrapte sporters, allemaal onder het motto: 'Het was geen doping, maar…'

1 Javier Sotomayor (cocaïne, 1999): 'Het waren de maffia en de CIA'

De wereldrecordhouder hoogspringen is een propagandaparadepaardje van het Cubaanse regime, en dus gooien de hoogste instanties hun gewicht in de schaal om hem vrij te pleiten. Eerst gaat de *Granma*, de partijkrant en dus de officiële spreekbuis van Fidel Castro, de moord-op-Kennedy-toer op: 'Op de Pan-Amerikaanse Spelen *(van 1999 in het Canadese Winnipeg, waar Sotomayor betrapt is; GDV)* waren er gelegenheden te over voor CIA-agenten of maffiafiguren om het eten en de drank van de deelnemende atleten te vermengen met verboden substanties.' Vervolgens gooit Castro er hoogstpersoonlijk een rechtstreekse tv-toespraak tegenaan waarin hij schuimbekt dat de positieve test van Sotomayor 'een oorlogsdaad is, waarschijnlijk begaan door contrarevolutionairen en beroepscriminelen.'

Het lukt nog ook! Sotomayors schorsing wordt door de internationale atletiekfederatie IAAF gehalveerd tot één jaar, zodat hij kan deelnemen aan de Olympische Spelen van 2000 in Sydney. Hij haalt er zilver, maar een jaar later loopt hij opnieuw tegen de bekende lamp. Hij heeft nandrolon gebruikt, zo blijkt deze keer, maar zelf draait hij een bekende riedel af: 'Er moet iets misgegaan zijn met de behandeling van de stalen. Ik weet dat iederéén die van dopinggebruik wordt beschuldigd doorgaans zegt dat hij onschuldig is, maar ik ben het écht.' Waarom kondigt Sotomayor in 2001 dan meteen ook het einde van zijn carrière aan? Nee, niet om een levenslange schorsing te voorkomen, maar omwille van een blessure aan de achillespees. Zegt hij, weliswaar drie jaar later.

2 LaShawn Merritt (anabole steroïde DHEA, 2009 en 2010): 'Het was voor mijn penis'

Volgens de advocaat van de wereldkampioen en Olympisch gouden medaillewinnaar op de 400 meter heeft het niks te maken met een poging van Merritt om zijn prestaties op te drijven. Althans, toch niet op de atletiekpiste, want: 'De aanwezigheid van DHEA in zijn organisme is te verklaren door de inname van een geneesmiddel uit de vrije verkoop dat de lengte van zijn penis moet verhogen.' Merritt krijgt een schorsing van 21 maanden.

3 Danny De Bie (poging tot fraude, 1991): 'Het was iets wat ik nog nooit gezien heb'

Na de Superprestigecross in Zillebeke moet De Bie naar de dopingcontrole, waar hij betrapt wordt met een condoom vol urine onder zijn kleren. 'Geen idee waar dat vandaan komt,' zegt hij. 'Nog nooit gezien.' De Bie mag na allerlei gerechtelijke stappen niet deelnemen aan het eerstvolgende Wereldkampioenschap, maar daar blijft het bij.

4   Petr Korda (nandrolon, 1998): 'Het was een kalfslapje'

Een paar maanden na zijn titel op de Australian Open blijkt waarom Korda toen zo sterk heeft staan tennissen: spierversterkende middelen. Niks van, volgens de 30-jarige Tsjech, die volhoudt dat hij wellicht besmet kalfsvlees gegeten heeft. Het is niet uit te sluiten dat Korda inderdaad besmet kalfsvlees heeft gegeten, stellen de dopingartsen niet zonder gevoel voor humor, maar met de in zijn lichaam aangetroffen hoeveelheden nandrolon moet hij dan wel twintig (20!) jaar lang dagelijks veertig (40!) kalveren gegeten hebben. De eerste op doping betrapte tennisser wordt een jaar later voor 12 maanden geschorst en keert nooit meer terug in het profcircuit.

5   Shane Warne (diuretica, 2003): 'Het was voor mijn dubbele kin'

Australisch international Warne, een van de grootste *bowlers* aller tijden in de cricketgeschiedenis, zweert op alles en iedereen die hem lief is dat het niets te maken heeft met sportief presteren: 'Ik heb alleen maar een paar vermageringspillen van mijn moeder geslikt omdat ik van mijn dubbele kin af wil, en ik had geen idee dat er vochtafdrijvende middelen in zaten.' Warne wordt nog voor de start van het WK in Zuid-Afrika op het eerste vliegtuig terug naar huis gezet en voor een jaar geschorst.

6   Marco Boriello (cortisone, 2006): 'Het was haar vaginacrème'

'Mijn vriendin gebruikt een cortisonecrème voor een vaginale infectie. Misschien raakte ik daardoor besmet?' Waarop de vriendin van de dan voor AC Milan uitkomende spits, het Argentijnse model Belén Rodriguez, ootmoedig de schuld op zich neemt: 'Ik had inderdaad een infectie en zonder er verder over na te denken stelde ik voor om die crème te gebruiken toen we wilden vrijen. We wisten niet dat er cortisone in zat, en ons seksueel contact is hem fataal geworden.'

Wanneer het B-staal begin januari 2007 de resultaten van de eerste controle bevestigt, wordt Boriello wel geschorst, maar slechts tot 21 maart van datzelfde jaar. Het belet hem niet zijn carrière verder uit te bouwen als Italiaans international, en via o.a. Genoa en AS Roma belandt hij bij Juventus dat hij in 2013 mee aan zijn eerste titel sinds 2003 helpt met een goal in de kampioenswedstrijd tegen Novara.

7   Melky Cabrera (testosteron, 2012): 'Het was een website'

Cabrera, een van de supersterren in het Amerikaanse baseball bij o.a. de New York Yankees en in 2012 uitgeroepen tot *Most Valuable Player (MVP)* in het prestigieuze *All Star-Game*, knutselt een even ingewikkeld als ridicuul manoeuver in elkaar om te bewijzen dat het allemaal de schuld is van internet. Daarop heeft hij, zo beweert hij toch, een product gekocht waarvan hij niet wist dat er testosteron in zat. Kijk zelf maar, heren, hier is het. Punt is alleen dat al snel blijkt dat Cabrera een vriend snel nog een *fake* website heeft laten bouwen waarop het al even imaginaire spul te koop wordt aangeboden. Cabrera bekent uiteindelijk toch en krijgt een schorsing van 50 wedstrijden.

8   Justin Gatlin (testosteron, 2006): 'Het was de wraak van mijn masseur'

Wanneer de latere Olympische gouden medaillewinnaar en meervoudig wereldkampioen op de 100 meter in 2001 als junior al voor een eerste keer betrapt wordt (amfetamines) komt hij nog weg met de uitleg dat het louter en alleen ligt aan de geneesmiddelen die hij neemt voor ADHD. Gatlins tweede pittige plas, vijf jaar later, zou dan weer te wijten zijn aan een complot. Nee, de grote schuldige is zeker niet zijn coach Trevor Graham, nochtans ook de begeleider van *superdopers* Marion Jones en Tim Montgomery en spilfiguur in het roemruchte BALCO-schandaal. Wel ene Christopher Whetstine. Whetstine, papegaait Gatlin zijn aangebrande coach na, was net ontslagen als zijn persoonlijke masseur maar zat nog in zijn vooropzeg. En die snoodaard heeft er hem vervolgens toch wel niet ingeluisd, zeker?

'De puzzelstukken vielen in elkaar toen duidelijk werd dat de testosteron niet in mijn lichaam terechtgekomen was door een inspuiting of via een pil,' orakelt *Sherlock* Gatlin. 'Hij zat in een crème waarmee ik ingesmeerd was. Toen begreep ik dat ik geflikt was door Whetstine, want hij was de enige die mijn lichaam had aangeraakt.' Cynici reageren meteen met de vaststelling dat Gatlin dan blijkbaar dermate korte armpjes moet hebben dat hij zichzelf niet eens kan insmeren met een willekeurige zalf of olie. De masseur ontkent het hele verhaal, en Gatlin wordt voor acht jaar geschorst. Die straf wordt later teruggebracht tot vier jaar en Gatlin begint in 2010 aan zijn tweede carrière. Twee jaar later haalt hij brons op de 100 meter op de Spelen in Londen, na Usain Bolt en Yohan Blake, en twee keer zilver op het WK 2013 in Moskou.

9 Dieter Baumann (nandrolon, 1999): 'Het was mijn tandpasta'

De Duitse gouden medaillewinnaar op de 5000 meter op de Spelen van 1992 duikt zelf in het dossier en komt met de mededeling dat hij het slachtoffer is geworden van – inderdaad – een complot: 'Iemand heeft enorme hoeveelheden steroïden in mijn tandpasta gespoten.' Baumann eist en krijgt een officieel onderzoek, maar een dader wordt nooit gevonden. De Duitse atletiekbond wil hem het voordeel van de twijfel gunnen maar door de internationale atletiekfederatie wordt hij geschorst. Na een hele reeks ingewikkelde gerechtelijke en andere procedures maakt Baumann in 2002 zijn comeback en op zijn 37ste haalt hij nog Europees zilver op de 10.000 meter.

10 Noord-Koreaans vrouwenvoetbalteam (anabolica, 2011): 'Het was de bliksem'

Nadat vijf speelsters – Song Jong-Sun, Jong Pok-Sim, Hong Myong-Hui, Ho Un-Byol and Ri Un-Hyang – betrapt zijn op het WK in Duitsland, volgt deze officiële verklaring van de Noord-Koreaanse delegatie: 'De speelsters hebben de verboden substanties per ongeluk ingenomen. Ze zaten in de traditionele Chinese medicijnen, getrokken uit klieren van muskusherten die ze toegediend kregen nadat ze getroffen waren door een blikseminslag.' Naast een boete van 400.000 dollar wordt Noord-Korea uitgesloten van deelname aan de volgende Wereldbeker, in 2015.

11   Alexi Grewal (opiaten, 1992): 'Het waren de muffins'

De winnaar van de wegrit op de Spelen van 1984 *hangt* acht jaar later en na een mislukte profcarrière bij o.a. Panasonic na de proloog van de Tour of West-Virginia. Grewal pleit echter onschuldig: 'Opiaten? Dat moet aan de muffins met maanzaadjes liggen waarvan ik er blijkbaar te veel gegeten heb voor de wedstrijd.' Nu, dat is niet zo vergezocht en kansloos als het lijkt. Maanzaadjes komen inderdaad van planten met een laag gehalte aan opiaten en Grewal kan verwijzen naar een juridisch precedent. Twee jaar voordien is een politieman in Saint-Louis vrijgesproken van druggebruik en opnieuw in dienst genomen nadat zijn advocaat met succes had aangevoerd dat het kwam door het eten van een *bagel* met maanzaad. Die haring braadt echter niet: Grewal krijgt drie maanden schorsing en een boete van 500 dollar. Later bekent hij overigens dat hij tijdens zijn carrière verschillende keren *echte* doping heeft gebruikt.

12   Jesús Rosendo Prado (afwijkende bloedwaarden, 2010): 'Het waren mijn aambeien'

'De aanmaak van rode bloedcellen in mijn lichaam is fors toegenomen door bloedingen aan mijn aambeien,' beweert de renner van het Spaanse Andalusia-Cajasur-team. In mei 2010 wordt Rosendo door de UCI voorlopig geschorst, maar in oktober spreekt de Spaanse wielerbond hem vrij wegens procedurefouten. Een jaar later wint hij zijn allereerste profkoers, de 5de etappe in de Rutas de America (Uruguay). In 2013 komt er een tweede bij: het kampioenschap van Andalusië.

13 Junsuke Inoue (methyltestosteron, 1998): 'Het was voor in bed'

Ja, de 58-jarige Japanse biljarter heeft van die verboden pot gesnoept. Dat geeft hij zelf grif toe, alleen... niet om beter te spelen in de biljart- zaal maar om thuis te blijven presteren: 'Mijn vrouw verdient het be- vredigd te worden.' Hij wordt toch voor twee jaar geschorst.

14 Ross Rebagliati (cannabis, 1998): 'Het was tweedehandsrook'

'Ik heb zelf geen joint gerookt,' bezweert de Canadees en allereerste Olympisch kampioen snowboarden. 'Anderen wel, op een feestje waar ik was vóór de Winterspelen, en ik heb passief meegerookt.' Rebagliati krijgt zijn gouden medaille terug, al is dat vooral omdat THC – de psy- choactieve stof in cannabis die in zijn bloedstaal werd aangetroffen – in de jaren 90 nog niet op de lijst met verboden producten staat.

15 Dennis Mitchell (testosteron, 1998): 'Het waren bier en seks'

De Amerikaanse sprinter, o.a. goed voor Olympisch goud op de 4 x 100 meter in 1992, heeft er een – in zijn ogen – perfect logische verklaring voor: de avond voor de controle heeft hij vijf biertjes gedronken en vier keer seks gehad met zijn vrouw. 'Het was haar verjaardag en ze had wel een verwennerijtje verdiend.' Mitchell wordt voor twee jaar geschorst door de internationale atletiekbond.

16 José Antonio Pecharroman (finasteride, 2007): 'Het was voor mijn haar'

'Ik heb het alleen maar genomen om mijn haaruitval tegen te gaan,' pleit de 29-jarige ex-renner van Quick.Step die tegen dan al afgegleden is naar het vierderangsteam Benfica. Het haalt niets uit, Pecharromans carrière is voorbij.

17   Larisa Lazoetina (epo, 2002):
     'Het was mijn geslacht'

De Russische fondskister is er gloeiend bij na haar gouden medaille in
de cross country op de Winterspelen in Salt Lake City. Zware aanwijzingen van epogebruik en nog zo geen klein beetje ook. Lazoetina
voert op zijn Armstrongs aan dat ze al jaren gecontroleerd is en nog
nooit betrapt. Ze voegt er nog aan toe: 'Die waarden zijn normaal voor
een vrouw. Ons lichaam is nu eenmaal zo.' Best mogelijk, maar Lazoetina moet haar medaille toch inleveren en wordt voor twee jaar geschorst.

18   Ryohei Yamanaka (anabolica, 2011):
     'Het was voor mijn snor'

'Het zat in een crème die ik gebruikte om een snor te laten groeien, en
ik heb de bijsluiter niet gelezen.' De Japanse kandidaat-deelnemer aan
het WK rugby wordt voor twee jaar geschorst.

19   Christian Henn (testosteron, 1999):
     'Het was voor een tweede kind'

Jawel, zijn testosteronspiegel ligt wel heel erg hoog, geeft de Telekom-
hardrijder toe. Maar Henn weet precies hoe dat komt. Zijn vrouw en
hij willen graag een tweede kind, en hij heeft van zijn schoenmoeder
een vruchtbaarheidsbevorderend kruidendrankje gekregen. Henn
wordt voor een half jaar geschorst en stopt met wielrennen. In mei
2007 bekent hij, net zoals zijn voormalige ploeggenoten Bert Dietz,
Erik Zabel, Udo Bölts, Rolf Aldag en Bjarne Riis, dat hij wel degelijk
doping heeft gebruikt bij Telekom. Henn is in 1999 overigens wel degelijk voor de tweede keer vader geworden.

20 Daniel Plaza (anabolica, 1996): 'Het was orale seks met mijn zwangere vrouw'

'Ik heb op geen enkel moment verboden middelen gebruikt omdat ik daar een overtuigd tegenstander van ben,' pleit de Spaanse Olympische kampioen snelwandelen van 1992 op de 20 kilometer, wanneer hij in de aanloop naar de volgende Spelen de dopingpineut is. 'Er is iets vreemds aan het gebeuren en ik weet niet wat het is.' Een tijdje later daagt het Plaza plots wel: zijn vrouw was zwanger, zwangere vrouwen produceren wel eens natuurlijke steroïden en die moeten in zijn lichaam doorgedrongen zijn nadat hij haar – en wij citeren – 'langdurig oraal bevredigd had'. Plaza wordt toch voor twee jaar geschorst. Hij stapt naar de rechter, die hem in het gelijk stelt. Helaas voor hem pas in 2006, en dan is zijn carrière lang voorbij.

21 Fatima Yvelain (epo, 2012): 'Het was de regen'

De dan 43-jarige Franse atlete wordt betrapt na de halve marathon van Perpignan. Maar geen haar op haar hoofd dat eraan heeft gedacht de kluit te belazeren, beweert ze: 'Het regende de hele dag en het parcours lag in de buurt van een opslagplaats voor medisch afval. Van daaruit is er epo op het wegdek beland, dat via het opspattende water in mijn loopbroek is terechtgekomen, daarna in mijn vagina, en zo meegekomen met mijn urine bij de controle.' Yvelain wordt voor twee jaar geschorst.

En dan zijn er ook nog...

Richard Gasquet (tenisser, cocaïne, 2009): 'Ik ben besmet geraakt toen ik met een vrouw heb zitten tongzoenen in een nachtclub.' * **Dario Frigo (wielrenner, betrapt met een halve koffer verboden snoepgoed, 2001):** 'Het zat in mijn bagage en niet in mijn bloed of urine. Ik had het alleen bij uit voorzorg.' En ook nog: 'Ik had het alleen maar mee voor de spanning. Verboden spullen vervoeren is een van mijn zwaktes.' * **Björn Leukemans (wielrenner, testosteron, 2007):** 'Mijn

vriendin en ik waren net heftig aan het vrijen toen de controleurs aan-
belden en ik daarmee moest stoppen om te plassen.' * **Diego Maradona (voetballer, efedrine, 1994)**: 'Het was een complot, Argentinië
mocht geen wereldkampioen worden.' * **Gilbert Simoni (wielrenner,
cocaïne, 2002)**: Achtereenvolgens 'Het verdovingsmiddel van mijn
tandarts', 'Ik heb Colombiaanse thee gedronken bij mijn schoonmoe-
der, daar moet het ingezeten hebben' en tot slot: 'Een snoepje, gemaakt van honing met cocaïne in, gekregen van een tante.' * **Tyler Ha-
milton (wielrenner, lichaamsvreemd bloed, 2004)**: 'Dat is het bloed
van mijn tweelingbroer die overleed toen we nog in de baarmoeder
zaten en wiens foetus in mijn lichaam terechtgekomen is.'

Van Justine Henin
tot Mark Cavendish

De spannendste ontknopingen

25 mei 2005. AC Milan gaat bij de rust van de Champions League-finale de kleedkamers in met een 3-0 voorsprong op Liverpool. Maar in de tweede helft brengen Steven Gerrard, Vladimír Šmicer en Xabi Alonso de Reds in zes wonderlijke minuten terug tot 3-3. Liverpool overleeft de verlengingen, wint met de strafschoppen, en het 'Mirakel van Istanboel' is geboren. Of bij ons – uiteraard! – 'Het Wonder van de Bosuil'. Met Antwerp dat tegen Vitosha Sofia tussen de 90ste en de 94ste minuut een 1-3 achterstand ombuigt in een 4-3 zege in de eerste ronde van de UEFA Cup. 'Kan het nog, kan het niet? Jààààààààà! 'T IS GEBEURD! Hoe is het mogelijk, hoe is het mogelijk? On-vóór-stél-báár, nooit gezien... Iedereen had ze al afgeschreven. In voetbal is dus wel degelijk alles mogelijk.' Aldus Frank Raes op die memorabele dinsdagavond 26 september 1989. Maar niet alleen in het voetbal blijkt het onmogelijke toch nog waar te kunnen worden.

22   **Olympische Spelen 2004:**
       Justine Henin uitgeschakeld! Of toch niet...?

2003 is een topjaar geweest voor Justine Henin-Hardenne, zoals ze dan nog heet. Eerst als allereerste Belgische een grandslamtornooi gewonnen – haar favoriete Roland Garros na een zege in de *Belgische* finale tegen Kim Clijsters – en daarna was *Juju* opnieuw te sterk voor *Kimmy* op de finale van de US Open. Al is ze daar wel door het oog van de naald gekropen in de halve finale tegen de herboren Jennifer Capriati. Twee wedstrijdpunten tegen gekregen, elf keer zelfs op twee punten van de uitschakeling, maar vechtjas Henin was blijven knokken en won na meer dan drie uur tennissen alsnog met 4-6, 7-5 en 7-6. Diezelfde mix van doorzettingsvermogen en karakter zal ze eind augustus 2004 opnieuw moeten opbrengen in de halve finale van het dames-enkel op de Olympische Spelen in Athene, want het ziet er allemaal niet bijster goed uit.

Vooraf is er eigenlijk alleen maar gepraat over tegen wie Henin het in de finale zal moeten opnemen voor het goud. Tegen haar alles behalve goede vriendin Amélie Mauresmo of zorgt de Australische Alicia Molik voor een verrassing? Haar eigen wedstrijd tegen de Russische Anastasia Myskina lijkt niet meer dan een zo snel mogelijk af te haspelen formaliteit op weg naar de droomontknoping: de eerste gouden medaille voor België op deze Spelen. De cijfers op het scorebord zijn echter ontnuchterend. Ja, Henin heeft de eerste set gewonnen met 7-5. Maar de tweede verloor ze met dezelfde cijfers en in de beslissende derde set staat ze 1-5 achter. Slik... Nog een spelletje verliezen en het is allemaal voorbij. Geen goud, geen zilver, en niemand die warm wordt van het vooruitzicht op brons, laat staan godbetert de vierde plaats. Objectief bekeken nochtans een prima prestatie want dit is niet de Henin van vorig jaar. Last gehad van niet één maar twéé beestjes in het bloed, het hypoglycemia- en het cytomegalovirus, waardoor ze op Roland Garros al in de tweede ronde is uitgeschakeld en Wimbledon maar helemaal aan zich heeft laten voorbijgaan. Ze is aan de Spelen begonnen met amper één wedstrijd in vier maanden in de benen, en deze halve finale is hier in Athene al haar vijfde in amper tien maanden.

Henin geeft echter niet op. Ze gaat tekeer als een moegetergde tijgerin. 2-5... 3-5... Komaan, Justine, het kàn nog... 4-5... Ja, 5-5! Oei, 5-6... Oef, 6-6! 7-6 voor Henin, zou het dan toch nog gaan gebeuren? *Yes!* 8-6 na dik drie uur tennissen en *Mrs Henin-Hardenne* in de finale! Die wordt de volgende dag al gespeeld, en ze haalt het makkelijk met twee keer 6-3 van Amélie Mauresmo. Goud voor Henin, en Myskina verliest ook de wedstrijd om het brons van Alicia Molik. Ze blijft verweesd achter met de bittere herinnering aan dat ene punt in de halve finale dat zo mooi had kunnen zijn. 'Die nederlaag zal me mijn leven lang blijven dwarszitten,' zegt ze er later over. 'Tja, *Justine is a tough girl...*'

23   B.K. 10.000 meter 1973:
Willy Polleunis wint! Of toch niet...?

Hoor het publiek juichen op de afgebladderde hoofdtribune van de nog lang niet verbouwde Heizel! Willy Polleunis geniet met volle teugen. Hij en niemand anders wordt nationaal kampioen op de 10.000 meter. Zijn voorsprong is meer dan geruststellend, en hij begint alvast te wuiven en kushandjes te werpen naar de dolenthousiaste toeschouwers. Alleen, Polleunis heeft niet door dat het overdonderend enthousiasme niet voor hem bestemd is. Het zijn aanmoedigingen voor Karel Lismont, die zijn achterstand van tientallen meters in de laatste rechte lijn helemaal aan het goedmaken is. Polleunis waant zich almaar nadrukkelijk een Romeinse keizer die zijn triomfantelijke intrede doet in de moederstad. Zelden of nooit zoveel verbijstering en ongeloof gezien op het gezicht van een sportman wanneer hij in de allerlaatste meters vanuit zijn *blinde hoek* alsnog voorbijgelopen wordt door Lismont. Willy Polleunis wordt geen nationaal kampioen maar voor eeuwig en een (Belgische) dag het ultieme sportvoorbeeld van het bekende vel van de beer.

24   Gent-Wevelgem 2005:
Nico Mattan mag het vergeten! Of toch niet...?

Nee, Nico Mattan mogen we schrappen voor de overwinning in deze 67ste Gent-Wevelgem. *Keuns* heeft het nochtans geprobeerd. Aangevallen en op tien kilometer van de streep ontsnapt uit een kopgroep van acht met verder nog *schoon volk* als Daniele Bennati, Fabian Cancellara, Filippo Pozzato, Thor Hushovd, Magnus Bäckstedt, Baden Cooke en Juan Antonio Flecha. En het is die Spaanse sneltrein die in zijn eentje op en over Mattan komt gedenderd. Gespeeld, verloren en zo meteen opgeslokt en misschien zelfs achtergelaten door de achtervolgers... Nog 500 meter en de kussen van de bloemenmeisjes zijn voor

Juan Antonio Flecha, niemand die daaraan twijfelt. Maar dan gebeurt het. Over naar live-commentator Michel Wuyts: 'Daar, 500 meter nog, hij is hier nu tussen de nadar. Hij komt razendsnel dichterbij. Gaat die Flecha hier nog sneuvelen? Nico Mattan kan nog een béétje van het zog van die wagens profiteren, kan misschien nog aan het wiel van Flecha komen, rijdt alsof het ter dood gaat, hé... Enne hij gaat inderdaad nog naar Flecha toe, gaat er nog een sprint uitpersen, gaat eróver, hij gaat... 300 meter van de streep, Nico Mattan erop en erover! Maar dit is een wonder, 't is niet te schatten!'

Het is inderdaad *niet te schatten*, Nico Mattan heeft het begrip 'ultieme jump' een nieuwe vorm, inhoud en invulling gegeven. Onvergetelijk, al helemaal omdat het tot vandaag uitgelezen voer blijft voor wielertogen en dito fora. *Believers* in de pure en onbezoedelde krachttoer van Mattan staan er lijnrecht tegenover *non-believers* die visueel en ander materiaal aanslepen om hun gelijk te halen. Over dat *béétje profiteren van het zog van die wagens*, met name: 'Mattan is naar de overwinning *gedragen* door auto's van de wedstrijdleiding en motards, onder wie zijn streekgenoot en goede bekende Karl Vannieuwkerke op de VRT-motor.' *Keuns* zelf onkent het uiteraard in alle toonaarden: 'Ik kon er toch niets aan doen dat die auto's daar reden? Ik ben er trouwens van overtuigd dat ik Flecha had teruggepakt, ook zonder auto's. Ik heb er lichtjes van geprofiteerd, dat geef ik toe. Maar ik voelde dat Flecha te pakken was. Hij maakte dezelfde fout die ik gewoonlijk maak. *Volle bak demarreren* en dan stilvallen. Ik heb hem bewust eventjes laten rijden en dan versneld. Ik vloog er zo over. Dat daar kritiek over komt, vind ik flauw. Ik heb gewonnen, dat wil ik onthouden.' En ook nog: 'Ik voelde me supergoed. Toch geloofde ik er zelf niet meer in. Tot op 600 meter van de streep: ik haalde nog 60 kilometer per uur. Ik durf met de hand op het hart beweren dat ik niet gewonnen heb dankzij de motoren of de auto's. Goed, ik zag ze voor mij uitrijden, maar nooit ben ik er zo dicht bij geweest dat ik in het zog zat. Moest ik soms de benen stilhouden op dat moment? Ze hebben me zeker niet naar Flecha toegetrokken.'

Juan Flecha's sportdirecteur, Giancarlo Ferretti, dient na de wedstrijd klacht in, maar die wordt verworpen. Flecha zelf blijft diplomatisch: 'Eigenlijk ben ik niet echt ontgoocheld, maar veeleer tevreden met mijn tweede plaats. Mattan was voor mij de sterkste renner in de wedstrijd. De manier waarop hij over mij kwam, zegt genoeg. Het beste was er dan al af bij mij want dit is een zeer lastige koers. De beste heeft vandaag gewonnen.'

25 Wereldbeker rugby 1999: De All Blacks naar de finale! Of toch niet...?

Jonah Lomu, met afstand de beste speler ter wereld, hamert vroeg in de tweede helft zijn tweede *try* achter de doellijn. 24-10 voor Nieuw-Zeeland, op 31 oktober 1999 in de halve finale van het WK rugby tegen Frankrijk! De *All Blacks* naar de finale en de *William Webb Ellis Trophy*, alias de Wereldbeker. In de poules hebben ze gehakt gemaakt van o.a. Tonga (45-9), puree zelfs van Italië (101-3!) en Engeland is fijntjes gefileerd met 30-16. In de kwartfinale is Schotland netjes opzij gezet (30-18), en nu mogen de Fransen alvast beginnen afpunten wat er zeker mee terug moet in de reiskoffer. Scoremachine Lomu, *hooker* Anton Oliver, *fly*-half Andrew Mehrtens, *scrum-half* Justin Marshall, aanstormend supertalent Carlos Spencer... De vergelijking met het eerste en enige echte NBA-Dream Team op de Spelen van 1982 in Barcelona gaat helemaal op. Net zoals Michael Jordan, Magic Johnson en al die anderen zijn deze Nieuw-Zeelanders veruit de beste individuele spelers op het tornooi en sommigen van hen de besten aller tijden *tout court*.

Met andere woorden: wie maakt de *All Blacks* wat, hier in het Londense rugbywalhalla Twickenham, op weg naar de finale? Euh, de Franse topscorer Christophe *Titou* Lamaison. Wat hij in de tweede helft voor elkaar brengt is, om het nog duidelijker te maken, te vergelijken met de spits van een Belgische club die een 5-1 achterstand goedmaakt tegen een elftal met de beste spelers van Barcelona, Real Madrid, Bayern München, Chelsea, AC Milan en neem er ook nog maar Paris Saint-Germain bij. Met een *try*, twee *drop goals* en twee omgezette vrije trappen brengt Lamaison de Fransen haast in zijn eentje eerst bijna naast (24-22) en vervolgens ruim over (31-43) de *All Blacks*. De rugbywereld is met stomheid geslagen en de Nieuw-Zeelanders houden er een langlopend trauma aan over. Na hun overwinningen in de eerste twee edities van het WK, in 1987 en 1991, blijft het gefrustreerd wachten op hun derde *William Webb Ellis Trophy*. Om de vier jaar beginnen ze nóg strakker van de zenuwen en nóg meer gebogen onder de verwachtingen aan alweer een nieuw tornooi. Telkens loopt het mis, en het duurt nog tot 2011 voor de *De Vloek van Lamaison* gebroken wordt. 's Werelds besten kronen zichzelf dan, in eigen land, weer tot de officiële wereldkampioen. Eindelijk!

26   10.000 meter Olympische Spelen 1972: Lasse Virén kansloos na val! Of toch niet...?

Wat een lafaard én een *loser*, die Lasse Virén! In de Olympische finale op de 10.000 meter houdt hij zich lekker veilig schuil achterin het langgerekte lint om zijn krachten te sparen voor de eindspurt. En dan struikelt hij domweg in de twaalfde ronde. Lol! De 23-jarige Fin belandt naast de piste en sleept – minder grappig – een van zijn tegenstanders letterlijk mee in zijn val. Niet zomaar de eerste de beste overigens, want het gaat om de Tunesiër Mohammed Gammoudi, vier jaar eerder nog goed voor goud op de 5000 meter en brons op de 10.000 op de Spelen in Mexico. Gammoudi moet helaas opgeven maar Virén kunnen we gelukkig ook afstrepen voor de medailles. Net goed, zijn verdiende loon en – toegegeven – ook wel een goede zaak voor de medaillekansen van *onze* Miel Puttemans.

Virén denkt er echter behoorlijk anders over. Hij krabbelt overeind, ziet dat hij een meter of vijftig achterligt op de koplopers en begint aan een doldwaze achtervolging die later zal vergeleken worden met de waanzinnige tekenfilmpogingen van Wile E. Coyote om Road Runner te pakken te krijgen. Viréns onderneming lijkt al even gedoemd om te mislukken als die van de coyote, maar de politieman uit Myrskylä pikt na amper 230 meter achtervolgen warempel al opnieuw voorin aan. En dat hebben ze daar geweten, want Virén doet zijn koldereske tuimelperte ei zo na nog een keer over. Hij trapt tegen de voet van de Amerikaan Frank Shorter aan, maar iedereen blijft nu gelukkig overeind. Het echte hoogtepunt van *Circus Virén* moet echter nog komen. Later in de wedstrijd, op een moment waarop de anderen even inhouden met het oog op de laatste tientallen meters, schakelt de Fin een versnelling hoger. Puttemans gaat mee, vecht zich in de laatste bocht tot in het spoor van Virén en lijkt klaar om erop en erover te gaan. Goud voor België? Goud voor Belg... Nee, Virén blijkt in de laatste vijftig meter nóg sneller te kunnen. Nu lijkt hij wel Road Runner en Puttemans de coyote. Goud voor Lasse Virén, vóór Puttemans en de Ethiopische lange afstandslegende Miruts Yifter. 27.38,4 flikkeren de borden op, een nieuw wereldrecord!

Virén graait in München ook goud en een Olympisch record op de 5000 meter mee. Vier jaar later wint hij op de Spelen in Montréal opnieuw de twee lange afstandsnummers op de piste. Telkens op dezelfde manier: afwachten en toeslaan in de laatste meters, zij het die keer zonder stuntelen en struikelen. De Fin wordt geprezen omwille van zijn inzicht in de wedstrijd. 'Een meestertacticus!' klinkt het, en ook: 'Niemand heeft zo'n slotversnelling als hij!' Vraag is alleen: waar komt die vandaan? Waarmee we opnieuw bij Wile E. Coyote aanbelanden. Die bestelt de meest van de ratten besnuffelde machinerieën om toch maar sneller te gaan in zijn achtervolging op die ene renkoekoek. Over Virén doen allerlei wilde verhalen de ronde over rendierbloed als geheim wapen. Later wordt dat 'bloeddoping', maar harde bewijzen ontbreken tot nader order.

27 WK wielrennen 1972: Franco Bitossi wereldkampioen! Of toch niet...?

Nog 150 meter, Franco Bitossi ziet zichzelf al in de regenboogtrui op het podium staan in het Franse Gap. Merckx, Godefroot, De Vlaeminck, Poulidor, Thévenet, Guimard... Allemaal zijn ze eraan voor de moeite, want zij worden in de achtervolging strak aan de leiband gehouden door Bitossi's landgenoten. Sterk team hoor, die Italianen, met pure klasbakken als Davide Boifava, Michele Dancelli, Gianni Motta en Felice Gimondi. En zijn er, naast de aloude wielerwet dat je nooit achter een land- of ploeggenoot aangaat tenzij je heel zeker bent dat je niemand meeneemt in je wiel, geen spijkerharde afspraken gemaakt in het hotel? Nee, de buit is binnen voor Bitossi. Maar dan zet Marino Basso zijn turbo op. Als Italiaan moet hij *blijven zitten,* maar daar heeft hij vandaag even geen trek in. Basso ruikt zijn kans. Zijn eigen kans, en hij denkt geen seconde aan wat hem straks boven het hoofd hangt mocht het misgaan. Het spurtkanon uit Rettorgole di Caldogno gaat over Merckx & co en op tien (10!) meter van de streep ook alsnog voorbij Bitossi. Van een zekere wereldtitel gehouden worden op amper 1000 centimeter van de aankomst, is al behoorlijk dramatisch. Maar verraden worden door een landgenoot...

Het Verraad van Gap op die voor hem inktzwarte zondag 6 augustus 1972 zal Bitossi tot lang na zijn laatste dag blijven achtervolgen. 'Toen ik aanviel in de laatste kilometers, was ik eigenlijk al zeker van mijn zaak,' haalt hij die vermaledijde slotfase later terug. 'Het is binnen, dacht ik. Eddy *(Merckx; GDV)* is een goeie vriend, die gaat me niet terughalen. Mijn landgenoten Dancelli en Basso per definitie ook niet, en Cyrille Guimard is moe.' Schieten nog over in de achtervolgende groep: Joop *Wieltjeszuiger* Zoetemelk en Leif Mortensen. 'Maar ik was er vrij zeker van dat de Deen niet eens zou proberen me te volgen. Ik nam een paar lengtes, in de laatste bocht – op een meter of 1300 van de streep – keek ik om en ik zag dat het achtervolgende groepje op 300 meter bleef hangen. De laatste kilometer liep eerst vlak, dan bergaf en dan was er nog een klimmetje naar de streep. En dààr heb ik een fout gemaakt. Nog geschakeld, waardoor *mijn benen blokkeerden*. Ik had ook de wind tegen vanop rechts, maar toch... *(zwijgt en zegt dan schamper)* Mijn ploegmaats deden niet echt veel om mijn vlucht te beschermen...' Basso, dus? 'Inderdaad. Later probeerde hij me nog wijs te maken dat hij nooit had gedacht dat hij mij nog zou kunnen bijhalen.' Had Bitossi zijn landgenoot dan niet zien of horen komen? 'Nee. Ik gaf alles om voorop te blijven en plots vloog hij me voorbij. Wereldkampioen worden, het zou mijn Mona Lisa geworden zijn. Maar ze zal voor altijd onafgewerkt blijven.'

Tussen 1961 en 1978 wint Franco Bitossi in 18 profseizoenen wel twintig etappes en drie keer de bergprijs in de Giro, vier ritten en de groene trui in de Tour, en vijf Italiaanse titels op de weg en in het veld. Bitossi is vooral de man van de Ronde van Lombardije. Winnaar in 1967 en 1970, twee keer tweede (1968 en 1971), twee keer derde (1969 en 1977) en in totaal elf keer in de top-10 in de grote jaren van o.a. Eddy Merckx, Roger De Vlaeminck en Felice Gimondi. Indrukwekkend maar ook opmerkelijk want Bitossi had zijn hele carrière problemen met zijn hart dat plots helemaal op hol slaat. *L'Uomo con Cuore Matto* moet tijdens wedstrijden diverse keren naar de kant om dat *gekke hart* van hem weer tot rust te laten komen voor hij kan doorfietsen. 'Ik had er bij de amateurs al last van,' zegt hij er later over. 'Daarom heb ik ook lang getwijfeld of ik wel prof zou worden. Wat ik precies voelde? Hartkloppingen, tot 220 slagen per minuut. Hoe ze mijn hart ook testten met de medische apparatuur en kennis van toen, ze vonden niks. Het gebeurde alleen maar in de koers, en dan nog... Het dook op – vaak in de eerste dagen van een rittenwedstrijd – het verdween vanzelf, en een paar dagen later won ik een bergrit.' En hoe! *Het Wilde Paard* is Bitossi's andere bijnaam, omwille van de woest steigerende stijl waarin hij bergen en hellingen opstormt. Ondanks zijn wankele hart dat hem enerzijds een aantal zeges heeft gekost maar hem anderzijds wellicht voor erger heeft behoed. Want, zegt zijn echtgenote Anna, 'met zijn *slechte hart* kon Franco geen amfetamines slikken.'

28 Wimbledon 2010: Vandaag kennen we zeker de winnaar! Of toch niet...?

In de eerste ronde staat de Amerikaan John Isner tegenover de Franse kwalificatiespeler Nicolas Mahut. Partijtje van niks, waar behalve papa Isner en mama Mahut eigenlijk niemand naar omkijkt. Tot de belangstelling groeit, en groeit en groeit, want die vijfde en beslissende set... Tie-breaks, daar begint de organiserende *All England Lawn Tennis and Croquet Club* in zo'n geval niet aan. *'Gentlemen, please continue,* tot er twee punten verschil is, *thank you.'* En dan kan de score wel eens oplopen. Tot 59-59 zelfs, op deze 23ste juni 2010. Tegen de ondergaande zon heeft zelfs de meest *stiffe upper lip* echter niks te bassen. De wedstrijd wordt afgebroken en de volgende namiddag hervat. Isner blijft maar een punt voorsprong nemen, Mahut maakt steevast weer gelijk en vice versa. De partij sleept zich voort, en dan... 69-68 voor de Amerikaan, zou het? Jawel, 70-68 na in totaal elf uur en vijf minuten tennissen en twee nieuwe Wimbledon-records voor Isner: 113 aces en in totaal 92 gewonnen *games*.

29   Milaan-Sanremo 2004:
Erik Zabel is de snelste! Of toch niet...?

Bingo, moet Erik Zabel gedacht hebben. De Duitse spurtsneltrein heeft topfavoriet Allessandro Pettacchi en diens onklopbaar gewaande Fassa Bortolo-trein in de luren gelegd. Schrijf maar op: Zabel wint zijn vijfde Milaan-Sanremo! Op de streep steekt hij zijn beide armen triomfantelijk omhoog. Net iets te vroeg echter, want hij heeft niet gemerkt dat Óscar Freire aan zijn rechterkant is komen opzetten en zichzelf als een dood gewicht over de streep slingert. De fotofinish komt snoeihard aan voor Zabel: na 294 kilometer koersen is de Spanjaard welgeteld drie centimeter vóór hem over de streep gekomen. Voor Freire is het de eerste van drie zeges in Milaan-Sanremo, de vijfde zal er nooit komen voor Erik Zabel. Domweg te vroeg gejuicht en daardoor een unieke kans gemist om op de eeuwige roemtabel van de *Primavera* beter te doen dan grootheden als Gino Bartali, Fausto Coppi en Roger De Vlaeminck...

30   Milaan-Sanremo 2009:
Cavendish komt te laat! Of toch niet...?

Dag op dag vijf jaar na het fiasco van Erik Zabel, op 20 maart 2009, heeft Heinrich Haussler de historische honderdste editie van Milaan-Sanremo op zak, zeker weten! Een omvangrijk peloton is de laatste rechte lijn op de Lungomare Italo Calvino opgedraaid voor de traditionele massaspurt. Maar de Australische Duitser heeft zich machtig losgerukt van de razende meute. Haussler pakte twee lengtes, drie lengtes, vier... Het lijkt *in the pocket*. Tot achter hem, met nog goed 100 meter te rijden, plots een gedrongen bolletje spieren in de gevreesde geel-witte HTC-trui in beeld komt. Is híj het? Jazeker, Mark Cavendish! Meter voor meter kruipt de snelste man van zijn generatie dichterbij. Haussler voelt iemand komen, kijkt onder zijn elleboog door, ziet wie het is en kan zijn ogen niet geloven. Hij probeert nog te versnellen, maar tevergeefs. Cavendish gaat hem alsnog voorbij en wint Milaan-Sanremo met een banddikte voorsprong.

Cav wint na die bizarre zaterdag in Sanremo o.a. 15 etappes en het puntenklassement in de Giro, 21 Tourritten en de groene trui, 4 etappes en de puntentrui in de Vuelta en het Wereldkampioenschap. Hij mag het ene miljoenencontract na het andere ondertekenen. Haussler moet tevreden zijn met één Touretappe en onbenullige zeges *à la* ritjes in de Ronde van Peking en de Bayern Rundfahrt. Verdomme toch, die ene onbenullige, onnozele, onrechtvaardig aanvoelende banddikte op de Lungomare...

En dan zijn er ook nog...

WK snooker 1992: Het gaat dan toch gebeuren: *Kampioen van het Volk* Jimmy White wordt eindelijk wereldkampioen! 14-8 vóór tegen Stephen Hendry, de jonge Schot moet al bijna elk frame winnen om nog een kans te maken. Wat hij prompt doet. Tien op een rij, zelfs. 18-14, en Hendry wint zijn tweede van in totaal zeven wereldtitels. En Jimmy White? *The Whirlwind* speelt in zijn carrière zes WK-finales. Hij verliest ze allemaal. * **Ryder Cup 2012:** Europa, met Nicolas Colsaerts als eerste Belgische deelnemer ooit, begint op 30 september aan de eindfase met vier punten achterstand op de Amerikanen. Op de slotdag van het prestigieuze golftornooi buigen zij een 10-6 achterstand om in een 14,5-13,5 overwinning. *The Miracle of Medinah*, naar de Medinah Country Club net buiten Chicago waar het tornooi werd gespeeld, is geboren. * **America's Cup 2013:** Acht gewonnen regatta's versus één. 8-1... Dat komt nooit meer goed voor *Oracle Team USA* in de al sinds 1851 georganiseerde America's Cup. *Emirates New Zealand* wint editie 2013 van 's werelds meest prestigieuze zeilwedstrijd, klaar... Of toch niet? De Amerikanen komen terug tot 8-8 en slepen er vervolgens ook nog de beslissende negende regatta uit: 8-9!

Van 36 rode kaarten tot 133 goals

De wonderlijkste voetbalwedstrijden

In de aanloop naar het WK *2002 in Japan en Zuid-Korea wint Australië op 11 april 2001 zijn kwalificatiewedstrijd tegen Amerikaans Samoa met 31-0, met 13 goals van Archie Thompson (o.a. Lierse en* PSV*). Twee jaar later roept Ramzan Kadyrov, de roemruchte president van Tsjetsjenië en voorzitter van voetbalclub Terek Grozny: 'Domme idioot! Deze scheidsrechter is omgekocht!' Tijdens de thuiswedstrijd tegen Roebin Kazan én door de stadionluidsprekers met het volume op naar schatting duizend. Soms is voetbal geen feest, maar pure kolder.*

31 Claypole – Victoriano Arenas (2011): De wedstrijd met 36 rode kaarten

In deze, zelfs naar Argentijnse normen, bijzonder bitsige wedstrijd leidt de thuisploeg in de tweede helft met 2-0 wanneer de hel losbarst. Beide teams zetten het op een massaal knokken, waarop scheidsrechter Damian Rubino hen alle 22 rood geeft, en ook alle invallers, trainers en hulptrainers van het veld stuurt. 36 rode kaarten in totaal, maar volkomen ten onrechte volgens de voorzitter van Claypole: 'Mijn spelers probeerden net een einde te maken aan de vechtpartij.'

32   Sunderland – Derby County (1894):
De wedstrijd met drie helften

Alles en iedereen is klaar voor de openingswedstrijd van het nieuwe
Engelse seizoen, op een detail na: de scheidsrechter. Die is er namelijk
nog niet op het afgesproken aanvangsuur. Onder leiding van een goed-
hartige vrijwilliger beginnen beide elftallen er toch aan. Bij de rust –
het staat 3-0 voor de thuisclub – komt de ref alsnog opdagen en hij laat
de wedstrijd doodleuk opnieuw beginnen. Het wordt 8-0, zodat Sunderland in totaal 11 keer heeft gescoord in drie helften in één wedstrijd.

33   Zuid-Afrika – Spanje (2013):
De wedstrijd met vier Spaanse keepers

Opmerkelijke eindbalans na de vriendschappelijke interland Zuid-
Afrika – Spanje, op 19 november. Niet eens zozeer dat de Zuid-Afrika-
nen met 1-0 gewonnen hebben van de regerende wereldkampioen. Wel
dat Spanje noodgedwongen vier doelmannen heeft moeten opstellen.
Iker Casillas is begonnen aan de wedstrijd en bij de rust is hij vervangen door Victor Valdés. Gebeurt wel vaker in interlands zonder inzet,
maar een kwartier voor tijd moest Valdés van het veld met een blessure. Probleem, want de Spaanse bondscoach Vicente del Bosque heeft
alle zes vooraf afgesproken wissels al opgebruikt. Verdediger Alvaro
Arbeloa was dan maar als derde doelman van de avond onder de lat
gaan staan, terwijl aan de zijlijn een verwoed debat werd gevoerd over
alsnog een zevende invalbeurt toestaan. Ja, is de conclusie, waarop
Pepe Reina van de bank kwam als vierde keeper in het Spaanse doel.

34   Southampton Arms – Hurstbourne Tarrant (1998):
De wedstrijd met rood voor de scheidsrechter

In deze topper in de Engelse *Sunday League* – de *Pub League* in de volks-
mond, wat meteen alles zegt over het niveau – fluit scheidsrechter
Melvin Sylvester (42) voor een overtreding van thuisspeler Richard
Curd, waarna hij helemaal door het lint gaat. Zonder aanwijsbare re-

den begint hij op de 27-jarige verdediger in te slaan, en Sylvester moet door spelers van beide teams van zijn slachtoffer weggetrokken worden. Wanneer dat is gelukt, haalt de scheids de rode kaart uit zijn borstzakje, toont ze aan zichzelf en verlaat het veld. 'Het werd me allemaal even te veel,' is zijn verklaring achteraf.

35 Boca Juniors – Sporting Cristal (1971): De wedstrijd die in de gevangenis eindigt

In Buenos Aires speelt Boca Juniors in de Copa Libertadores tegen Sporting Cristal uit Peru. Bij een 2-2 stand grijpt Boca-aanvoerder Ruben Zune een Peruaanse tegenstander bij de keel die hem, naar zijn mening, net iets te stevig getackeld heeft. In de daaropvolgende kettingreactie raken 19 spelers betrokken bij een massale vechtpartij. Wanneer de scheidsrechter er ten einde raad de politie bij roept om de orde te herstellen en de wedstrijd te kunnen laten voortgaan, arresteren de agenten de spelers en gooien ze vervolgens in de cel. Diezelfde dag nog worden ze veroordeeld tot 30 dagen gevangenisstraf.

36 Club 30 de Abril – Club 24 de Junio (1999): De wedstrijd met de 93 schorsingen

Op de slotspeeldag in de Paraguyaanse regionale voetballiga komen beide teams nog in aanmerking voor promotie, en het ziet ernaar uit dat het doelsaldo beslissend zal zijn. Waarop Club 30 de Abril zijn wedstrijd met 73-0 wint – de plaatselijke topscorer maakt 35 goals – en Club 24 de Junio met *slechts* 35-0. Zelfs voor Zuid-Amerikaanse bondsbazen is het allemaal net iets te doorzichtig, en in totaal 54 spelers en 39 bestuursleden van de betrokken clubs worden voor twee jaar geschorst.

37 Ajax – FC Twente (2011): De wedstrijd met de verstrooide sponsor

Het Nederlandse reisbedrijf Arke plaatst de dag na deze wedstrijd een paginagrote advertentie in *De Telegraaf*. Daarin feliciteert het FC

Twente, de club waarvan het shirtsponsor is, met de landstitel. Centraal in beeld staat de juichende middenvelder Denny Landzaat. Behoorlijk pijnlijk, want het is Ajax dat de dag voordien de titel heeft behaald. Uitgerekend in een rechtstreeks duel met FC Twente (3-1 winst in de ArenA), waarin Landzaat bovendien een own-goal heeft gemaakt.

38 Hibernian – Heart of Midlothian (tijdens de Tweede Wereldoorlog): De wedstrijd om de Luftwaffe te misleiden

Deze editie van de altijd beladen Edinburghse derby wordt stilgelegd omwille van de mist maar wordt toch verder rechtstreeks uitgezonden op de radio. Terwijl er dus, voor alle duidelijkheid, helemaal niet meer wordt gevoetbald. Het heeft alles te maken met de oorlog. De radiocommentator van BBC-Scotland gaat onverstoorbaar door met zijn commentaar, op bevel van *Londen* om de Duitse Lutfwaffe in de waan te laten dat de hemel helder was boven Edinburgh. Na de oorlog, in november 1945, zorgt een gebrek aan zichtbaarheid wegens mist voor een heel ander soort commotie na de vriendschappelijke wedstrijd Arsenal – Dynamo Moskou. Na afloop beweert de thuisclub dat de Russen een invaller hebben ingebracht, zonder er een andere speler af te nemen. Feit is in elk geval dat er hondsbrutale overtredingen werden begaan, waarna de Dynamo-spelers in de mist verdwenen vóór de scheidsrechter hen van het veld kon sturen.

39 Gigant Belene – Chavdar Byala (2009): De wedstrijd van vier minuten

Wat begint als een veelbelovend duel in de Bulgaarse Derde Klasse eindigt als de kortste wedstrijd aller tijden. Na vier (4!) minuten zit de match er namelijk al op. Blessures hebben er dan al voor gezorgd dat Gigant nog slechts met zijn zessen op het veld staat. Dat heeft mee te maken met het feit dat de thuisclub sowieso al maar met zijn achten aan de wedstrijd begonnen is en bijgevolg ook geen invallers achter de hand heeft. Affluiten dus en een forfaitzege voor Chavdar.

40 Barbados – Grenada (1994): De wedstrijd met zoveel mogelijk owngoals

In deze wedstrijd in de voorronde van de Caribbean Cup – het EK van Noord- en Midden-Amerika, zeg maar – zijn beide landen ingedeeld in een groep met Puerto Rico als derde deelnemer. Elk team komt daarin slechts één keer tegen elkaar uit. Niet de enige organisatorische kronkel met onvoorziene gevolgen, blijkt al snel. Puerto Rico heeft zijn twee wedstrijden al gespeeld en staat op de tweede plaats met drie punten. Grenada heeft na één wedstrijd ook drie punten, maar een beter doelsaldo dan Puerto Rico: +2 tegenover -1. Barbados staat laatste met nul punten en een doelsaldo van -1.

Er is, kronkel nummer twee, gekozen voor een merkwaardige toepassing van de *golden goal*. Het eerste doelpunt in de verlengingen is niet alleen goed voor de overwinning in de wedstrijd, het telt ook dubbel voor het totale doelsaldo. De laatste wedstrijd is beslissend voor het enige ticket voor het eindtornooi: Barbados – Grenada, op 27 januari 1994. Barbados komt met 2-0 voor, waardoor het op dat moment evenveel punten heeft als Grenada, allebei drie. Barbados is ook virtueel groepswinnaar met een beter doelpuntensaldo dan Grenada: -1 vóór de wedstrijd plus de twee gescoorde goals is gelijk aan +1. Grenada is aan de wedstrijd begonnen met een doelsaldo van +2 maar staat nu, minus de twee geïncasseerde treffers, op 0.

In de 83ste minuut scoort Grenada tegen. Tussenstand: 2-1. Beide landen hebben nog steeds drie punten, maar dankzij het doelsaldo is Grenada nu virtueel groepswinnaar: 0 plus het gescoorde doelpunt is gelijk aan +1, Barbados valt door de tegentreffer terug van +1 min één is gelijk aan 0. Barbados moét dus zeker nog een keer scoren om groepswinnaar te worden. Het zet alles op de aanval, maar in de 87ste minuut staat het nog steeds 2-1. Grenada dus nog steeds geplaatst voor het hoofdtornooi.

Dan krijgt een wiskundeknobbel bij Barbados echter een lumineus idee: waarom niet het tegenovergestelde doen en ervoor zorgen dat Grenada gelijk komt? 2-1 winnen volstaat niet om groepswinnaar te worden, maar 2-2 opent heel nieuwe perspectieven. Er moet, reglementskronkel nummer drie, na elke wedstrijd een winnaar zijn. Een gelijke stand betekent dus niet een punt voor elk team maar verlengingen. En bijgevolg geen drie minuten maar twee keer een kwartier om de *golden goal* te maken die dubbel telt voor het doelsaldo. En wat is de snelste makkelijkste manier om dat te bereiken? Precies, een owngoal. Verdediger Sealy en doelman Stoute spelen de bal eerst een beetje over en weer en laten hem vervolgens over de eigen doellijn rollen. 2-2, doel bereikt en op naar de verlengingen?

Nee, want het gebeurt allemaal zo opzichtig dat de spelers van Grenada meteen doorhebben welk kunstje Barbados hen probeert te flikken. Hoe liggen de kaarten voor hen, vlak voor het eindsignaal? Alsnog het winnende doelpunt maken betekent de kwalificatie. Verliezen met één goal verschil echter óók. En wat is dan het makkelijkst? Inderdaad, óók in eigen doel scoren.

Het leidt tot een van de merkwaardigste patstellingen ooit in het voetbal. Aan de ene kant staat een team, Grenada, dat probeert een own-goal te maken tegen een ander, Barbados, dat dit moet voorkomen. Barbados mag dus ook zelf niet meer scoren, want dan wint het wel met 3-2, maar het is toch uitgeschakeld op doelsaldo. Barbados mag ook niet verliezen, want dan ligt het er ook uit. Het moet er dus voor zorgen dat de bal er in de reguliere speeltijd aan geen van beíde kanten ingaat. Het merkwaardige schouwspel sleept zich naar de 90ste minuut en verlengingen. En daarin wordt Barbados beloond voor zijn onsportieve inventiviteit: het scoort de *golden goal*. 3-2 op het scorebord, maar 4-2 voor de eindafrekening met het dubbel tellende doelpunt.

Voor alle duidelijkheid toch maar even de eindstand stap voor stap reconstrueren. Barbados en Grenada finishen elk met drie punten. Barbados begon aan de wedstrijd met een doelsaldo van -1. Het heeft er tegen Grenada twee geïncasseerd: -1 min twee is gelijk aan -3. Maar het heeft er ook vier gemaakt: -3 plus vier is gelijk aan +1. En dat is beter dan Grenada, dat met een doelsaldo van +2 aan de aftrap is gekomen. Het heeft twee keer gescoord, wat betekent: +2 plus twee is gelijk aan +4. Maar het heeft er ook vier binnengekregen: +4 min vier is gelijk aan een totaal doelsaldo van 0. Minder goed dan de +1 van Barbados, dus.

'We voelen ons bedrogen,' zucht Grenada's bondscoach op de persconferentie. 'Wie deze regels verzonnen heeft, is rijp voor het gekken-huis. Het kan toch niet dat een wedstrijd gespeeld wordt met zoveel spelers die volkomen in de war zijn? Mijn jongens wisten niet meer in welke richting ze nu eigenlijk moesten aanvallen: naar de goal van Barbados of naar ons eigen doel. Zoiets heb ik nog nooit gezien. In het voetbal is het toch de bedoeling dat je tegen de tegenstander scoort en niet vóór hem?'

41 AS Dragon – ASM Belfort (2013): De wedstrijd 16.000 km verderop

In de Franse Bekercompetitie komt er voor vierdeklasser ASM Belfort een uitduel bij AS Dragon uit de trommel. Belfort ligt tegen de Frans-Zwitserse grens aan, Dragon mag deelnemen als kampioen van het overzeese gebied Tahiti en speelt zijn thuiswedstrijden in de plaatse-lijke hoofdstad Papeete. Spelers en staf van Belfort moeten bijgevolg 16.000 kilometer en 24 uur vliegen om op het veld te kunnen komen. Gelukkig voor hen winnen ze die op 17 november 2013 met 0-1 en gaan ze door naar de volgende ronde.

42 Sport Ancash – Hijos de Acosvinchos (2010): De wedstrijd met het slaapverwekkende water

In deze wedstrijd in de Peruaanse competitie is een speler van Ancash zo vriendelijk de tegenstanders van Hijos de Acosvinchos flesjes water aan te reiken om zich even te verfrissen. Netto-resultaat: vier spelers van Hijos gaan steil achterover en Ancash wint het promotieduel met 3-0. Nadien wordt in het ziekenhuis vastgesteld dat er een slaapmiddel in het water zat.

43 Burnley – Blackburn Rovers (1891): De wedstrijd met elf tegen één

Het sneeuwt ontbijtvlokken uit de hemel, het is bitter koud, en de bezoekende Blackburn Rovers hebben niet echt veel trek in de partij tegen thuisclub Burnley. Al helemaal niet meer wanneer het na 25 minuten 3-0 staat, en de scheidsrechter heeft na de rust alle moeite van de wereld om de Rovers terug op het veld te krijgen. Als er vervolgens een knokpartij losbarst, houden ze het voor bekeken. Het hele team stapt naar de kleedkamers, behalve doelman *Herby* Arthur. De scheidsrechter vindt echter dat er toch kan worden verder gespeeld omdat er, zoals de spelregels het dan nog voorschrijven, nog meer dan zes spelers op het veld stonden bij de aftrap van de tweede helft. Door met de wedstrijd, met elf tegen één dus. En dat is ingewikkelder dan het op het eerste gezicht lijkt. Burnley staat namelijk bij zowat elke voorwaartse voorzet haast collectief en per definitie buitenspel. En als doelman Arthur de bal in handen krijgt, staat hij er minutenlang mee rond te lummelen. Van pure ellende fluit de scheidsrechter alsnog af.

44   België – West-Duitsland (1972):
De wedstrijd die enkel in het Frans te zien is

Stel: het Europees Kampioenschap voetbal wordt nog een keer in ons land georganiseerd en de Rode Duivels halen de halve finale. In het stadion zijn de supporters helemaal klaar voor de confrontatie van de Belgen met een van de beste teams ter wereld, dat al zijn supersterren aan de aftrap brengt. Zou deze wedstrijd rechtstreeks worden uitgezonden op een Vlaamse zender? De vraag stellen is ze beantwoorden. En toch begint de BRT op woensdag 14 juni 1972 zijn televisie-avond om kwart voor acht gewoon met het nieuws, gevolgd door de Shakespeare-verfilming *Julius Caesar* en de Koningin Elizabethwedstrijd voor piano, terwijl de nationale ploeg op de Bosuil strijdt voor een plaats in de finale van het EK tegen West-Duitsland. De toekomstige wereldkampioen is dat, en het team van wereldtoppers als Franz Beckenbauer en Gerd Müller. Wat is eigenlijk het probleem met die wedstrijd?

Wat vandaag 'sponsoring' heet, wordt in die tijd nog hartgrondig verketterd als 'sluikreclame' en een bijna religieus beleden publiciteitspuritanisme leidt tot de vreemdste bokkensprongen. Minister van Nederlandse Cultuur Frans Van Mechelen is van oordeel dat er te veel reclameborden rond het veld staan op de Bosuil, en hij wil niet dat die anderhalf uur lang zomaar in alle huiskamers te zien zijn. Het Antwerp-bestuur is natuurlijk ook niet gek en het weigert de panelen af te dekken. Waardoor de BRT geen andere keuze heeft dan zich neer te leggen bij de verordening van zijn voogdijminister. Het absurde van de zaak is bovendien dat de Franstalige minister van Cultuur geen bezwaar heeft. Eén draai aan de knop volstaat dus om de Belgen vanuit de woonkamer met 2-1 te zien verliezen.

45 Boyaca Chico – Independiente Santa Fe (2013): De wedstrijd met namaaktruitjes

In de Colombiaanse *Liga Postobon*, de hoogste klasse, speelt Independiente Santa Fe uit bij Boyaca Chico. Bij aankomst in het stadion blijkt de materiaalman van Santa Fe een niet onbelangrijk detail over het hoofd gezien te hebben: hij is vergeten de truitjes mee te brengen. De traditie wil dat de thuisclub in zo'n geval een set reserveshirts ter beschikking stelt. Dat vertikken ze echter bij Boyaca Chico, waarop de spelers van Santa Fe aan de wedstrijd beginnen in hun grijze trainingstruitjes met op de rug met tape vastgeplakte nummers. Intussen spurt de materiaalman naar een verkoper van namaakshirts buiten het stadion. Hij koopt het kraam zowat leeg a rato van 5 euro per truitje, rept zich terug naar de kleedkames en krabbelt er met een rode viltstift namen en nummers op. Santa Fe wint de wedstrijd overigens met 0-2.

46 Chorlton Villa – Manchester FC (2009): De wedstrijd met de gele wind

In dit duel in de Engelse amateurliga (einduitslag 6-4) mist een speler van de bezoekers uit Manchester een penalty. Net op het moment dat hij zijn aanloop nam, had een van de thuisspelers een geweldige veest gelaten. De scheidsrechter laat de strafschop overnemen en geeft de *dader* geel.

47   HSV – Nüremberg (1922):
De wedstrijd die nooit eindigde

De beslissing over de Duitse landstitel moet in 1922 vallen in een play
off-wedstrijd tussen HSV uit Hamburg en Nüremberg. Die wordt in
Berlijn gespeeld, maar moet na 189 minuten afgebroken worden wegens de invallende duisternis. De stand is op dat ogenblik 2-2, en dus
volgt er een nieuw duel. In Leipzig, deze keer, en daar zitten 60.000
supporters in het stadion. Wat opmerkelijk is, aangezien het een capaciteit van slechts 40.000 heeft. En weer wordt het een bizarre vertoning. Het staat opnieuw gelijk (1-1) wanneer de scheidsrechter er ver
voorbij de normale speeltijd (in de 112de minuut) noodgedwongen een
einde aan maakt. Deze keer omdat Nüremberg nog slechts zeven spelers op het veld heeft staan. HSV kampioen dus, maar de Duitse voetbalbond vraagt de Hamburgers blijk te geven van sportiviteit en afstand te doen van de titel. Wat ze inderdaad doen.

48   Ivoorkust – Ghana (1992):
De wedstrijd van de tovenaars

Ivoorkust wint in Senegal de Africa Cup zonder dat doelman Alain
Gouaméné ook maar één tegendoelpunt heeft geïncasseerd. In de finale tegen Ghana (0-0 na verlengingen) zorgt hij bovendien voor de
eindzege door bij een 10-10 tussenstand de beslissende strafschop binnen te trappen. De triomf wordt echter opgeëist door een aantal tovenaars, die zeggen dat zij hiervoor zijn ingehuurd door de Ivoriaanse
minister van Sport. Die ontkent en weigert hen te betalen, waarop de
marabouts een vloek uitspreken over de nationale ploeg. Na een reeks
debacles op rij, smeekt de minister van Binnenlandse Zaken hen in
2002 in het openbaar om vergiffenis en hij betaalt hen 2.000 dollar.
Ivoorkust en Didier Drogba staan vier jaar later voor het eerst in de
geschiedenis op de Wereldbeker.

49 Huddersfield Town – Preston North End (1922): De wedstrijd die de strafschopregels omgooide

In een eerste fase is het elfmeterreglement in 1905 al een keer aangepast: keepers mogen voortaan hun doel niet meer verlaten bij een strafschop. Voordien mochten ze, nog vòòr de bal getrapt was, uitlopen tot aan de kleine rechthoek om een doelpunt te voorkomen. De reglementenbewakers hebben er overigens alsnog volle 14 jaar over gedaan om vast te stellen dat het op die manier wel erg makkelijk was om een strafschop te stoppen. Al helemaal als er iemand in het doel staat als Chelsea's William *Fatty* Foulke. Een reus van een vent met zijn 1 meter 90 en vooral 127 kilogram. Het doel niet meer mogen verlaten, betekent echter nog niet op de doellijn moeten blijven staan. Die toevoeging komt er pas alweer 17 jaar later. De onmiddellijke aanleiding is de Cup Final van 1922, tussen Huddersfield Town en Preston North End. Bij een 0-0 stand krijgt Huddersfield een strafschop. Ene Billy Smith gaat hem nemen, maar doelman James Frederick Mitchell – een schlemiel met een bril, maar dit terzijde – probeert hem van de wijs te brengen door als een gek op zijn doellijn heen en weer te dansen en met zijn armen te wapperen. Tevergeefs, 1-0, meteen de eindstand van de eerste Cup Final die met een penalty beslist wordt. Fijne voetnoot in de geschiedenis, maar belangrijker is dat de heren van stand van de Engelse voetbalbond het mallotige gedrag van Mitchell met afgrijzen hebben aanschouwd. Ze vaardigen prompt een nieuwe regel uit: bij een strafschop moet een doelman met onmiddellijke ingang op zijn lijn blijven staan, tot de bal getrapt wordt.

50 Estland – Schotland (1996): De wedstrijd met één elftal

'*There's only one team in Tallinn,*' zingen de Schotse fans die meegereisd zijn naar de hoofdstad van Estland voor een interland in de voorronde van het WK in Frankrijk. En dat klopt, want er staat letterlijk slechts één ploeg op het veld: Schotland. De Joegoslavische scheidsrechter heeft dan ook geen andere keuze dan meteen maar af te fluiten. Hoe dat zo gekomen is? De Schotten hadden officieel bezwaar aangetekend

tegen het oorspronkelijke, avondlijke aanvangsuur wegens onvoldoende veldverlichting. Zij kregen gelijk van de voetbalinstanties, die de
wedstrijd met drie uur vervroegde. Dat zagen de Esten echter niet zitten. Ze bleven doodleuk in hun honderd kilometer verderop gelegen
trainingskamp met het argument dat ze hun voorbereiding op de wedstrijd onmogelijk nog konden omgooien. Volgens de FIFA-regels zou
Schotland een 0-3 forfaitzege mogen bijschrijven, maar de wegen van
de bondsbonzen zijn en blijven ondoorgrondelijk. Tot ieders verbazing
moet de wedstrijd alsnog worden gespeeld op neutraal terrein. In
Monaco blijft het op 11 februari 1997 0-0, Schotland wordt slechts
tweede in zijn groep met twee punten achterstand op Oostenrijk maar
plaatst zich als 'beste tweede' gelukkig alsnog voor het eindtornooi.
Estland komt niet verder dan de vijfde plaats en ziet Frankrijk op televisie wereldkampioen worden.

51   Tongeren – Veldwezelt (2012):
De wedstrijd met de staking

De spelers van de bezoekende club, in de Belgische Vierde Klasse, zijn
niet bijster blij met het feit dat ze nog centen te goed hebben van hun
bestuur. In de 85ste minuut van de wedstrijd gaan ze met zijn allen in
zitstaking, inclusief de doelman, en ze laten de thuisploeg ongehin-
derd scoren. Een dappere en nobele daad? Valt wel mee want op dat
moment staat Veldwezelt al met 0-6 voor.

52   Red Bull Salzburg – Wolfsberg (2013):
De wedstrijd met de veelscorende vader

De Spanjaard Jonathan Soriano valt in voor Red Bull in deze wedstrijd
in de Oostenrijkse hoogste afdeling, en dat is op zich al opmerkelijk.
Enkele uren voor de aftrap is hij namelijk vader geworden en hij is pas
in het stadion aangekomen als de wedstrijd al een halfuur aan de gang
is. Soriano komt in de tweede helft in het elftal bij een 2-2 stand en
scoort een hattrick. Eindstand: 6-2.

DE WONDERLIJKSTE VOETBALWEDSTRIJDEN

53   SpVgg Fürth – VfB Leipzig (1914):
De wedstrijd van 153 minuten

De Eerste Wereldoorlog werpt zijn schaduw stilaan vooruit, maar in
Duitsland wordt er vooralsnog gewoon gevoetbald. Het kampioenschap wordt op 31 mei 1914 afgesloten met een eindronde, waarin
SpVgg Fürth en VfB Leipzig het tegen elkaar opnemen. Na 90 minuten
staat het 2-2, en dus volgen er verlengingen. In die jaren is dat echter
synoniem met 'doorspelen tot er een winnaar is'. Pas na meer dan een
uur extra tijd scoort VfB Liepzig de 2-3, de wedstrijd heeft in totaal 153
minuten geduurd.

54   Cercle Brugge – Roeselare (2010):
De wedstrijd met de laagste voorverkoop

Voor deze heenwedstrijd in de halve finale van de Belgische Beker worden op 10 februari vijfduizend toeschouwers verwacht in het Brugse
Jan Breydelstadion. In Roeselare gaan in de voorverkoop welgeteld vijf
(5!) tickets over de toonbank, en de match wordt kort voor de aftrap
afgelast wegens sneeuwoverlast.

55   Bradford City – Crawley Town (2012):
De wedstrijd met 5 rode kaarten onder de douche

De scheidsrechter trekt in deze wedstrijd in de Engelse League Two –
vergelijkbaar met de Belgische Vierde Klasse – vijf keer rood. Simultaan, ná de wedstrijd én terwijl de spelers al onder de douche staan. Na
zijn laatste fluitsignaal is er een massale vechtpartij uitgebroken. De
ref heeft vervolgens gewacht tot de gemoederen wat bedaard zijn en is
dan de kleedkamers van beide teams binnengestapt om vijf spelers
alsnog rood te geven.

56   The Gaps – Rocklea (1998):
De wedstrijd met de 44 strafschoppen

Deze Bekerwedstrijd in het Australische Brisbane eindigt op een gelijkspel, en dus moeten er strafschoppen worden genomen. Niet alleen
komen alle spelers van beide teams aan de beurt, niemand mist bovendien: 11-11. Waarop ze allemaal nog een keer moeten, en het is uiteindelijk de allerlaatste – Rocklea-aanvoerder Tom Novach – die als eerste
mist: 22-21 na 44 penalty's, en een partij die in totaal 3 uur en 1 minuut
heeft geduurd.

57   Luton Town – Bristol Rovers (1936):
De wedstrijd met de tien goals van de invaller

Joe Payne van Luton Town lijkt een voetballer van dertien in een dozijn. Geen spits, niet eens een vaste waarde in het elftal, maar wanneer
alle aanvallers geblesseerd zijn voor de competitiewedstrijd tegen
Bristol Rovers in de Engelse Derde Klasse anno 1936 mag hij toch een
keer meespelen. Nog voor de rust heeft Payne een hattrick gescoord en
na de koffie doet hij er nog zeven goals bij. 12-0 voor Luton, met tien
doelpunten van Payne, die er een transfer naar Chelsea mee verdient.

58   Plateau – Police Machine (2012):
De wedstrijden met 133 goals in de tweede helft

De Nigeriaanse voetbalbond schrapt in juli 2013 vier clubs uit de plaatselijke Vierde Klasse na een wel heel doorzichtige poging de kluit te
belazeren. Plateau en Police Machine FC kwamen op de laatste speeldag van het voorgaande seizoen allebei nog in aanmerking voor promotie. Het zou op het doelpuntensaldo aankomen, en dan is het vervolg behoorlijk voorspelbaar. Deze clubs bakken het echter wel heel
erg bruin. Police Machine FC heeft met 67-0 gewonnen van Babayaro
FC, met 61 goals in de tweede helft. Wat niet volstond, want Plateau
deed beter met 76-0 tegen Akurba FC, met 72 doelpunten na de rust.
    Gelijkaardig verhaal overigens aan het eind van het seizoen 1978-
79, in de regionale liga van Macedonië, toen nog behorend tot Joego-

slavië. Met nog één wedstrijd te gaan kwamen nog twee teams in aanmerking voor de titel, Ilinden en Debarce. Ze stonden precies gelijk wat punten betreft, zodat het aantal gescoorde doelpunten de doorslag zou geven. Debarce won met 0-88 op het veld van Gradinar, Ilinden versloeg Mladost thuis met 134-0. Ook toen werden de vier betrokken teams geschorst.

En dan zijn er ook nog...

Velez Sarsfield – Ferro Carril Oeste (Argentijnse Eerste Klasse, 1999): José Luis Chilavert, de Paraguyaanse sterspeler van de thuisclub scoort drie keer vanop de penaltystip, en wordt zo de eerste doelman ooit die drie goals maakt in één wedstrijd. * **Kroatië – Australië (WK 2006):** De nochtans hoog aangeschreven Engelse scheidsrechter Graham Poll is blijkbaar helemaal het noorden kwijt in de bitsige slotfase. De Kroaat Josip Simunic krijgt zijn tweede gele kaart. Rood dus, maar hij mag toch op het veld blijven. Meer zelfs, Poll geeft hem even later een dérde keer geel.

Van Cristiano Ronaldo tot Johan Cruijff

De merkwaardigste transfers

Kenneth Kristensen, aanvaller van de Noorse derdeklasser Vind-bjart, stapt in 2002 over naar reeksgenoot Flöj in ruil voor zijn gewicht in schaaldieren en in 2006 betaalt het Roemeense Regal Hornia 15 kilogram worst aan UT Arat voor Marius Cioara. De legende wil dat Cioara hierdoor zo beledigd is dat hij de volgende dag al stopt met voetballen, waarop Hornia de worsten terugeist. Het zijn echter lang niet alleen nobele onbekenden die verwikkeld raken in bizarre transfersoaps. Integendeel, zelfs.

59 Cristiano Ronaldo: Gratis naar Sporting

Het begint allemaal in 1994. C.D. Nacional, een ambitieuze club van het eiland Madeira die uitkomt in de Portugese Tweede Klasse, heeft belangstelling voor ene Pedro Filipe Antunes Silva Franco, voetbal-naam 'Franco'. Een 21-jarige speler van het nog minder bekende Odivelas, dat hem zelf heeft weggehaald bij de jeugd van Sporting Lissabon. De transfer gaat door, maar een en ander betekent wel dat Sporting recht heeft op een opleidingsvergoeding van een kleine 20.000 euro. Het is echter bereid Franco gratis vrij te geven als Nacio-nal in ruil een jeugdspeler van amper 11 jaar afstaat. Nacional denkt een reuzezaak te doen en hapt gretig toe. Franco bakt er niet bijster veel van, en via almaar kleinere clubs belandt hij uiteindelijk bij FC Seoel in Zuid-Korea. Het 11-jarige voetballertje, daarentegen is... inderdaad, Cristiano Ronaldo, en in juni 2003 heeft. Real Madrid er 94 miljoen voor over om hem los te weken bij Manchester United. Op dat moment de hoogste transfersom ooit.

60   Andriy Shevchenko:
Niet goed genoeg voor West Ham

Via allerlei contacten in Oost-Europa krijgt de Londense eersteklasser West Ham United in 1994 twee jonge voetballers uit de Oekraïne op proef. Eén van hen is de dan 18-jarige Andriy Shevchenko. Hij blijft een week bij West Ham en scoort in een wedstrijd met de invallers. Shevchenko moet slechts anderhalf miljoen euro kosten, maar manager Harry Redknapp stuurt hem terug naar Kiev met de historische woorden: 'Niks bijzonders, ik ga onze contactpersoon vragen of hij geen betere speler in de aanbieding heeft.' Stadsgenoot Chelsea betaalt in 2006 ruim 34 miljoen euro aan AC Milan voor de winnaar van de Champions League 2003 en de Europees Voetballer van het Jaar 2004.

61   Rob Rensenbrink:
Geruild als een Paniniprentje

De Nederlander Rob Rensenbrink staat zowel in 1974 als in 1978 in de finale van de Wereldbeker met Oranje. De sierlijke linksbuiten is in die jaren de absolute sterspeler van Anderlecht, maar hij begon zijn carrière in België bij Club Brugge, dat hem in 1969 heeft weggehaald bij het Amsterdamse DWS. Wie heeft er net dan een flinke vinger in de bestuurspap bij blauw-zwart? Constant Van den Stock, die twee jaar later voorzitter wordt van Anderlecht, en Rensenbrink ten koste van alles naar Brussel wil halen. Vandaag hebben makelaars en spelers zo'n beetje alle macht op de transfermarkt, maar in 1971 hangt de slinger nog helemaal aan de andere kant. Het arrest-Bosman en sluipwegen zoals de Wet van '78 zijn uiteraard nog toekomstmuziek, en voetballers hebben nauwelijks iets te beslissen over hun lot. Overstappen naar een andere club kan alleen maar in een strikt vastgelegde transferperiode na afloop van het seizoen, die in heel Europa van kracht is. Een voetballer is nog *eigendom* van zijn club, en hij wordt *gekocht, ver-*

kocht of *geruild,* zoals journalisten en supporters dat in die dagen zonder verdere bijgedachten omschrijven. Gevolg is dat de transferzomer veel weg heeft van een stel kinderen dat op de speelplaats voetbalprentjes ruilt, maar dan met echte spelers. Mensen dus, maar daarvan kunnen de clubleiders niet echt wakker liggen, zoals blijkt uit de manier waarop Anderlecht zijn spelerskern samenstelt voor het seizoen 1971-72, en de transfer van Rob Rensenbrink in het bijzonder.

Constant Van den Stock opent de jacht op Jean Dockx van Racing White, en Dockx wil zelf absoluut naar Anderlecht. De ideale situatie voor Racing White om het onderste uit de kan te halen dus, en in 1971 is dat een fors bedrag plus een aantal Anderlechtspelers. De keuze valt op Maurice Martens en Gérard Desanghere, die als pasmunt naar de andere kant van Brussel verhuizen. Met name Desanghere is daar het hart van in, want hij heeft al een overeenkomst met Eendracht Aalst en hij wil er heel graag gaan voetballen. Niets mee te maken, het wordt Racing White, zoals dat voor hem is beslist door zijn oude en zijn nieuwe club. International Wilfried Puis heeft iets meer in te brengen wanneer hij wordt opgevorderd als wisselgeld in een andere transfer, maar niet echt veel. Hij moet samen met Johnny Velkeneers plus zes miljoen frank (150.000 euro) richting Brugge, in ruil voor Rensenbrink. De 28-jarige Oostendenaar ziet dat helemaal niet zitten. 'En mijn jubileummatch dan?' pruttelt hij nog tegen. Puis speelt bijna tien jaar in het eerste elftal van Anderlecht. Daarbij hoort traditioneel een galawedstrijd, waarvan de opbrengst voor een deel naar de jubilaris gaat. Puis krijgt de helft van het te verwachten entreegeld toegestopt en mag opkrassen. De gevoelige linksbuiten trekt met zijn ziel onder de arm naar Brugge, waar hij zich nooit echt thuis zal voelen.

Bij Anderlecht ontpopt Rensenbrink zich als een speler van wereldformaat, die met name schittert in de Europese tornooien. De belangstelling van buitenlandse topclubs kan dan ook niet uitblijven. Een handvol Spaanse teams meldt zich in het Astridpark, Inter Milaan ook, en wanneer Ajax Cruijff verliest aan Barcelona, wil het Rensenbrink inhalen als zijn vervanger. Constant Van den Stock houdt echter het been stijf, en de allerbeste speler in de Belgische competitie mag en kan bijgevolg niet weg. In januari 1980 vertrekt Rensenbrink alsnog bij Anderlecht. Niet naar Real of Barcelona, maar naar de Verenigde Staten, waar hij bij de Portland Timbers nog wat centen voor de rente gaat verdienen.

62 Kakà:
Niet goed genoeg voor 1 miljoen

6,5 miljoen euro betaalt AC Milan in 2003 aan het Braziliaanse São Paulo FC voor Ricardo Izecson dos Santos Leite, alias Kaká. Zes jaar later verkast hij voor ongeveer het tienvoudige naar Real Madrid. Ergens in Turkije wordt er flink met de tanden geknarst, en wel hierom. In 2000 is Kaká nog een jeugdspeler bij São Paulo FC, die nog niet één wedstrijd in het eerste elftal heeft gespeeld. Gaziantepspor heeft hem echter al op de korrel, en bij São Paulo is de financiële nood bijzonder hoog. Met 1 miljoen euro zijn ze zelfs al tevreden als transfervergoeding. Een koopje dus, maar bij Gaziantepspor maken ze de inschattingsfout van hun leven: 'Veel te veel voor een speler zonder enige ervaring op het hoogste niveau.'

63 Ali Dia:
De valse neef van de valse George Weah

Southampton-manager Graeme Souness krijgt in 1996 een telefoontje van *Wereldvoetballer van het Jaar* George Weah: 'Mijn neef Ali Dia zit zonder club, hij kan indrukwekkende statistieken voorleggen van bij Paris Saint-Germain en hij is 13 keer international geweest.' Souness biedt hem onmiddellijk een contract aan, maar Dia zal slechts één keer voor Southampton spelen en uitgroeien tot de slechtste transfer ooit in de geschiedenis van het Engelse voetbal. Blijkt dat hij nooit voor PSG heeft gespeeld, ook geen enkele keer in de nationale ploeg en de man die Souness aan de lijn kreeg was Dia's manager die zich uitgaf voor Weah.

64 Luther Blissett:
Van klungel tot cult

AC Milan betaalt in 1983 een miljoen pond aan het Watford van voorzitter Elton John voor midvoor Luther Blissett. Die blijkt in de Serie A geen deuk in een pakje boter te kunnen trappen en moet na amper een seizoen al afdruipen onder algemeen hoongelach. Een zeer nadrukkelijk gerucht wil dat Milan de verkeerde spits van Watford heeft getransfereerd. Het was namelijk de bedoeling de latere international John Barnes aan te trekken, maar ergens onderweg zou er een persoonsverwisseling zijn gebeurd. Feit is in elk geval dat Blissett dermate slecht was dat hij uitgroeit tot een cultfiguur. Een mysterieus anarchistisch kunstenaarscollectief gebruikt zijn naam zelfs een tijd als pseudoniem, waaronder het onder meer de magistrale historische roman Q publiceert die zich voor een stuk in Antwerpen afspeelt.

65 Franz Beckenbauer:
Dankzij een scheldpartij

Beckenbauer begint zijn carrière in de jeugdreeksen van SC 1906 München, en hij heeft één grote droom: ooit het eerste elftal halen van zijn favoriete club. Niet Bayern, maar de kleinere stadsgenoot TSV 1860 München. In juni 1958 mag de dan 12-jarige *Kaiser* in spe met SC 1906 voor het eerst de wei in voor de derby tegen TSV 1860. Het jeugdwedstrijdje van dertien in een dozijn wordt een keerpunt in zijn carrière en in de Europese voetbalgeschiedenis. Beckenbauers rechtstreekse tegenstander blijkt een niet bijster welopgevoed joch te zijn, dat hem van bij de aftrap loopt uit te schelden. *Domkop* is nog het meest vriendelijke dat hij naar zijn hoofd krijgt, maar Beckenbauer reageert alleen maar door een schitterende goal te maken. Hij kijkt zijn tegenstander aan met een blik van 'wie is hier nu de domkop?'. Waarop die hem achter de rug van de scheidsrechter een klap in zijn gezicht geeft. Na de match zegt kleine Franz tegen vader Beckenbauer: 'Bij zo'n club wil ik nooit van mijn leven spelen. Ik ga later naar Bayern.'

Beckenbauer zal Bayern naar de wereldtop leiden en wereldkampioen worden met West-Duitsland, als speler én als coach. TSV 1860 is vandaag maar wat blij dat het zijn thuiswedstrijden in Bayerns *Allianz Arena* mag afwerken om het hoofd boven water te kunnen houden.

66   Luigi Meroni: Staking bij FIAT

Luigi *Gigi* Meroni geldt als de nieuwe wonderboy van het Italiaanse voetbal. Juventus wil hem in 1967 weghalen bij stadsgenoot Torino voor het destijds fenomenale bedrag van 750 miljoen lire, omgerekend zo'n 400.000 euro. Prompt trekt er een protestbetoging van Torino-supporters door de stad, en wanneer de vakbonden ook nog eens gaan dreigen met een staking bij *Juve*-broodheer FIAT, wordt de transfer afgeblazen.

67   Alfredo di Stéfano: Eerst naar Barcelona, dan pas naar Real

Tussen 1955 en 1960 leidt Alfredo di Stéfano Real Madrid naar vijf opeenvolgende Europacup I-zeges en eeuwige roem. Vandaag is hij nog steeds een god in Bernabéu, en de Argentijn geldt samen met Pelé, Maradona en Cruijff als een van de beste voetballers aller tijden. En toch... Jawel, ook dit verhaal had helemaal anders kunnen lopen.

1949. Alfredo di Stéfano verlaat zijn vaderland Argentinië om een wel heel aparte reden: de spelers zijn er in staking voor meer loon, maar de clubs plooien niet en stellen amateurs op. Er moet echter brood op de plank, en Di Stéfano gaat van River Plate naar het zeer toepasselijk genoemde Millonarios uit Colombia. Drie jaar later blinkt hij met die club uit op een tornooi ter gelegenheid van de 50ste verjaardag van Real Madrid. Voorzitter Santiago Bernabéu wil hem koste wat het kost naar zijn club halen, maar eeuwige rivaal Barcelona ligt ook op de loer. Er ontspint zich prompt een schaduwspel zonder weerga in de voetbalgeschiedenis.

De transfer van Di Stéfano is een complex gegeven. Zowel met hem als met River Plate én Millonarios moet een akkoord worden bereikt. Barcelona ligt in *pole position*. Di Stéfano meldt zich in mei 1953 zelfs al in Catalonië, maar dan gaat Millonarios dwarsliggen. Om meer geld te krijgen? Ongetwijfeld, maar er is meer aan de hand. Hardnekkige geruchten gaan namelijk dat Barcelona-voorzitter Carreto bedreigd is door het Franco-regime dat uitgesproken Real-gezind is. Is het toeval dat de Spaanse voetbalbond net dan een verbod uitvaardigt op het aantrekken van buitenlanders, met uitzondering van Di Stéfano? Bovendien is er de wel heel merkwaardige voorwaarde dat hij eerst twee jaar voor Barcelona mag spelen maar dat hij daarna naar Real moet overstappen. Carreto gaat akkoord, maar de supporters van *Barça* zijn in alle staten. Een speler van hen, in het wit van Madrid? Nooit ofte nimmer! De druk wordt te groot voor Carreto, die ontslag neemt. Het voorlopige bestuur van Barcelona besluit de rechten op Di Stéfano te verkopen aan Real. Vier dagen later scoort die zijn eerste goals voor de Madrilenen. Een hattrick tegen... Barcelona.

68 Toon Effern:
Het vaderland roept

Toon Effern, een Nederlandse militair die naar Engeland is gevlucht, speelt in 1944 in Londen mee in een geïmproviseerde interland tegen België. Een van de toeschouwers is Sir A.V. Alexander, opperbevelhebber van de Britse vloot en ondervoorzitter van Chelsea. Hij is onder de indruk van Effern en loodst hem naar Stamford Bridge, waar hij in zijn eerste week meteen al drie keer scoort in evenveel wedstrijden. De eerste doelpunten ooit van een buitenlander in de Engelse competitie. En toch, na die wonderlijke zeven dagen zit zijn avontuur er alweer op. Zijn commandant verbiedt hem een langdurig contract te tekenen: het is oorlog en er kan geen soldaat worden gemist. Geen Chelsea voor Effern maar een carrière bij Stormvogels uit IJmuiden en HFC Haarlem.

69 Johan Cruijff:
Verkocht als landbouwwerktuig

In 1971 leidt Johan Cruijff Ajax naar zijn eerste van drie opeenvolgende Europacups. Voor hemzelf betekent het de definitieve doorbraak op het internationale niveau. Net dan loopt zijn contract in Amsterdam af. Bij Ajax verdient Cruijff omgerekend 17.500 euro per seizoen. 'Niet eens de helft van wat Jan Mulder bij Anderlecht opstrijkt,' menen insiders te weten. Cruijff staat als superster sterk genoeg om met de hulp van zijn schoonvader-manager Cor Coster het gevecht aan te gaan tegen de internationale transferbeperkingen. 'Misschien kan ik tot mijn 32ste blijven voetballen,' zegt de 23-jarige Cruijff. 'Maar dan is het voorbij, terwijl je in elk ander beroep tot je 60ste de tijd hebt om miljonair te worden. Waarom zou ik die kans niet krijgen?'

Barcelona en Inter hebben belangstelling, maar er is een probleem: de Spaanse en Italiaanse grenzen zijn dicht voor buitenlanders. Standard-voorzitter Roger Petit broedt echter op een stunt: als Inter of Barça Cruijff nu eens contracteerden, en hem in afwachting op Sclessin stalden? Punt is alleen dat Standard dan wel zijn loon moet betalen, en de door Cruijff en Coster vooropgestelde 125.000 euro per seizoen is wel erg veel. Uiteindelijk tekent Cruijff alsnog een nieuw contract bij Ajax. Voor maar liefst zeven seizoenen bovendien. Tot zijn 30ste dus. In Amsterdam gaat men ervan uit dat het godenkind zijn carrière bijgevolg wel bij Ajax zal afsluiten. In 1973 gaan de Spaanse grenzen echter alsnog open, en Barcelona heeft nog steeds belangstelling. Het sein voor Cruijff om een manier te zoeken om onder zijn contract bij Ajax uit te komen. Het zijn zijn ploeggenoten die de munitie leveren voor het genadeschot.

Cruijff is begenadigd met een adembenemende techniek en een nog unieker inzicht in het spelletje. De keerzijde van de medaille is echter dat hij zich met werkelijk alles bemoeit en over iedereen zijn niet altijd even diplomatische mening heeft. Zijn collega's zijn Cruijffs oeverloze geëmmer spuugzat, en in een geheime stemming verkiezen ze Piet Keizer boven hem als nieuwe aanvoerder. Cruijff grijpt het aan om over een vertrouwensbreuk te toeteren, en hij eist een transfer. Hij begint nog wel aan het seizoen bij Ajax, maar tekent dan toch bij Barcelona. Het betekent echter nog lang niet dat hij zich het daaropvolgende weekend al kan gaan omkleden in de kleedkamer in Camp Nou, want er zijn nogal wat problemen.

De financiën, om te beginnen. Ajax heeft bij Barcelona de destijds astronomische transfersom van omgerekend 3 miljoen euro bedongen. In het helemaal op zichzelf teruggeplooide Spanje van generaal Franco

– wiens regime voluit de kaart van Real Madrid trekt, zoals al bleek uit de transferperikelen rond Alfredo di Stéfano – zien ze zo'n enorm bedrag in valuta liever niet uit het land verdwijnen. Toch niet voor een voetballer. Barcelona omzeilt de klip door Cruijff bij de douane in te klaren en te laten registreren als een landbouwwerktuig ter waarde van 3 miljoen.

Op naar het volgende probleem, want de Nederlandse voetbalbond weigert de overstap te officialiseren omdat die buiten de transferperiode is gerealiseerd. Het gevolg is dat Cruijff voorlopig enkel vriendschappelijke wedstrijden mag spelen. Op 5 september 1973 maakt hij zijn debuut voor *Barça* in zo'n oefenmatch tegen Cercle Brugge. Barcelona wint met 6-0 en Morten Olsen (later bij Anderlecht en Deens recordinternational) heeft sterretjes gezien: 'Als je tegen Cruijff moet spelen is het vreselijkste dat je zijn aanwezigheid voelt en vreest, zelfs al staat hij niet in de buurt. Tot tweemaal toe heb ik daarom een bal in hoekschop getrapt. Ik vermoedde dat hij in mijn rug stond, maar toen ik mij omdraaide, zag ik hem nergens.'

Het WK van 1974 komt steeds dichterbij, en de druk op de Nederlandse voetbalbond neemt toe. Moet Oranjes grote roerganger niet dringend wedstrijdritme opdoen, met het oog op de Wereldbeker? De bond zwicht, en op 28 oktober 1973 speelt Cruijff zijn eerste officiële wedstrijd voor Barcelona. Hij scoort meteen twee keer, in de Spaanse competitie tegen Granada. *Barça* ploetert op dat ogenblik op de 15de plaats in de algemene rangschikking. Onder impuls van Cruijff wordt het alsnog kampioen, na onder andere een historische 0-5 zege, uit bij Real. De man die als *El Salvador* is ingehaald, heeft zijn eerste mirakel verricht. Hij zal zich later ook als trainer opwerpen als een *Verlosser* voor Barcelona.

En dan zijn er ook nog...

Gianluigi Lentini: AC Milan betaalt in 1992 omgerekend zo'n 20 miljoen euro aan Torino voor de rechterflankspeler, die daarmee de duurste voetballer ooit wordt. Het leidt tot een veroordeling van het Vaticaan wegens 'decadent'. * **Sócrates:** Op zijn 50ste tekent de Braziliaanse ster van het WK van 1982, een nieuw contract. De gewezen middenveldregisseur van o.a. Fiorentina gaat in 2004 voor de Engelse amateurclub Garforth Town spelen. Nu ja, spelen. Hij komt er welgeteld één keer in actie: een invalbeurt van amper 12 minuten tegen Tadchester United. * **Michael Owen:** De ex-speler van Liverpool en Real Madrid is in 2009 te duur voor het net gedegradeerde Newcastle United en zit zonder club. Zijn management laat uit pure wanhoop een 32 pagina's dikke brochure drukken, waarin de nochtans over de hele wereld bekende goaltjesdief wordt aangeprezen als 'een speler die nooit te laat komt op training'. Owen vindt op de valreep onderdak bij Manchester United. * **Ruud Gullit:** In 1980 gaat hij als jonge spits van het Nederlandse Haarlem testen bij de toenmalige Engelse topclub Ipswich Town. Manager Bobby Robson heeft echter twijfels bij Gullits discipline en stuurt hem door. Later wordt *De Zwarte Tulp* tot twee keer toe Wereldvoetballer van het Jaar en met AC Milan wint hij onder meer ook twee keer Europacup I.

Van de Eerste Flandrien tot de Onbekende Coureur

De ongelukkigste wielerhelden

'Et pour les coureurs, la même chose!' Zoals in 'Et pour les fla-mands...', het roemruchte bevel waarmee Franstalige Belgische officieren hun Vlaamse soldaten van 1914 tot 1918 naar het front joegen. Wraakroepend? Ja. Maar in de cynische oorlogslogica maakte je moedertaal eigenlijk niet zoveel uit, en je beroep al evenmin. Vroeg of laat moest je toch de loopgraven uit, of je nu Vlaams sprak, Frans, Duits, Engels, Italiaans, Turks, Hongaars, Russisch... Vroeg of laat werd je toch in de moordstorm van ko-gels, obussen en gifgas gestuurd, of je nu bakker was, slager, le-raar, landbouwer... Of wielrenner.

70 Marcel Kerff: Hier rust 'De Eerste Flandrien'

4 augustus 1914. Marcel Kerff springt op zijn fiets en dat kun je naïef noemen. Gevaarlijk ook. Kerff trapt immers niet als een door angst bezetene, op de vlucht voor het oorlogsgeweld. Integendeel, hij rijdt de voorwacht van het keizerlijke Duitse leger nieuwsgierig tegemoet. Wie haalt het in godsnaam in zijn hoofd? Het is een bedenking die we van-daag maken, Kerff heeft er in augustus 1914 nog geen flauw idee van dat hij een wereldoorlog binnenfietst. Veel erger dan wat hij als cou-reur al heeft meegemaakt kan het niet zijn, heeft hij misschien zelfs gedacht. De op 2 juni 1866 in Sint-Martens-Voeren geboren krachtpat-ser geldt voor sommige wielerhistorici als *De Eerste Flandrien*. Veel

heeft Kerff nochtans niet gewonnen tijdens zijn actieve carrière, tussen 1896 en 1904. Eén koers slechts, volgens de archieven die twee wereldoorlogen overleefd hebben: de *48 uur van Antwerpen* in 1900, een baanwedstrijd waarvan de naam exact omschrijft wat het opzet was. Niet dat hij de eretitel niet verdiend heeft, want Kerff was er in 1903 bij in de allereerste Tour, waarvan hij de eeuwige heroïek en romantiek mee heeft geboetseerd. In de tweede rit al, tussen Lyon en Marseille. 373 kilometer afzien in de hitte. De latere eindwinnaar Maurice Garin heeft ervoor gezorgd dat er nog voor halfweg koele drank klaarstaat voor hem en de renners die net zoals hij voor *La Française* rijden. Marcel Kerff is daar niet bij. Smeken en bidden, daarna *briesen* en bulderen, de Fransen blijven onverbiddelijk: geen druppel voor die Belg! Waarop Kerff zich op een van de emmers stort die Garin en co gebruikt hebben om het stof van hun gezicht te wassen en het smerige water opdrinkt.

Nee, zo gemakkelijk krijgen die *Fransoozen* de slagerszoon uit de Voerstreek niet klein. Samen met zijn broers Charles en Leopold, die later ook gingen koersen, draaide Marcel er zijn hand niet voor om om in twee dagen naar Parijs te fietsen en weer terug, beladen met in de Franse groothandel ingeslagen vlees om te verkopen in de familiebeenhouwerij. Kerff is in de Tour als zesde gefinisht op bijna zes uur van Garin. Met zijn dik twee en een half uur voorsprong op Julien *Samson* Lootens gaat hij echter wel de wielerkronieken in als de eerste Belg in de eerste Ronde van Frankrijk. De wereldgeschiedenis staat begin augustus 1914 echter klaar met een andere stempel: 'Marcel Kerff, een van de eerste slachtoffers in de Eerste Wereldoorlog'.

Hij krijgt de Duitse soldaten inderdaad te zien, maar hij heeft zich te dicht gewaagd. Véél te dicht. Zij verdenken hem ervan een spion te zijn en pakken hem op. Marcel Kerff wordt ondervraagd. Hij ontkent. Marcel Kerff wordt geslagen. Hij schreeuwt zijn onschuld uit. En nog eens, en nog eens... Tot de Duitse beulen zijn tong uitsnijden. *De Eerste Flandrien* wordt samen met nog een aantal andere van spionage verdachte burgers op 7 augustus 1914 opgehangen in Moelingen en als een beest in een massagraf gedumpt. Vandaag leeft zijn naam verder in de door *Fietsparadijs Limburg* aangeprezen *Marcel Kerff Route*: 'Fiets doorheen de geboortestreek van Marcel Kerff, de eerste echte Flandrien met een stalen uithoudingsvermogen en de best geklasseerde Belg in de eerste Ronde van Frankrijk. Het monument in Moelingen, op de kruising van de wielerklassiekers Amstel Gold Race en Luik-Bastenaken-Luik, herinnert aan zijn gruwelijke dood.'

71 Emile Engel:
Hier rust de gerehabiliteerde Rondeheld

Amper drie maanden voordien leek de toekomst Emile Engel (°5 april 1889, Colombes bij Parijs) toe te lachen. Op 2 juli 1914 was hij dé grote held van de tweede Touretappe. Tussen Cherbourg en Brest wachtten de renners 405 voorhistorische kilometers. Om half drie 's ochtends waren ze eraan begonnen, maar het bleek al snel onbegonnen werk te zijn. De Franse wegen lagen er zo donker bij dat een aantal renners een uur later geen flauw idee meer had welke kant ze precies op moesten. Wegwijzers? Ze zullen er best wel gehangen hebben, maar de duisternis heeft ze opgeslokt, en een handvol verdwaalde renners reed in de tegenovergestelde richting van het uitgestippelde parcours. Tourbaas Henri Desgrange besloot in te grijpen en stuurde een koerscommissaris uit om hen terug naar de kudde te brengen. Wat lukte, maar met een kwartier achterstand op de anderen. Chaos alom, en Desgrange had dan maar beslist dat iedereen voorin moest wachten en in Coutances werd de start overgedaan. Het was dan nog steeds pas twintig voor zes 's ochtends en net zoals bij de eerste start en later bij de aankomst regende het katten, honden en oude wijven tegelijk. Een kopgroep van twaalf was Brest binnengesukkeld met o.a. onze oersterke landgenoten Odiel Defraeye en Philippe Thys en de Franse grootheden Henri Pélissier en Octave Lapize. Engel was echter de snelste, de slimste en de sterkste. Zijn ellebogen uitstekend gezet en gewonnen!

Tien dagen later, aan het eind van de achtste etappe, was hij weer mee in de kopgroep die in Marseille spurtte voor de ritzege. Opnieuw was er met de ellebogen gewerkt, maar deze keer was het flink misgegaan. Bij het ingaan van de laatste bocht van de Pradovelodroom raakte de Zwitser Oscar Egg het wiel van Lapize, hij ging onderuit en sleurde Engel mee in zijn val. Lapize won de etappe, maar Engel was razend. Hij haalde verhaal bij de wedstrijdjury. Maar toen die hem niet volgde, was hij een koerscommissaris aangevlogen. Engel sloeg de man tegen de vlakte en werd prompt uitgesloten uit de Tour. Zijn carrière leek voor altijd besmet. Welke organisator zou de vechtersbaas van Marseille nog aan de start durven laten komen? Een paar dagen na het ongelukkige voorval kreeg Engel echter gratie uit het wielervaticaan. Niemand minder dan Henri Desgrange schonk hem officieel vergiffenis, en de snelle Peugeot-renner zou iemand worden om rekening mee te houden in het seizoen 1915, zeker weten!

En nu ligt Emile Engel hier, in de modder. Vandaag is hij geen verongelijkte coureur die een of andere bureaubeunhaas met de blote vuist te lijf wil gaan. Op 14 september 1914 is Emile Engel een *enfant de la patrie* die tegenover een Pruisische pletwals van staal en vuur staat en die bereid moet zijn te sterven *pour la France*. Aan het Marnefront is er geen hogere macht die hem alsnog kan redden. Geen Deus ex machina à la Henri Desgrange om het einde met een pennentrek weg te strepen voor een nieuw begin. Geen glorie in zijn geliefde wereldstad Parijs, maar de dood aan het Marnefront in het onooglijke Maurupt-le-Montois. Geraakt door vijandelijk geschut, op 14 september 1914.

72   François Faber:
Hier rust de eerste buitenlandse Tourwinnaar

9 mei 1915. 'Telegram voor korporaal Faber!' Daarin leest hij dat hij vader geworden is van een dochter. De winnaar van o.a. de Ronde van Lombardije (1908), de Tour (1909) en Parijs-Roubaix (1913) springt juichend op! Zo hoog helaas dat hij in het vizier komt van een Duitse sluipschutter. Die haalt de trekker over, François Faber wordt geraakt en overlijdt vier dagen later aan zijn verwondingen. Dat wil de naoorlogse mythe toch. Maar is het in werkelijkheid wel zo gegaan?

Feit: François Faber is geboren op 26 januari 1887 in het Normandische Aulnay-sur-Iton, als zoon van een Franse moeder en een Luxemburgse vader. Feit: hij voelt zich door en door Fransman, maar hij heeft de nationaliteit van zijn vader. Probleem, want Luxemburg heeft voor de neutraliteit gekozen, en Faber voelt zich moreel verplicht het Franse vaderland van zijn hart te verdedigen. Waar een wil is, is een weg en die leidt in dit geval naar het Vreemdelingenlegioen.

Feit: vijf dagen na het uitbreken van de oorlog heeft Faber al dienst genomen bij het *Légion*. Hij wordt ingedeeld bij het Bataljon C van het *1er Régiment* en al snel bevorderd tot korporaal. Dat betwist ook sporthistoricus Pascal Leroy niet, die zich voor zijn boek *François Faber, du Tour de France au Champ d'Honneur* heeft vastgebeten in de mens en de mythe. Maar hij komt tot een heel ander verhaal over Fabers dood aan het front. Op 9 mei 1915, de dag van het legendarische telegram, is Bataljon C een van de eenheden die de aanval moeten inzetten op de *Crête de Vimy* en *Hill 140*. Twee strategische heuveltoppen aan de frontlijn in de buurt van Lens die door de Duitsers ingenomen en versterkt zijn. Een volstrekt zinloze zelfmoordoperatie, zoals er nog eindeloos veel zullen volgen. Faber moet het volgens Pascal Leroy geweten en voorvoeld hebben. Waarom heeft hij anders de avond voordien al zijn persoonlijke documenten in bewaring gegeven bij een vriend, estafettemotorrijder Georges Miron?

Om tien uur rijten de gevreesde fluitjes de ochtend aan flarden. Ten aanval! Een uur later heeft Bataljon C *Hill 140* inderdaad ingenomen. Maar de Duitsers hebben zich hevig verzet en één op de tien legionairs heeft het niet overleefd. Uitgerekend Georges Miron wordt uitgestuurd om verslag uit te brengen aan *monsieur le Colonel* die de waanzinnige operatie bedacht heeft. Hij kan zijn ogen niet geloven. Alle gruweltaferelen die hij de voorbije maanden al heeft gezien, verbleken bij dit beeld. Vaders, zonen, echtgenoten... Uit Berlijn, Parijs, Algiers... Doorzeefde, uiteengereten, zielloze lichamen, meer heeft één uur oorlog niet van hen overgelaten.

Waar is Bataljon C? Leeft zijn vriend Faber nog? Miron denkt er niet aan terug te keren voor hij het weet. Zijn zoektocht leidt hem naar een boerderij waar hospiks een eerste hulppost hebben geïmproviseerd. Ligt hier iemand van Bataljon C? Iemand die weet waar korporaal Faber is? *Mon ami François,* wat is er met hem gebeurd, weet iemand iets? Misschien die zwaargewonde, haast onherkenbare man die hij achterin vindt, een overlevende van Bataljon C. 'Ik heb hem door zijn knieën zien zakken toen hij oprukte aan de zijde van onze commandant. *"Je suis touché!"* riep hij. Hij hield zijn beide handen voor zijn buik en viel voorover. Zelf ben ik doorgestormd en ik heb hem sindsdien niet meer gezien. Ook niets over hem gehoord, nee.'

Miron zet zijn zoektocht verder, doet alle hulpposten aan, keert zelfs terug naar het front... Niets. Tot hij in het dorpje Mingoval op sergeant Marteau stuit. Marteau zegt hem dat hij zelf, voor zover hij weet, de enige soldaat met een graad is die het bloedbad overleefd heeft. Of dat betekent dat korporaal Faber dood is? Marteau heeft hem in elk geval als 'vermist' opgegeven, en iedereen weet wat dit in deze oorlog meer dan waarschijnlijk betekent. De zo goed als zekere dood van een Tourwinnaar laat niemand onberoerd. De andere wielrenners aan het front al helemaal niet. De verder onbekend gebleven Franse renner L'Archeveque offert zijn schamele vrije uren op om op zoek te gaan naar het stoffelijk overschot van Faber om hem een waardige laatste rustplaats te gunnen. Ook Charles Cruchon springt te hulp. Chruchon heeft in 1907 de Ronde van België gewonnen en in de laatste vooroorlogse Tour als 35ste Parijs gehaald. Hier in de loopgraven is hij echter ook niet meer dan zomaar een *cyclist* bij de staf van een infanterieregiment. Dat maakt het hem echter wel mogelijk alle geïmproviseerde begraafplaatsen af te rijden en te kijken of er nergens een kruis staat met Fabers naam op. Nee, niets.

De legerleiding begrijpt dat ze iets moet doen vóór het helemaal uit de hand loopt. Er moet immers niet gezocht worden maar gevochten, *messieurs!* Op 29 mei 1915 – twintig dagen na het telegram en zestien na Fabers romantisch gekleurde dood, dus – verspreidt ze een officieel bericht: 'Le Caporal Faber a bien été tué par l'ennemi.' François Faber is officieel gesneuveld onder vijandelijk vuur. Ergens in de buurt van Carency, maar het kan ook bij Souchez of Notre-Dame-de Lorette geweest zijn. Wanneer precies? Op 9 mei wellicht, maar ook dat weet niemand met zekerheid en zijn lichaam zal nooit teruggevonden worden. Evenmin als iemand kan zeggen wat er aan is van het verhaal dat Faber omgekomen is toen hij, ergens tussen Carency en Mont-Saint-Éloi, doodgeschoten werd terwijl hij een gewonde Franse soldaat in veiligheid wilde brengen. Feit is in elk geval dat de eerste buitenlandse winnaar van de Ronde van Frankrijk slechts 28 jaar geworden is.

73 Léon Hourlier & Léon Comès: Hier rusten de koningen van de Parijse Zesdaagse

16 oktober 1915. Een dag verlof voor de Franse gevechtspiloot Hourlier en soldaat Comès. Léon Hourlier (°16 september 1885, Reims) en Léon Comès (°11 februari 1889, Perpignan) hebben er zin in. Waarom zouden ze zo lachen, terwijl ze naar het vliegtuig stappen? Heeft een van hen net nog een anekdote opgerakeld over hun tijd op de wielerpistes? Een cynische opmerking? Dat dit allemaal niet zoveel voorstelt in vergelijking met de strijd die ze hebben moeten leveren om in januari 1914 samen de Zesdaagse van Parijs te winnen? Of heeft een van hen – Hourlier is getrouwd met Comès' zus Alice – goed nieuws gehad van de familie thuis? Misschien zoeken we het allemaal te ver, en kijken ze gewoon uit naar een in deze omstandigheden al helemaal uitzonderlijke avond-uit. Een demonstratiewedstrijd met Georges Carpentier, een van de grootste bokstalenten aller tijden! Amper 100 kilometer verderop. Het zou met de wagen kunnen, maar dat vinden ze iets te link: de wegen zijn gepokt door de oorlogsinslagen en het is bovendien veel te gevaarlijk, met al die Duitsers met machinegeweren die overal op de loer liggen. Ze besluiten met het vliegtuig te gaan en stappen in een tweezitter. Ze stijgen op, storten neer en Hourlier (29) en Comès (26) worden samen begraven.

Vooral Hourlier is een ster in de *beau monde* van Parijs, en al snel doen de meest heroïsche verhalen de ronde: 'Léon en zijn schoonbroer zijn gesneuveld in een luchtgevecht waarin ze gestreden hebben als leeuwen!' Of zelfs: 'Léon is neergehaald door niemand minder dan Manfred von Richthoven! Tegen de Rode Baron in hoogsteigen persoon maakte zelfs hij geen schijn van kans...' Niet meer dan mythe en romantiek, net zoals bij de dood van François Faber. Feit is dat Hourlier en Comès nauwelijks opgestegen waren, in de buurt van Cuperly, toen hun toestel zich plots met de neus in de grond boorde. Geen spoor van vijandelijk vuur, geen Duits vliegtuig in de wijde omtrek te bekennen, dus? Het is nooit helemaal duidelijk geworden, maar het was zo goed als zeker een probleem met de motor van het vliegtuig. Wellicht een defecte schroef. Met andere woorden: een dom, prozaïsch ongeluk.

74 Emile Friol:
Hier rust de wereldkampioen sprint

6 december 1916. Soldaat Friol stapt op zijn motor op wat voor hem
een relatief rustige dag zou moeten zijn. Emile Friol (°6 maart 1881,
Tain-l'Hermitage) is, zoals zoveel wielrenners, in dienst als ordonnans
en rijdt door een veilig geachte zone in de buurt van Dury. Ja, de twee-
voudige wereldkampioen snelheid en de eerste grote Franse pistesprin-
ter ziet de vrachtwagen wel degelijk aankomen, daar in de buurt van de
Somme. Maar hij heeft ook gemerkt dat het een truck van Amerikaanse makelij is. Gegarandeerd geen Duitser aan boord, dus niks te vrezen,
moet Friol geconcludeerd hebben. Hoewel, de vrachtwagen slingert
wel heel vreemd over de weg en hij gaat almaar sneller... *Nom de Dieu!*
Friol schraapt alle stuurvaardigheid bij elkaar waarvoor hij op de pistes
zo vaak toegejuicht is. De wielerbanen waarop hij soepel als een luipaard over zijn tegenstanders heen schoof. Waarop hij lang voor Jef
Poeske Scherens al heeft uitgepakt met een ultieme *jump* die in de allerlaatste meters alles nog goed maakte... Komaan, nu of nooit! Nee,
Emile Friol redt het niet. Hij is op slag dood. Achter het stuur van de
vrachtwagen ligt de chauffeur. Ook dood. Hij is kort voor de crash do-
delijk getroffen door een verdwaalde Duitse kogel.

75 Alex Benscheck:
Hier rust de Oorlogskampioen van Pruisen

Een uitzonderlijk cynische gril van het noodlot, de dood van Emile
Friol? Ja, maar in de volslagen absurditeit van *De Groote Oorlog* kan
het altijd nog nihilistischer. Neem Alex Benscheck, wielrenner en soldaat in het leger van de Keizer. Hij is even terug naar huis geweest in
Duitsland, waar hij van zijn verlof gebruik gemaakt heeft om Oorlogs-
kampioen van Pruisen op de kilometer te worden op de wielerbaan van
Frankfurt. Daarna is hij echter onverbiddelijk teruggestuurd naar het
front. Tien dagen later maakt Benscheck zijn geweer schoon. Er zit nog
een kogel in het magazijn, hij raakt zichzelf vol in de borst en overlijdt
op 16 augustus 1916.

76 Léon Flameng:
Hier rust de Olympische kampioen

2 januari 1917. Sergeant-piloot Flameng rent naar zijn vliegtuig, springt erin en begint aan zijn zoveelste missie ter meerdere eer en glorie van de Franse driekleur. Net zoals op de Olympische Spelen in 1896 in Athene, de eerste van de moderne tijd. Léon Flameng (°30 april 1877, Parijs) was er een van de coureurs die de *tricolore* triomfantelijk lieten wapperen op de wielerbaan: zilver op de 10 km, brons op de 2 km en goud op de 100 km. En hoe! Flameng had maar liefst 14 baanronden voorsprong op de tweede, de Griek Georgios Kolettis. Zij zijn de enigen die de loodzware, meer dan drie uur lange wedstrijd uitgereden hebben. Flameng is bovendien onderweg zwaar gevallen, een ware Olympische held! Hij heeft ook eerder al furore gemaakt door in augustus 1895, acht jaar voor de eerste Tour, in zijn eentje een 3.000 kilometer lange Ronde van Frankrijk te rijden. *Un homme de fer!*

Sterk, inderdaad. Maar wat heeft een mens er dik twintig jaar later aan in een geostrategische massamoord? Flamengs vliegtuig wordt op 2 januari 1917 neergehaald door de Duitse artillerie, maar lijkt toch de dodendans te ontspringen. Hij slaagt erin uit zijn neerspiralende toestel te springen met een parachute om. Léon Flameng trekt aan het touwtje... Niks... Léon Flameng trekt nog een keer... Niks... Léon Flameng rukt eraan... Niks. Léon Flameng stort te pletter en is op slag dood.

77 Fritz Ryser:
Hier rust de wereldkampioen stayeren

Léon Flameng is een wielerheld in Frankrijk, Fritz Ryser (°26 mei 1873, Huttwil) is dat in zijn land als eerste Zwitserse wereldkampioen stayeren anno 1908. Ryser heeft ervaring met de dood. Een paar keer al heeft hij die zelfs meer dan recht in de ogen gekeken. Amper acht dagen na zijn wereldtitel klapte de voorband van de motor die hem over de piste van Düsseldorf liet razen. Zijn gangmaker, Joseph Schwartzer, kwam om het leven en zelf scheerde Ryser niet meer dan een paar millimeter langs de rondtollende machine. *Danke schön,* bewaarengel! In

1909 was Ryser opnieuw op het nippertje ontkomen bij een uitzonderlijk dramatisch ongeval op de wielerbaan van Berlijn. Een andere gangmaker, Emil Borchardt, probeerde een gevallen renner te ontwijken, maar reed daarbij recht in op het publiek. Zijn motor ontplofte, negen mensen waren op slag dood, twintig anderen voor het leven verminkt, maar Ryser was alweer ontsnapt. *Wiedermal danke schön*, bewaarengel! Tijdens de oorlog heeft Ryser – naast de piste, toch – weinig te vrezen. Zwitserland houdt zich traditiegetrouw ver van alle wapengekletter. Hij kan samen met zijn gangmaker vrijuit reizen achter het front om het nog steeds bijzonder talrijke publiek in de sportpaleizen sportief amusement te bieden. Ryser heeft ook geen andere keuze. Voor het begin van de oorlog is hij zo goed als gestopt als wielrenner en hij heeft al zijn spaargeld – meer dan 100.000 goudmark, een fortuin – geïnvesteerd in een taxibedrijf. Dat is echter op de fles gegaan, en de ex-wereldkampioen moet wel opnieuw op de fiets stappen om aan een inkomen te raken. Tot in Polen toe, maar daar gaat het mis. In nooit helemaal opgehelderde omstandigheden worden hij en zijn gangmaker opgepakt en beschuldigd van spionage. De gangmaker wordt gedeporteerd naar Siberië. Ryser kan zich eruit praten en slaagt erin Berlijn te bereiken. *Danke schön* bewaarengel, nog maar eens? Nee, hij is er nauwelijks aangekomen wanneer hij op 13 februari 1916 bezwijkt aan een hartaanval.

78 Octave Lapize:
Hier rust de drievoudige winnaar van Parijs-Roubaix

14 juli 1917. Piloot Lapize stijgt op voor wat niet meer dan een routinevlucht zou moeten zijn. Gewoon de omgeving verkennen en verslag uitbrengen. Octave Lapize (°24 oktober 1887, Montrouge) is misschien wel de grootste kampioen van zijn tijd en zijn naam staat vandaag nog steeds met grote letters in de wielerkronieken. De Fransman heeft niet alleen als allereerste drie keer Parijs-Roubaix gewonnen, hij deed het bovendien drie keer op rij (1909, 1910 en 1911). Iets wat zelfs Roger De Vlaeminck nooit voor elkaar zal krijgen. Francesco Moser wel – in 1978, 1979 en 1980 – maar die won dan weer slechts één keer Parijs-Tours en nooit Parijs-Brussel en de Tour. Lapize wel. De Ronde van

Frankrijk in 1910, Parijs-Tours in 1911, en tussen datzelfde jaar en 1913 drie keer naeen Parijs-Brussel.

Een zeer grote meneer dus, maar Lapize is *De Groote Oorlog* ook maar gewoon ingestapt als infanterist. De romantiek van de luchtvaartpioniers lonkt echter. Hij is helemaal idolaat van de mythische Franse oorlogsvliegenier Georges Guynemer. Al meer dan vijftig keer getriomfeerd in luchtgevechten, *quel héros,* die Guynemer! Lapize laat zich omscholen tot piloot. Op die volstrekt ongevaarlijk lijkende ochtend merkt hij een verdacht vliegtuig op boven het bos van Mortmare. Hij zet de achtervolging in, en inderdaad: een Duitser! Op een hoogte van zo'n 4.500 meter gaat hij het gevecht aan. Twee keer valt Lapize aan, 280 kogels heeft hij al afgevuurd, hij maakt zich op voor de genadeslag... *Tak-tak-tak-tak-tak...*

Merde, Lapize heeft de vier andere Duitse Fokkers niet zien aankomen! Hij wordt zélf vol getroffen door machinegeweervuur. Zijn vliegtuig stort neer, op een paar honderd meter van de begane grond breekt een vleugel af. De door vijf kogels getroffen Lapize lijkt geen schijn van kans te hebben. Toch! Hij leeft nog! De zwaargewonde *champion de tous les Français* wordt overgebracht naar het ziekenhuis van Toul, maar bezwijkt dezelfde dag nog aan zijn verwondingen. Op 14 juli 1917. *Quatorze Juillet,* de Franse nationale feestdag...

79 Lucien 'Petit-Breton' Mazan: Hier rust de tweevoudige Tourwinnaar

20 december 1917. Ordonnans Mazan duwt het gaspedaal in en vertrekt voor zijn zoveelste trip van front naar veldhospitaal of hoofdkwartier, en weer terug. Zou Lucien Mazan (°18 oktober 1882, Plessé) zichzelf niet vervloeken en zich afvragen waarom hij niet in het neutrale en veilige Argentinië is gebleven, in plaats van terug te keren naar Frankrijk? Toen Lucien acht was, nam zijn vader het hele gezin Mazan mee op sleeptouw naar Zuid-Amerika nadat een politiek avontuur hem bijzonder duur te staan was gekomen. Hij had zich kandidaat gesteld bij verkiezingen maar liep daarbij zo'n zware nederlaag op dat het hem in een klap ook zijn hele klantenbestand kostte. Geen mens kwam nog over de vloer bij horlogemaker Mazan, een nieuw leven in Argentinië leek hem de enige uitweg.

Lucien, de oudste van drie broers, kwam erachter dat hij bijzonder hard kon fietsen. Onder de schuilnaam *Breton* – zijn vader mocht immers onder geen beding weten dat hij zich met dit soort frivoliteiten bezighield – werd hij eerst Argentijns kampioen op de piste en in 1899 ook op de weg. De wielerliefhebbers waren helemaal gek van hem. Klein maar o zo dapper, altijd aanvallen, lef te over, nooit opgeven, *Breton* was fantastisch! Het vaderland riep echter. Hij werd in Frankrijk verwacht om zijn dienstplicht te vervullen en in 1902 keerde hij terug. Als 'Lucien Petit-Breton' – er reed al een 'Breton' rond in het peloton, vandaar – won hij in 1906 Parijs-Tours, een jaar later Milaan-Sanremo en de Tour. En in 1908 nog een keer de Ronde van Frankrijk, die hij zo als allereerste renner ooit twee keer op zijn palmares mocht bijschrijven. Daarna was het behoorlijk minder geworden. Moeten opgeven in alle Rondes van Frankrijk van 1910 t.e.m. 1914, waaronder die ronduit ridicule keer dat hij in de tweede etappe tegen een rund was aangereden. En in de laatste vooroorlogse Tour, pfft... *abandon* in de negende rit, toegegeven, maar de pijn in zijn rug was echt niet meer te harden geweest. Ondraaglijk!

Wist Lucien *Petit-Breton* Mazan veel dat het helemaal niks voorstelde bij de ellende en de gruwel die hem te wachten stonden toen hij zich bij het begin van de oorlog aanmeldde bij het 11de Legerkorps. Tientallen kameraden zag hij sneuvelen en hij besefte verdomde goed dat hij al een paar keer geluk had gehad. Veel geluk. Diverse keren gewond door Duitse kogels, granaatscherven, ga de hele rij maar af. Maar nooit ernstig, laat staan fataal. Telkens weer opgelapt in het veldhospitaal, en hup, terug als voetsoldaat naar het front! Petit-Breton is maar wat blij dat hij op een bepaald moment overgeplaatst is naar het *20e Escadron du Train des Équipages Militaires.* Bevoorradingswerk. Als ordonnans, in principe minder gevaarlijk. Er zingen bovendien allerlei geruchten rond over het einde van de oorlog. Nog even volhouden en proberen in leven te blijven, en dan toch nog een keer de Tour winnen, zou het?

Nee. Petit-Breton kan de tegenligger in het oorlogsverkeer niet meer ontwijken, rijdt er frontaal op in en overlijdt op 20 december 1917 in het ziekenhuis van Troyes. Zijn jongere broer Anselme (°16 september 1883, Plessé) is er niet meer om te rouwen. Ook hij reed ooit de

Tour, zes ritten lang heeft hij alles uit de kast gehaald voor zijn broer en latere eindwinnaar in 1907. Ook hij overleeft *De Groote Oorlog* niet. Op 8 juni 1915 is Anselme Mazan gesneuveld in het fortencomplex van het Bois de la Gruerie. Er is nog een derde *wielersoldaat* Mazan, Paul. Hij was dan wel de minst getalenteerde van de familie, maar hij maakte wel als enige Wapenstilstandsdag mee.

80 Willi Kupferling: Hier rust 'De Onbekende Coureur'

12 november 1918. Wáár is soldaat Kupferling? En ook wel: wíe is Willi Kupferling? Of moet het eigenlijk 'Küpferling' met umlaut zijn? En is hij dan familie, misschien zelfs een broer van Otto Küpferling, de baansprinter die in 1905 Duits kampioen sprint werd bij de amateurs? Die heeft ook brons gehaald op de zogenaamde *Olympische Tussenspelen* van 1906 in Athene. Op de 2 km tandem, en vaak zijn het broers die... Nee, het was ene Erich Dannenberg die toen achterop zat bij Otto Küpferling.

Willi Kupferling? Mysterie. Behalve – en dat is het enige dat de archieven ons vandaag over hem nagelaten hebben – dat hij ooit gekoerst heeft en dat hij in 1914 naar het Oostfront is gestuurd. Daar is hij al snel krijgsgevangen gemaakt door de Russen en overgebracht naar Siberië waar hij vier jaar vastzit. Maar Kupferling overleeft de ontberingen. Meer zelfs, de poorten van het kamp zijn opengegaan na het Duits-Russische vredesakkoord. Op het moment dat de kanonnen ook aan het Westelijk Front zwijgen, is hij onderweg naar Duitsland. Te voet.

Willi Kupferling haalt het niet. Waar overlijdt hij? Onbekend. Wanneer? Precieze datum onbekend, maar het is in 1918. Het jaar waarin op 11 november na 1.568 dagen en meer dan 8 miljoen gesneuvelde soldaten eindelijk een einde komt aan *De Groote Oorlog.* In 1919 is er gewoon weer een Ronde van Vlaanderen, gewoon weer een Parijs-Roubaix, gewoon weer een Tour. In 1939 begint er gewoon weer een *Groote Oorlog.*

En dan zijn er ook nog...

Victor Fastre (BEL, °1890): In 1909 met zijn 18 jaar en 362 dagen tot vandaag de jongste winnaar ooit van Luik-Bastenaken-Luik, vecht aan het Westelijk Front, sneuvelt al op 12 september 1914 'bij het verdedigen van zijn vaderland'. * **Richard Dottschadiss (DUI, °1893):** Winnaar van Halle-Potsdam-Halle in 1912, neemt in 1914 dienst en vecht twee jaar in de loopgraven, ontkomt als bij wonder aan vijandelijk vuur maar overlijdt in 1916 alsnog aan het Westelijk Front, doodsoorzaak: blindedarmonsteking. * **Bruno Demke (DUI, °1880):** Topstayer en winnaar van o.a. de prestigieuze Grote Prijs van Europa 1910, gaat in dienst als gevechtspiloot, wordt beschoten boven het Westelijk Front en zijn toestel vliegt in brand. Hij slaagt er toch in 40 km over de vijandelijke stellingen te vliegen en te landen aan de Duitse kant van het front, wordt daarvoor onderscheiden met het IJzeren Kruis en overgebracht naar Berlijn, gaat daar aan de slag als vlieginstructeur, stijgt op 24 augustus 1916 voor het eerst op met een leerling-piloot, stort vrijwel meteen neer en overleeft de crash deze keer niet. * **Carlo Oriani (ITA, °1888):** Winnaar van de Ronde van Lombardije (1912) en de Giro (1913), strijdt mee met de *Bersaglieri*, Italiaanse elitetroepen, springt in ijswater om een in nood geraakte strijdmakker te redden, loopt daarbij een longontsteking op die hem op 3 december 1917 fataal wordt in het ziekenhuis van Caserta.* **Louis Bonino (FRA, °Onbekend):** Beroepswielrenner met een persoonlijke sponsor van 1910 tot 1914, slaagt erin ongedeerd te blijven aan het front, overlijdt op 10 maart 1918 in Marseille aan de gevolgen van een tijdens de oorlog opgelopen longontsteking. * **Georges Parent (FRA, °1885):** Drievoudig wereldkampioen halve fond, wordt tijdens de oorlog verschillende keren gewond en gedecoreerd, overlijdt op 22 oktober 1918, drie weken voor de Wapenstilstand aan Spaanse griep.

Van Milan Jovanović tot Vincent Kompany

De vreemdste wraakacties

Wereldwijd is de kopstoot van Zinédine Zidane op de borst van Marco Materazzi tijdens de WK-finale van 2006 de meest bekende wraakactie en de karatetrap van Eric Cantona naar een supporter van Crystal Palace in 1995 de meest spectaculaire. Bij ons zorgde de vuistslag van Gilles De Bilde (Anderlecht) vol op het gezicht van Krist Porte (Eendracht Aalst) in 1996 maandenlang voor commotie, en in december 2013 is er de affaire-Carcela-Ruytinx. De wet van actie en reactie en de geheel eigen wijze waarop die soms op een voetbalveld wordt toegepast.

81 Zulte-Waregem – Standard (2009): Milan Jovanović vs Bart Buysse

Zowel in Nederland (met Ajax tegen PSV en Otman Bakkal in 2010) als in Engeland (met Liverpool tegen Chelsea en Branislav Ivanović in 2013) kennen ze Luis Suárez als een spits die wel eens letterlijk een tandje bijsteekt. Wij hebben op dat vlak de immer explosieve Milan Jovanović in de competitieboeken staan. In mei 2009 gaat het hem en Standard bepaald niet voor de wind in de uitwedstrijd bij Zulte-Waregem. Na een duel met Bart Buysse gaat hij neus aan neus staan met de linksachter en... hap, een stevige knauw richting Buysses oor! Driedubbel rood? Nee, Jovanović komt er vanaf met geel en blikt na de wedstrijd (0-0) doodleuk vooruit: 'En nu gaan we Club Brugge en AA Gent opeten.'

82   RWDM – Beerschot (1976):
Jan Boskamp vs Juan Lozano

Een Belgische competitiewedstrijd van dertien in een dozijn, tot Jan Boskamp en Juan Lozano op het halfuur in elkaar haken ter hoogte van de middellijn. Armen en benen vliegen heen en weer, er komt het bekende kluwen van duwende en trekkende spelers van, Beerschot-trainer Rik Coppens gaat zich ermee bemoeien, en scheidsrechter Jan Peeters stuurt eerst Lozano en even later ook Boskamp van het veld. Die heeft dat niet eens in de gaten, want hij is bewusteloos.

Wat is er precies gebeurd? De verklaringen meteen na de wedstrijd lopen behoorlijk uiteen. Lozano zweert dat er voor het incident hele-maal niets aan de hand was. 'Allez ja, Boskamp had mij wel al een paar keer een tik gegeven toen hij te laat kwam met een tackle, maar dat zijn dingen die ik intussen gewend ben.' Maar? 'Toen we samen tegen de grond gingen, heeft hij mij in mijn kl... gegrepen. Ik heb in een reflex gereageerd en naar hem getrapt, ja. Op zijn handen of op zijn borst, maar niet op zijn hoofd, absoluut niet!' Waarom ligt Boskamp dan in-tussen in het ziekenhuis met een hersenschudding? 'Misschien is hij bij het vallen op zijn hoofd terechtgekomen? Of hij speelt gewoon ko-medie, da kan oek.' Rik Coppens gaat vierkant achter zijn poulain staan. Of beter, ronduit tégen Boskamp: 'Dat een Belgische speler in Olland maar eens probeert te spelen zoals hij hier bij ons! Goeie voetballer, maar wat hij zich allemaal permitteert op het veld, dat gaat veel te ver. Altijd maar intimideren. En het ergste is dan nog dat de arbiters het allemaal maar laten gebeuren.' Het smeekt om nadere toelichting van scheidsrechter Peeters: 'Lozano en Boskamp hebben in een flits naar elkaar getrapt en geslagen. Ze moesten dus allebei van het veld. Omdat Boskamp buiten westen was, heb ik hem niet onmiddellijk de rode kaart willen geven. Maar toen hij van het veld werd gedragen, móest ik wel. Anders kon hij gewoon vervangen worden, niet waar?'

Jan Boskamp mag dezelfde avond nog het ziekenhuis verlaten, en de volgende ochtend is het zijn beurt om zijn versie van de feiten te geven. Hoewel, veel herinnert hij zich niet meer van het incident. 'Ik weet alleen maar dat ik Lozano achterna liep, dat ik als eerste bij de bal was en dat ik toen bij de arm werd gegrepen. We vielen over elkaar op de grond, en meteen daarna voelde ik een regen van slagen in mijn gezicht, op mijn schouder en in mijn onderbuik. Toen ging het licht bij me uit. Ik weet alleen nog dat ik misselijk werd en dat ik in de kleedkamer moest braken. Ik kwam weer bij in het ziekenhuis, en daar hoorde ik van mijn vrouw dat ik rood had gekregen. Nou, ik kan je niet vertellen waarom. Ik kan me echt niet herinneren dat ik getrapt of geslagen heb. Ik kan alleen maar zeggen dat ik zelf bloed in mijn linkerteelbal heb. En je kunt zelf ook wel zien dat mijn neus wat krom staat, of niet?'

Het Sportcomité schorst Lozano later voor tien wedstrijden en Boskamp voor zes. De Nederlander is zwaar aangeslagen. 'Ze hebben lang gewacht om mij te *pakken*, en nu hebben ze me. Ik ben gewoon het slachtoffer geworden van mijn reputatie.'

83 Manchester United – Manchester City (2001): Roy Keane vs Alf-Inge Håland

Roy Keane geldt vandaag nog steeds als een van de spelers met het kortste lontje aller tijden, met onder andere een vechtpartij met Arsenal-aanvoerder Patrick Viera nog vóór de aftrap in de spelerstunnel. Maar in een specifiek geval ontpopt de *captain* van Manchester United zich als een wraakengel met veel geduld.

Het begint allemaal in september 1997. United staat met 1-0 achter bij Leeds wanneer Keane zichzelf bij een tackle ernstig blesseert aan de knie. Terwijl hij over de mat ligt te kronkelen, sneert Leeds-verdediger Alf-Inge Håland hem toe dat hij zich aanstelt om aan een kaart te ontsnappen. Ten onrechte. Keane zal meer dan een jaar *out* zijn met gescheurde ligamenten. Maar met zijn oren en zijn geheugen is niks mis. In 2001 komt Håland met Manchester City naar Old Trafford voor de derby met United en de weer helemaal fitte Keane. Die maait bij de eerste de beste gelegenheid los over de bal heen en vol op de knie van de Noor. Voor Keane met rood het veld verlaat, heeft hij op zijn beurt nog een boodschap: '*Take that, you c****, en haal het niet in je hoofd me ooit nog te beschuldigen van matennaaien!'

Keane komt er aanvankelijk wonderbaarlijk goedkoop vanaf met een boete van 5.000 pond en een schorsing voor drie wedstrijden. Wanneer hij een jaar later echter in zijn autobiografie toegeeft dat hij er al drieënhalf jaar op had zitten broeden ('Ik had er lang genoeg op moeten wachten *and I f****** hit him hard!'*) krijgt hij van de Engelse voetbalbond alsnog vijf wedstrijden extra schorsing en een boete van 150.000 pond.

84   Inter – Valencia (2004): Adriano vs Caneira

Incidenten bij de vleet in de carrière van de aan alcohol verslaafde Adriano, maar wat de Braziliaan op 2 november 2004 flikt... Ja, hij is in het Champions League-duel met Valencia geprovoceerd door Caneira. Ja, de Spaanse verdediger heeft aan het shirt getrokken en ja, hij heeft hem ook een geniepige tik gegeven. Maar wat kan de scheidsrechter anders dan Adriano van het veld te sturen nadat die Caneiro dan maar met twee vuisten tegelijk heeft neergedreund? De Braziliaan wordt door de UEFA voor twee wedstrijden geschorst.

Op 6 maart 2007 blijkt de spreekwoordelijke haar nog steeds in de boter te zitten tussen Inter en Valencia. Carlos Marchena krijgt het in San Siro aan de stok met Inters aanjager Nicolas Burdisso, waarna David Navarro besluit zijn maatje vanop de bank letterlijk een handje te komen toesteken. Hij knalt met zijn vuist vol op het gezicht van Burdisso. De Argentijn houdt er een neusbreuk aan over. Navarro, die door de quasi voltallige Inter-elf achtervolgd wordt tot in de kleedkamers, een schorsing van zes maanden.

Nog een jaar later, in 2008, is Adriano weer aan de beurt. Hij is door Inter uitgeleend aan São Paulo FC en in de competitiewedstrijd tegen Santos geeft hij verdediger Domingos een kopstoot omdat die hem, naar zijn zin, wat te dicht op de huid zit. Iedereen heeft het gezien, behalve Adriano zelf: 'Ik weet niet wat de scheidsrechter heeft opgemerkt, maar Domingos duwde met zijn hand in mijn gezicht en het enige wat ik deed, was hem vragen waarom hij dat deed.' Opnieuw rood en deze keer het risico op de maximumstraf: een schorsing van 18 maanden. Het blijft bij twee wedstrijden, met dank aan de getuigenis van zijn moeder voor de tuchtcommissie ('Hij is een goeie jongen.') en een slimmigheidje van zijn advocaten. Die tonen – o ironie... – beelden van de kopstoot van Zinedine Zidane in de WK-finale van 2006 om te bewijzen dat Adriano toch niet zo driest tekeer is gegaan.

85 Real Madrid – Getafe (2009): Pepe vs Javi Casquero

Dat Képler Laveran Lima Ferreira, alias 'Pepe', er namens Real Madrid graag onbeschaafd de beuk ingooit tegen Barcelona in het algemeen en Lionel Messi in het bijzonder, is bekend. En toch bakte de Braziliaanse Portugees het tot nader order zelden bruiner dan in de thuiswedstrijd tegen Getafe in april 2009.

Steekpassje binnendoor bij Getafe, Javi Casquero stormt het strafschopgebied van Real binnen met Pepe op de hielen en gaat neer. Strafschop? *Schwalbe*, vindt Pepe, en hij trapt Casquero eerst snoeihard tegen een been en daarna met een extra brede zwaai ook nog eens in de onderrug. Gelukkig net niet tegen het achterhoofd... Het blijkt nog maar het voorgerecht te zijn. Pepe wandelt even weg, keert op zijn stappen terug, brult Casquero iets toe en drukt met zijn knieën hard op diens hoofd.

Rood en naar de kleedkamers uiteraard. Maar niet vóór Pepe in de algehele verwarring Juan Albin van Getafe nog een klap heeft verkocht en het arbitrale trio uitgescholden heeft voor vis die de versheidsdatum lang overschreden heeft. Pepe wordt voor tien wedstrijden geschorst.

86 Derby County – Leeds United (1975): Norman Hunter vs Francis Lee

Op 1 november 1975 speelt het sowieso al om zijn keiharde aanpak en intimidaties beruchte Leeds uit bij Derby. Het krijgt een penalty tegen wanneer thuisspits Francis Lee neergaat in de zestien. Ten onrechte, vindt Leeds-pitbull Norman Hunter. Ook omdat Lee al een flinke reputatie heeft als fopduiker in het strafschopgebied. Hunter (alleszeggende bijnaam: *'Bites Yer Legs'*) stapt op hem af en koekt hem een rechterhoekslag vol op de kaak. Volgt het voorspelbare samentroepen van spelers en de scheidsrechter die Hunter en Lee richting kleedkamer stuurt. Ze druipen af en verdwijnen uit het zicht van de camera's die focussen op de discussies bij de scheidsrechter.

Plots wijst een van de spelers opgewonden naar de andere kant van het veld. Blijkt dat Hunter en Lee onderweg naar de kleedkamers halt hebben gehouden om elkaar op het veld als twee zwaargewichtboksers te lijf te gaan. Het regent slagen over en weer, de hele zwik vliegt op hen af om hen uit elkaar te halen en hen naar de kleedkamers te dwingen. Waar Lee en Hunter opnieuw op elkaar beginnen in te beuken!

Uiteindelijk kwam het nog goed met beide heren. Hunter sluit zijn carrière af met twee landstitels, één F.A. Cup en zes Europabekerfinales. Lee wordt een steenrijk zakenman en trakteert zichzelf in 1994 op de voorzittershamer bij Manchester City.

87   Eendracht Aalst – Standard (1961): Iedereen vs iedereen

'De zaak-Blavier' is vandaag stilaan vervaagd in het collectieve geheugen maar de vorige supportersgeneraties hebben er nog jaren verhitte discussies over gehad aan de toog. Hoofdrolspeler in een van de meest beruchte affaires in de Belgische voetbalgeschiedenis is Arthur Blavier, de scheidsrechter uit Namen (belangrijk detail) die op 5 november 1961 de competitiewedstrijd Eendracht Aalst – Standard fluit. 'Het veld van Eendracht Aalst is gisteren als het ware het geschikte toneel geweest om een cowboyfilm te draaien,' meldt *Het Nieuwsblad* de volgende ochtend. 'Er ontbraken slechts messen en revolvers.'

De typische sportlyriek van toen? Allesbehalve. In de eerste twintig minuten wordt regerend landskampioen Standard overrompeld door Aalst. De Rouches halen prompt de botte bijl boven, maar Blavier laat begaan. Tot thuisspeler Jan Van Poelvoorde het niet langer kan aanzien: 'Hij ging de keiharde Standard-man Spronck iets in het oor fluisteren en waarschijnlijk ook iets beloven, met als gevolg dat de Waalse stopper hem even later meters in de hoogte schopte en Jan op zijn beurt weerwraak nam op eender welke rode truidrager. Van Poelvoorde slingerde de scheidsrechter een verwijt naar het hoofd en moest uit het veld.' Aalst moet dus met zijn tienen verder, maar na de uitsluiting van zijn broer gaat Antoine Van Poelvoorde door het lint. Na een paar hondsbrutale overtredingen bij wijze van wraak mag ook hij inrukken. Eendracht met zijn negenen, waarop de Congolees Mayama zijn vuist richting Blavier balt om hem duidelijk te maken wat hij ervan vindt.

Hoppa, ook naar de kleedkamer! Aalst nog met zijn achten, en Standard loopt al snel uit tot 0-2. 'Toen de scheidsrechter hierop vrijschoppen tegen Aalst bleef fluiten, wilde gans de ploeg uit het veld, maar zij werd er voor de tribune door de bestuursleden terug in gedreven.'

Standard blijft erop inhakken en in een tijd waarin vervangingen nog niet zijn toegestaan, heeft dit gevolgen die tot vandaag nooit meer gezien zijn in onze Eerste Klasse. Eendracht-spelers Vanderelst, Plas en Balogh kunnen niet meer verder en moeten het veld verlaten. Gevolg: Aalst nog slechts met zijn vijven op het veld en de wedstrijd moet reglementair worden gestaakt. Waarop de beer helemaal los is: 'Toen de scheidsrechter tussen een in allerijl bijeengeroepen dikke haag rijkswachters het veld verliet, zag een heethoofdig toeschouwer toch nog de kans schoon hem een klap toe te dienen. Met toevallig drie Aalstenaars naar de kleedkamers te verwijzen, heeft de Vlaams-onkundige referee zich, begrijpelijk, de banbliksems van een dol geworden publiek op de hals gehaald. Voor de reeds prangende Vlaams-Waalse verhouding is deze wedstrijd beslist niet bevorderlijk geweest.'

Een aantal Eendracht-spelers krijgt later een forse schorsing, de club moet één wedstrijd achter gesloten deuren spelen en sluit het seizoen uiteindelijk af als allerlaatste.

88   Spartak Moskou – Blackburn Rovers (1995): David Batty vs Graeme Le Saux

Vóór deze UEFA Cup-wedstrijd hebben Blackburn-teamgenoten Batty en Le Saux al bonje. De ene verwijt de andere dat hij hem bewust nooit de bal toespeelt en vice versa, het bekende verhaal. Tijdens de match tegen Spartak barst de bom. Voor de verbijsterde ogen van de Russen gaan de twee Engelsen met elkaar op de vuist. Geen partijtje schaduwboksen: Le Seaux breekt er zijn linkerhand bij.

Tien jaar later, in april 2005, doen Lee Bowyer en Kieron Dyer van Newcastle United het gênante tafereel om precies dezelfde reden over in de competitiewedstrijd tegen Aston Villa. Bowyer heeft dan al een inktzwart strafblad bij bond en burgerrechter, met o.a. een weerzinwekkende actie in een Europabekerwedstrijd met Leeds United in 2003. Hij schopt Gerardo van Málaga snoeihard tegen de achillespezen en terwijl die op de grond ligt ook nog eens vol in het gezicht. Bowyer ontsnapt aan rood, maar wordt door de UEFA alsnog voor zes Europese wedstrijden geschorst.

89   Neza FC – Jamaica (1997): De Stieren vs de Reggae Boys

Ruim een jaar voor hun eerste deelname aan een Wereldbeker – Frankrijk 98 – toeren de *Reggae Boys* door Zuid-Amerika. Daar nemen zij het op tegen een aantal clubelftallen waaronder het Mexicaanse Neza FC, bijgenaamd de *Toros*. Na een vliegende tackle van een van de Jamaicanen, staat zijn slachtoffer op en mept hem tegen de vlakte. Zowat alle spelers van beide teams, de bankzitters, de coaches en de verzorgers storten zich hierop in een vechtend en vloekend kluwen, dat plots uit elkaar valt wanneer de Jamaicanen collectief in de naburige bosjes verdwijnen. Einde rel? Niet echt, want ze zijn er zich gaan bewapenen met stokken en stenen, en beginnen er weer op los te knokken. De scheidsrechter legt de wedstrijd definitief stil. Na afloop neemt de Jamaicaanse coach de verdediging van zijn jongens op met het argument: 'Ze hebben gebrek aan internationale ervaring.'

90   Queens Park Rangers – China (2007): Zeven Chinezen tegen elf Rangers

Als voorbereiding op de Spelen van 2008 in Peking speelt het Chinese Olympisch voetbalelftal een aantal oefenwedstrijden in Groot-Brittannië. De match tegen Queens Park Rangers loopt helemaal uit de hand wanneer aanvaller Gao Lin geprovoceerd wordt door een Londense verdediger en op hem begint in te meppen. Alles en iedereen stort zich in een vechtend kluwen, linksachter Zheng Tao belandt met een kaakbeenbreuk in het ziekenhuis, zeven Chinezen worden om disciplinaire redenen op het eerste vliegtuig terug naar huis gezet, en QPR-assistent-trainer Richard Hill wordt op staande voet ontslagen omdat hij zich ook niet onbetuigd had gelaten. 'Zoiets heb ik nooit eerder gezien,' vertelt een ooggetuige de volgende dag in de *Ealing Gazette*. 'Uppercuts, karate-trappen... Absolute waanzin!'

91 Manchester City – Queens Park Rangers: Joey Barton vs Vincent Kompany

In een overzicht als dit kan Joey Barton uiteraard niet ontbreken. Het enfant terrible bij uitstek van het Britse voetbal speelt op 13 mei 2012 een weinig verheffende bijrol in de wedstrijd Manchester City – Queens Park Rangers. Als Barton en de Rangers verliezen op de laatste speeldag in de Premier League wacht de degradatie. Als City en zijn aanvoerder Vincent Kompany winnen is het voor het eerst in 44 jaar weer landskampioen. Het wordt dat laatste, met een historisch doelpunt van Sergio Agüero in de allerlaatste minuut. Joey Barton zit dan echter al lang opnieuw in de kleedkamer. In de 54ste minuut is bij hem, voor de zoveelste keer in zijn carrière, het licht uitgegaan.

Carlos Tévez heeft hem stiekem een klap gegeven, beweert hij. Maar zijn reactie wordt door wel twintig camera's geregistreerd: eerst een elleboog op het hoofd van Tevèz, nadat hij de rode kaart heeft gekregen een smerige trap op de benen van Aguëro, vervolgens een (gelukkig niet rake) kopstoot richting Vincent Kompany, die is komen toesnellen om de gemoederen wat te bedaren, en tot slot moet Barton onderweg naar de spelerstunnel flink in toom worden gehouden om niet ook nog eens uit te halen naar Mario Balotelli die zich treiterig met de zaken is komen bemoeien. Straf: voor twaalf wedstrijden geschorst.

En dan zijn er ook nog...

Cesmac – Soesporte (2009): De wedstrijd tussen deze Braziliaanse clubs giert op 13 oktober gigantisch uit de klauwen bij een omstreden beslissing van de scheidsrechter. Op het veld worden er klappen uitgedeeld, één betrokkene moet worden afgevoerd naar het ziekenhuis en de supporters op de tribune slaan in paniek op de vlucht. Het gaat om een duel in het... vrouwenvoetbal. * **Persiwa Wamena – Pelita Bandung Raya (2013):** Wanneer de scheidsrechter een strafschop fluit voor Pelita in deze wedstrijd in de Indonesische competitie, laat Persiwa-aanvaller Edison Pieter Rumaropen op niet bijster snuggere wijze merken dat hij het daar niet mee eens is. Hij slaat de scheidsrechter een bloedneus en wordt vervolgens levenslang geschorst.

Van Mario Cipollini tot Mohammed Ali

De opmerkelijkste comebacks

7 november 1978. Het is een afscheid in mineur geworden. Ajax is door Bayern München met 0-8 vernederd in wat een galawedstrijd moest worden, want Johan Cruijff is helemaal klaar met het voetbal. Op zijn 31ste begint hij aan een nieuw leven. Een zakenleven, maar zoals bij wel meer sporters gaat dat verschrikkelijk mis. Een groots opgezet project met o.a. een varkensfokkerij legt zijn business partner Michel Basilevitsj geen windeieren, maar zelf schiet Cruijff er het grootste deel van zijn fortuin bij in. Hij heeft geen andere keuze dan opnieuw te gaan voetballen voor de centen.

Via lucratieve ommetjes in Amerika (Washington Diplomats, Los Angeles Aztecs) keert hij terug naar Europa. Bij het Spaanse Levante wordt het niks, maar terug in Nederland verrast hij vriend en vijand door eerst Ajax en op zijn 37ste ook nog aartsrivaal Feyenoord naar de titel te leiden. Hij neemt aan het einde van het seizoen 1983-84 in schoonheid afscheid met een vijfde bekroning tot Nederlands Voetballer van het Jaar. Het vergaat echter lang niet iedereen even goed als Cruijff bij een comeback op (nog) latere sportleeftijd...

92   Mario Cipollini (45): Verboden te starten

198 overwinningen waaronder het wereldkampioenschap, drie keer Gent-Wevelgem, Milaan-Sanremo, 42 ritzeges in de Giro en 12 in de

Tour, zijn naam wordt nog niet in verband gebracht met dopingdokter
Fuentes... Kortom, de kaarten kunnen niet beter liggen voor Mario
Cipollini wanneer hij op 26 april 2005 stopt met wielrennen. Voor eens
en voor altijd *Il Re Leone!* Helaas, hij kan de glorie en de aandacht niet
missen en maakt zich een eerste keer onsterfelijk belachelijk in 2008.
Na drie jaar inactiviteit maakt hij zijn comeback bij het Amerikaanse
Rock Racing. Op 17 februari begint hij er weer met volle moed aan in
de Ronde van Californië. Precies één maand later, op 17 maart, levert
hij zijn contract alweer in. Vijf dagen voor zijn 41ste verjaardag lijkt
opa Cipo te begrijpen dat hij niet meer kan volgen, maar nog heeft hij
zijn lesje nog niet geleerd. Of net wel, als het hem te doen is om de
schijnwerpers zijn kant te laten opdraaien.

In maart 2012 kondigt hij op zijn 45ste zijn tweede comeback aan.
'De wetenschap kan er wel bij varen,' argumenteert Cipollini in een
interview in *La Gazzetta dello Sport.* 'Wat gebeurt er met het lichaam
van een topsporter na zijn carrière? Hoe zou het reageren bij een
comeback op het hoogste niveau? Kijk, ik ben dan wel 45 maar ik voel
me niet oud. Ik train veel, zowel met amateurs als met profs. Ik weeg
90 kilo. Acht meer dan toen ik top was, maar allemaal spieren. Mijn
rug en mijn knie doen wat moeilijk, maar mijn motor is intact. Ik ben
fysiek perfect in staat om deze uitdaging aan te gaan.'

En die uitdaging ziet Cipollini in een rol als locomotief voor Andrea
Guardini, bij Vini Farnese. 'Andrea heeft talent en koerst op een van
mijn fietsen. Wat zou het mooi zijn als ik in de Giro de sprint voor hem
kon aantrekken tegen Cavendish. Hoeveel zeges zouden we niet pakken?' Tussen droom en daad staan echter de bekende wetten en prak-
tische bezwaren, in dit geval van de UCI die laat uitschijnen dat er geen
sprake van kan zijn. Ook omdat *Cipo's* naam intussen wél gevallen is in
allerlei dopingaffaires. In een zes (6!) uur lange reactie op een Italiaanse radiozender schuimbekt hij dat het één groot complot is van de
door Engelstaligen gedomineerde UCI tegen Italiaanse en Spaanse
wielrenners. Je reinste racisme, meneer! Maar dan pikt Cipollini er
een, achteraf bekeken, opmerkelijk voorbeeld uit: 'De UCI straft iedereen die geen Amerikaan, Ier of Brit is. Trieste boel, die renners van
vandaag. Levende geraamtes, geen greintje stijl, geen charisma, lelijke
venten... Hoe bestaat het dat ze Chris Horner, die voor een derde-

rangsteam rijdt, wel een licentie geven, en mij niet?' Het antwoord volgt in de Vuelta 2013, gewonnen door – jawel – Chris Horner.

93 Dara Torres (45): Zes Olympische Spelen, twaalf medailles, drie mannen en één kind

Het sportieve levensverhaal van de Amerikaanse zwemster begint op de Spelen van 1984. Het eindigt 28 jaar, 12 medailles, twee comebacks en een kind later, in de aanloop naar de Olympische hoogmis anno 2012 in Londen. Dara Torres lijkt als dochter van een casinobaas en een ex-model voorbestemd voor klatergoud en holle glamour, maar op haar 7de al kiest ze voor het zwemmen. En wat is ze goed! Zo goed dat het haar een sportbeurs oplevert aan de University of Florida. Ook daar steekt Torres mijlenver boven de concurrentie uit en in 1984 mag ze naar de Olympische Spelen in Los Angeles. Een droom voor een meisje dat opgegroeid is in Beverly Hills en ze maakt er helemaal een sprookje van met goud in de 4 x 100 meter vrije slag.

Dara Torres werpt zich op tot een onmisbare link in de Amerikaanse aflossingsteams vrije slag en wisselslag, wat haar brons en zilver oplevert in Seoel (1988) en goud in Barcelona (1992). Tussenstand op haar 25ste: vier Olympische medailles. Het lijkt meteen ook de eindafrekening, want ze besluit te stoppen op een hoogtepunt. Adieu chloor en chronometer, welkom bruidstaart en huwelijksbed. Ze trouwt met Jeff Gowen, een tv-producer. Maar mevrouw Gowen zijn valt tegen. Ze gaan uit elkaar en Torres keert terug naar haar eerste liefde: het zwembad. Na zeven jaar inactiviteit maakt ze haar eerste comeback. Op de Amerikaanse *trials* van 1999 plaatst ze zich voor de Spelen van 2000. In Sydney wint ze niet alleen twee keer goud op de 4 x 100 meter, ze zwemt er zich ook naar haar eerste individuele medailles: brons in de 50 meter vrije slag, de 100 meter vlinderslag én de 100 meter vrije slag. Met haar 33 jaar is Dara Torres ruim de oudste in het Amerikaanse zwemteam, maar niemand doet beter dan zij met haar vijf medailles. Haar persoonlijke tussenstand staat nu op negen. Opnieuw vindt ze het moment gekomen om te stoppen. Wéér trouwt ze, nu met de in Israël geboren chirurg Itzhak Shasha, en wéér gaat het mis. Deze keer is het echter te laat om de Spelen van 2004 nog te halen. Maakt niks uit, in 2008 brandt de vlam opnieuw, niet waar?

In afwachting van die Spelen in Peking begint ze een relatie met endocrinoloog en vruchtbaarheidsspecialist David Hoffman. In 2006 krijgen ze een dochter, Tessa Grace, en twee jaar later meldt Torres zich als 41-jarige moeder opnieuw voor de Amerikaanse *trials*. En wéér lukt het haar! In Peking wordt ze de allereerste zwemster die als veertiger het Olympisch bad induikt, en ze komt er aan het eind weer uit met een korfje medailles. Eerst is er zilver in opnieuw de 4 x 100 vrije slag, ze is vervolgens 41 jaar en 125 dagen oud wanneer ze er zilver en een nieuw Amerikaans record op de 50 meter vrije slag bovenop doet, en amper 35 minuten later komt er nog een keer zilver bij in de 4 x 100 wisselslag.

Negen plus drie is gelijk aan twaalf Olympische medailles, de hele wereld en al helemaal Amerika zijn in extase, op één man na. Haar tweede ex, chirurg Shasha, haalt namelijk zwaar uit naar haar in zowat elke microfoon die hem voorgehouden wordt: 'Geloof me, ik heb veel bereikt in het leven, maar met dat mens getrouwd geweest zijn, hoort daar niet bij.' Verbitterd en gênant, maar feit is ook dat de nieuwe meneer Torres, David Hoffman, de vruchtbaarheidsspecialist is bij wie zij en Shasha te rade gingen toen kinderen krijgen maar niet wilde lukken. Torres en Hoffman zijn vandaag overigens ook alweer uit elkaar al blijven ze, naar eigen zeggen, goede vrienden.

We pikken de sportieve draad weer op in 2009. Torres is dan 42. Oud genoeg om de moeder te zijn van de meeste van haar concurrentes maar wie kwalificeert zich voor het WK in Rome? Inderdaad, mama Dara! Op de 50 meter vrije slag is ze zelfs de snelste Amerikaanse van allemaal. Maar het wereldkampioenschap valt tegen: 8ste en in de 50 meter vlinderslag heeft ze de reeksen zelfs niet overleefd. Er is echter meer nodig om Dara Torres definitief naar de handdoek te doen grijpen. Zijn er in 2012 niet de Spelen in Londen? En zou het niet geweldig zijn om daar op haar 45ste bij te zijn? Ja, maar dan moet ze op de *trials* voor de 50 meter vrije slag wel eerste of tweede worden. Het lukt net niet. Dara Torres komt amper negen honderdsten van een seconde tekort en deze keer is haar zwemcarrière echt voorbij.

94 Nigel Mansell (42):
Te dik voor de nieuwe bolide

Algemene verbijstering op een druk bijgewoonde persconferentie in de aanloop naar de Grote Prijs van Italië editie 1992: aanstaand wereld-kampioen en zegekoning van het jaar Nigel Mansell laat weten dat hij ermee stopt. Hij kan het absoluut niet hebben dat zijn Williamsteam 'vergeten' is hem te melden dat het Alain Prost gecontracteerd heeft voor het volgende seizoen. Een week later tekent Mansell een contract voor de Amerikaanse CART *IndyCar World Series*, en de Formule I lijkt voltooid verleden tijd voor Mansell. Maar twee jaar later is hij plots terug. Bij Williams én als tijdelijk vervanger voor de net om het leven gekomen oppergod van de Formule I Ayrton Senna.

Het valt niet alleen daarom niet in goede aarde bij pers en publiek. Het is geen groot geheim dat Bernie Ecclestone achter het hele ma-noeuvre zit, en als de ongekroonde paus van de autosport zoiets opzet, dan kan daar maar één motivatie achter zitten. Inderdaad, geld. De wereldwijde kijkcijfers voor de Formule I hebben dringend een *boost* nodig en dat mag iets kosten. Mansell krijgt 900.000 pond (zo'n mil-joen euro) voor de resterende vier Grote Prijzen. Drie keer zoveel als teamgenoot én kandidaat-wereldkampioen Damon Hill voor het hele seizoen! In de schaduw van de titelstrijd tussen Hill en Michael Schu-macher geeft Mansell de critici echter lik op stuk door zowaar de Grote Prijs van Australië te winnen. Het zou een gedroomd afscheid kunnen zijn, maar zoals zovelen vòòr en na hem maakt Mansell de verkeerde keuze: hij stapt over naar McLaren en het wordt een afgang van for-maat. Zijn buikmaat is anno 1995 net iets te vrolijk uitgedijd en de cockpit van de nagelnieuwe McLaren is te krap om er zelfs nog maar in te raken, laat staan de wagen te besturen. Het seizoen is al twee Grote Prijzen ver wanneer Mansell in Imola eindelijk weer aan de start kan komen. In de GP van San Marino komt hij niet verder dan een 10de plaats, in de daaropvolgende GP van Spanje moet hij in de 18de van de 65 ronden al opgeven... Mansell heeft het begrepen. Hij stapt meteen en deze keer definitief uit de Formule I.

95 Guillermo Timoner (69):
Europees kampioen, maar...

Met zijn zes wereldtitels in de halve fond tussen 1955 en 1965 is de
Spaanse pistier Guillermo Timoner een levende legende wanneer hij in
1967 als veertiger het baanwielrennen uitwuift. Vandaag is hij met zijn
gemiddelde snelheid van meer dan 82 km/u in de 100 kilometer lange
finale van 1960 nog steeds de snelste aller tijden op het WK stayeren.
Geen mens die dan ook begrijpt waarom hij in 1983, volle zestien jaar
na zijn afscheid, zijn comeback aankondigt. Timoner is dan al 57 maar
toch biedt sponsor Teka hem een contract aan. Een jaar later neemt hij
zelfs deel aan het WK. Timoners prestatie in Barcelona is echter zo
deerniswekkend dat de behoorlijk gegeneerde UCI prompt een leef-
tijdsgrens afkondigt voor deelname aan een WK. 'Omwille van de ge-
zondheid van de renners,' heet het officieel.

De op Mallorca geboren en getogen Timoner maalt er niet om en
gaat onverstoord door met de Spaanse titel in 1985 als kroon op het
werk bij de elite. Tien jaar later wordt de intussen 69-jarige Timoner
Europees kampioen bij de veteranen met een gemiddelde snelheid van
37,4 km/u over 53,4 kilometer. Niet snel genoeg blijkbaar, want op zijn
81ste pakt hij uit met het plan om op de nieuwe velodroom van Mallorca gemiddeld 70 km/u te halen over 100 km. Het blijft echter bij een
ereronde bij de opening van de *Palma Arena*.

96 Björn Borg (37):
Twaalf nederlagen op een rij

Met 11 grandslamtitels op zak neemt de Zweedse supertennisser in
1982 op zijn 26ste afscheid wegens niet meer gemotiveerd om te trainen en geen plezier meer in het spelletje. Negen jaar en allerlei privé-
en financiële beslommeringen later staat Borg er echter terug. Nog
steeds met zijn iconische houten racket van weleer, maar hij blijkt totaal niet opgewassen tegen de glasvezelgeneratie. Na twaalf opeenvolgende nederlagen en nul zeges in twee jaar houdt *Iceborg* het in 1993
definitief voor bekeken.

97 Mark Spitz (42):
Te traag op de selectiewedstrijden

De Amerikaanse zwemlegende neemt afscheid met zeven gouden medailles op de Olympische Spelen van 1972. Het is 36 jaar wachten op Michael Phelps en de Spelen in Peking voor dat record gebroken wordt. Spitz zelf ontneemt zijn prestatie haar gouden randje door 20 jaar na de glorierijke feiten een poging te wagen om zich te plaatsen voor de Spelen in Barcelona van 1992. Hij strandt in de Amerikaanse *trials*, de selectiewedstrijden.

98 Michael Jordan (40):
Te weinig toverkracht voor de Wizzards

Na een kort en hopeloos mislukt uitstapje naar het baseball keert *Air Jordan* in 1995 terug naar de NBA en de Chicago Bulls met drie even gevleugelde als promotioneel uitgekiende woorden: '*I'm back.*' Hij leidt de Bulls prompt naar drie nieuwe én opeenvolgende titels en zichzelf naar een potentieel droomafscheid in 1998. Ook hij trapt echter in de val en maakt een tweede comeback. In 2001 begint Jordan er nog een keer aan, bij de Washington Wizzards, maar dat wordt allesbehalve een succes. Twee jaar later speelt hij op zijn 40ste zijn laatste NBA-wedstrijd.

99 Mohammed Ali (38):
Gespaard uit medelijden

In de herfst van 1978 vindt de beste bokser aller tijden het mooi genoeg geweest: Mohammed Ali neemt afscheid van de sport die hij *floating like a butterfly, stinging like a bee* naar een nieuw niveau heeft getild. Maar de ambitie knaagt nog te gretig en de schijnwerpers lonken te helder. Ali besluit al snel voor een historische vierde wereldtitel bij de zwaargewichten te gaan en daagt in zijn bekende stijl regerend wereldkampioen Larry Holmes uit. In 1980 stappen ze in de ring, de amechtig boksende Ali stapt er weer uit met zijn enige nederlaag vóór de laatste gongslag: technisch knock-out in de 10de ronde nadat zijn trainer

Angelo Dundee de handdoek heeft geworpen om nóg erger te voorkomen. Wat *The Last Hurrah* had moeten worden – de kreet waaronder de kamp maandenlang gehypet was – is uitgemond in *De Grote Afgang*.

Dat kan de bijzonder trotse Ali niet hebben, maar hij effent daarmee wel zelf het pad voor zijn ultieme vernedering. Zijn laatste kamp bokst *The Champ* op 11 december 1981 tegen grote belofte en latere wereldkampioen Trevor Berbick. De ring staat in het Queen Elizabeth Sports Centre in Nassau, op het Caribische eiland New Providence, en gaat de geschiedenis in als *The Drama in the Bahamas*. Vooraf wordt er voornamelijk meewarig over gedaan en achteraf blijkt het een onwaardig slotpunt van Ali's carrière te zijn: verloren op punten na een parodie van een bokskamp waar nauwelijks een hond naar omgekeken heeft.

Tot overmaat van ramp zal Trevor Berbick later zeggen dat hij Ali bij zijn laatste kamp om de wereldtitel 'gespaard heeft uit respect voor zijn grootheid'. Ali zelf bekent hoe hij vóór die kamp al voor nader onderzoek naar het ziekenhuis was gegaan omdat hij almaar meer last kreeg van tintelingen in de vingers en omdat spreken hem steeds moeilijker viel. Om de wedstrijd toch maar te laten doorgaan, was de diagnose achtergehouden: de ziekte van Parkinson.

En dan zijn er ook nog...

Joe Frasier (37): de man die in 1971 te taai bleek voor Mohammed Ali in het historische *Gevecht van de Eeuw* in Kinshasa hangt vijf jaar later zijn bokshandschoenen aan de bekende wilgen. In 1981 waagt Frasier zich aan een comeback, maar die is na één kamp alweer voorbij nadat de gewezen wereldkampioen het amper 10 ronden volhoudt tegen flutbokser Floyd *Jumbo* Cummings. * **Roger Milla (42):** verbaast de wereld op zijn (vermoedelijk, want zijn precieze geboortedatum is nooit helemaal duidelijk geworden) 38ste met vier doelpunten en evenveel vrolijke dansjes op het WK van 1990. Daarvoor is hij op speciaal verzoek van de president in de selectie van Kameroen opgenomen. Vier jaar later, op het WK in Amerika, blijft het bij één goal. Maar Milla wordt er op zijn (al even vermoedelijk, maar *alla*) 42ste wel de oudste speler ooit die scoort op een WK.

Van Ronaldo
tot Andy Murray

De vreemdste varia (1)

Wielrenner Kurt Asle Arvesen zou in het voorjaar van 2010 maar wat graag naar huis terugvliegen. Als gevolg van de aswolk na de uitbarsting van de IJslandse vulkaan Eyjafjallajökull is de Noor echter een van de tienduizenden reizigers die geen kant meer op kunnen. Hij zit vijf dagen vast op een boorplatform waar hij bij wijze van promostunt een spinningles geeft. Een gretige graai uit de meest uiteenlopende opmerkelijke verhalen uit de wonderlijke wereld van de sport.

100 De pamper van Ronaldo

In februari 2011 besluit Ronaldo definitief te stoppen met voetballen. De Spaanse sportkrant AS gaat op zoek naar wat leuke verhalen over de superspits van onder meer PSV, Barcelona, Inter Milaan en Real Madrid. De gewezen Braziliaanse bondscoach Vanderlei Luxemburgo vertelt: 'Ronaldo zeulde op de Copa América van 1999 al aardig wat overtollige kilo's mee. We zochten naar manieren om die kwijt te spelen. Onze teamarts schreef hem een medicijn voor. Het werkte, maar het had ook een neveneffect: een erg dunne stoelgang. Om problemen op het veld te voorkomen speelde Ronaldo alle wedstrijden met een pamper.' Wat *El Fenomeno*, voor de goede orde, niet belette vijf keer te scoren en daarmee samen met Rivaldo topschutter van het tornooi te worden.

In november 2009 heeft Ronaldo zelf voor algemene hilariteit over zijn lichaamsgewicht gezorgd. Hij speelt dan bij Corinthians, in de Braziliaanse competitie, en hij staat niet bepaald superstrak. Volgens hem lijkt dat echter alleen maar zo: 'Oké, ik weeg wat te veel, maar iedereen weet toch dat je op televisie drie kilogram zwaarder lijkt dan in werkelijkheid? En in Brazilië staan er altijd minstens vijf camera's op mij gericht.'

In 2013 schat Ronaldo zijn verleden op de weegschaal iets realistischer in: 'Ik sliep niet zoals het moest, ik at nooit zoals het moest, ik kwam altijd te laat, ik forceerde me nooit op training en ik respecteerde de afzonderingen niet. Ik ben nooit een atleet geweest.' Al voegt hij er wel fijntjes aan toe: 'Ik was een voetballer en ik heb 1002 goals gemaakt.'

101 Het wielercommentaar van Henk Lubberding

Gewezen wielrenner Lubberding blikt op de NOS-radio terug op rit nummer 6 in de Tour anno 2013, van Aix-en-Provence naar Montpellier. André Greipel heeft die gewonnen in de pelotonsspurt, na de klassieke aperitiefontsnapping met onder anderen Thomas De Gendt en Kévin Reza. Deze Franse renner van Europcar is een kind van ouders uit Guadeloupe. Zegt Lubberding: 'Die renner die vandaag voorop reed, dat negertje. Nou ja, "negertje", hij was wel heel erg donker, dus ik noem dat maar "een neger". Het is verbazingwekkend dat die op een fiets kunnen rijden.'

Lubberding is in diezelfde Ronde ook te gast in *De Avondetappe* van Mart Smeets. Die onthult diezelfde dag in zijn column in *Gazet van Antwerpen* dat Frank Hoste in zijn tijd als renner met een touwtje om zijn edele delen sliep om erecties en testosteronverlies te voorkomen. Sporza-cocommentator Hoste ontkent, live op de radio: 'Ik heb dat nooit gedaan. Ik had vaak natte dromen en om het testosteron in je lichaam te houden, zou men daar iets op moeten vinden. Ik heb toen gezegd: "Misschien moet ik eens een touwtje rond mijn edele delen binden", maar ik heb dat nooit gedaan. Ik denk dat ik in dat geval geen oog zou dichtgedaan hebben.'

102 De seizoensvoorbereiding van Stefano Denswil

Stefano Denswil (20) van Ajax laat zich in volle voorbereiding op het nieuwe seizoen 2013-2014 fotograferen. Niks mis mee? Toch wel, want hij poseert naakt in bed met een jongedame, die de foto prompt de wereld instuurt via Twitter. Wat heet 'prompt', bovendien. 'Net klaar met *ploppen* met Stefano Denswil,' geeft ze mee als begeleidende tekst.

103 De vruchtbare tweet van Brian Ryckeman

'Aan diegene die al m'n zwemmateriaal gepikt heeft uit mijn kastje in het zwembad: *fuck you!* Hoop dat je ermee verzuipt.' Aldus onze nationale lange afstandszwemmentrots Brian Ryckeman op 13 augustus 2013, nadat hij o.m. een zwemplank, een handvol badmutsen, een snorkel en twee zwembrillen is kwijtgeraakt in het Stedelijk Zwembad van Oostende. Nog voor de week om is, ligt alles als bij toverslag terug in de kast waaruit het verdwenen is. Waarop Ryckeman, uiteraard óók via Twitter: 'Blijkbaar een dief met een geweten. Voor wat het waard is, bedankt voor het terugbezorgen.'

104 De discus van Żaneta Glanc

Tijdens de opwarming voor de kwalificaties in het discuswerpen op het WK Atletiek in Moskou laat de Poolse Żaneta Glanc de schijf uit haar handen glippen. Vol op de neus van haar Oekraïense concurrente Natalja Semenova. Resultaat: een gebroken neus en een lichte hersenschudding. Semenova – goed voor brons op het EK – neemt toch deel aan de kwalificaties maar wordt uitgeschakeld, Glanc gaat door naar de finale waarin zij zevende wordt.

105 De rallystunt van Mauricio Sainz

In de Argentijnse Rally de Campo Viera Misiones editie 2013 begeeft het gaspedaal van de wagen van Sebastian Llamosas het plots. Hij laat co-piloot Mauricio Sainz uitstappen, op de motorkap plaatsnemen en scheurt met 100 km/u verder terwijl Sainz de gaskabel met de hand bedient.

106 De forse hap van Anthony Watts

De Australische rugbybonk wordt in september 2013 voor acht wedstrijden geschorst na een incident in de wedstrijd tussen de Tugun Seahawks en de Bilambil Jets. Watts heeft een van zijn tegenstanders gebeten. In de penis.

107 De amoureuze droom van Caroline Wozniacki

Caroline Wozniacki probeert haar beste maatje Bruno tijdens de US Open 2013 te koppelen aan Pierre, de trouwe vriend van Novak Djokovic. 'Bruno gaat zoveel mogelijk mee op reis,' meldt de Deense toptennisster. 'Hij is mijn beste vriend! Of ik nu gelukkig ben of verdrietig, Bruno wil me altijd likken. Zou het niet leuk zijn mochten hij en Pierre op *playdate* kunnen?' Wozniacki heeft echter ook een waarschuwing in petto. Ze vindt het maar niks dat Djokovic de flink in het vlees zittende Pierre op dieet heeft gezet: 'Hij heeft ook maar één leven. Ik heb liever dat mijn Bruno dik en gelukkig is dan mager en ongelukkig.' Bruno en Pierre zijn hun respectievelijke honden.

108 De vertaalservice van AZ

Voor de Europa League-wedstrijd anno 2013 tegen het Griekse Atromitos huurt het Nederlandse AZ voor drie dagen een tolk in om de pers het werken te vergemakkelijken. Helaas pindakaas én moussaka: geen enkele Nederlandse journalist heeft belangstelling voor de persconferentie van de Grieken, en geen enkele Griekse reporter voor die van de Nederlanders.

109 De levensreddende rode kaart van Ben Scott

Scott, doelman bij het Engelse Stocksbridge Park Steels, verricht in september 2013 dé redding van zijn carrière. Die van het leven van een 70-jarige supporter die een hartinfarct krijgt op het moment dat de keeper het veld verlaat na een rode kaart. Hij slaagt erin de man te reanimeren.

110 De hondsbrutaliteit van Andy Murray

Nadat Andy Murray er in 2013 in slaagt als eerste Brit in 77 jaar Wimbledon te winnen, wordt hij ontvangen op Buckingham Palace, waar hij door prins William onderscheiden wordt met de OBE. Deze *Most Excellent Order of the British Empire* is een van de meest prestigieuze onderscheidingen die een Brit kan krijgen. Volstrekt logisch dan ook dat Murray er bij zijn thuiskomst meteen een foto van post. Minder voor de hand liggend: om de hals van zijn hond, Maggie May.

En dan zijn er ook nog...

Patrice Evra, linksachter van Manchester United, heeft een tip voor Eden Hazard, die in mei 2012 nog twijfelt over zijn toekomst: 'Als hij prijzen wil winnen, moet hij voor ons kiezen.' Niet bijster snugger, want Manchester City is net kampioen geworden en Chelsea – waar Hazard uiteindelijk naartoe zal gaan – wint even later de Champions League. * **Gianmarco Tamberi** verschijnt met half geschoren baard op het Europees Kampioenschap indoor 2013 in Göteborg. Niet in de zin van een *five o' clock shadow* of iets van die orde, de Italiaanse hoogspringer heeft rechts van zijn neus wel nog haar staan en links niet meer. * **Nicolas Colsaerts** is er in mei 2013 bij op het *Thracian Cliffs*-tornooi in Bulgarije. Dat speelt zich af op een bijzonder veeleisende en spectaculaire course, meldt de vakpers. Wat heet! Colsaerts mikt het balletje een openbaar toilet met openstaande deur in en speelt van daaruit verder alsof er niks aan de hand is.

Van de Olympische Spelen tot de Wereldbeker

De belangrijkste derby's der Lage Landen

Natuurlijk is België-Nederland meer dan De Kopbal in De Kuip van Georges Grün richting Mexico 86. Maar het is óók meer dan die stoffige 'derby der Lage Landen' op de Bosuil van weleer. De Rode Duivels tegen Oranje is een klassieker in de geschiedenis van de grote voetbaltornooien. Meer zelfs, België en Nederland lijken tot elkaar veroordeeld te zijn.

111 Olympische Spelen 1920: Leve de Frontzwervers!

31 augustus 1920 (Olympisch Stadion, Antwerpen). België en Nederland komen voor het eerst tegen elkaar uit met een andere inzet dan de eer van het vaderland en een foeilelijke trofee die onze noorderburen bijzonder toepasselijk *Het Koperen Dingetje* noemen. Halve finale op de Olympische Spelen in Antwerpen, en de winnaar mag bijgevolg het veld in voor goud. De Belgen zijn in het voordeel, met dank aan een jarenlange voorbereiding die ze zonder enige twijfel liever hadden overgeslagen. Iedereen is tussen 1914 en 1918 meegesleept in de oorlog, dus ook de voetballers. Maar er is een verschil: Nederland is neutraal gebleven, flink wat van de Belgische internationals hebben gevochten aan het front. Op schaarse rustige momenten hebben ze daar wedstrijden gespeeld tegen eveneens onder de wapens geroepen spelers van Franse, Engelse en Italiaanse clubs. Onder de geuzennaam *Front Wanderers (Frontzwervers)* zijn ze in 1917 zelfs op tournee geweest in Engeland en Schotland, waar ze Aston Villa, Celtic en Everton hebben verslagen. Na de oorlog zijn de Belgen bovendien ruim op tijd samengebracht om klaar te zijn voor de Spelen in eigen land.

Toch zien de Nederlandse supporters het helemaal zitten. In vier speciaal ingelegde treinen zijn ze massaal naar Antwerpen gespoord. 'Zij kwamen met duizenden van over den Moerdijk, hunne stroohoeden versierd met de landskleuren,' noteert de legendarische Belgische scheidsrechter John Langenus. 'Toethoorns en klaxons waren de lawaaitoestellen en de geestdriftverwekkers, en ook het thuispubliek liep met driekleurige linten. Men kan zich bezwaarlijk de feestelijke stemming voorstellen welke toen in het eivolle stadion heerschte en hoe ieder gelukkig was dat het weer België-Nederland was.'

Helaas voor het Nederlandse legioen is er ruzie in de familie. 'De organisatie van de toer naar Antwerpen en speciaal het verblijf aldaar waren niet best,' meldt Ir. Ad van Emmenes, de Jack van Gelder van zijn tijd. 'En er hebben zich tonelen afgespeeld waarover men het best kan zwijgen. Niettemin mocht niet verontschuldigd worden dat sommige spelers zich aan een soort rebellie schuldig maakten en zelfs is het zover gekomen dat enkelen hunner voor het einde van het tornooi naar huis moesten worden gestuurd. Dat er onder deze omstandigheden van goed spel geen sprake was, ligt voor de hand.'

Wat heet! 3-0 voor de Belgen, die het Nederlands elftal helemaal tureluurs getikt hebben. Op naar de finale en goud voor België wanneer tegenstander Tsjecho-Slowakije er nog voor de rust de brui aangeeft. De Belgen leiden met 2-0, de gefrustreerde Tsjecho-Slowaken gaan almaar driester tekeer, en in de 43ste minuut gooit hun verdediger Steiner er een godsgruwelijke tackle uit tegen de doorgebroken Robert Coppée. De Britse scheidsrechter Lewis stuurt hem van het veld, en uit protest verlaten ook de andere Tsjecho-Slowaken het veld. De wedstrijd wordt gestaakt, en België is Olympisch kampioen. Uitzinnige supporters bestormen het veld en de nationale helden gaan op de schouders. Een historisch moment dat zelfs de doorgaans weinig voetbalvriendelijke *Standaard* niet onberoerd laat: 'België is wereldkampioen in de voetbalsport!'

112 Olympische Spelen 1928: 'Ali Baba en nog een paar andere nikkers'

5 juni 1928 (Spangen, Rotterdam). Met afstand de meest obscure Nederland-België en omgekeerd uit de lange geschiedenis, deze halve finale van het zogenoemde 'Olympisch Troosttornooi' dat de FIFA organiseert nààst de Zomerspelen in Amsterdam. De halve finale bereiken is niet echt een krachttoer. Er nemen immers slechts vier teams aan deel die stuk voor stuk al uitgeschakeld zijn op het officiële Olympische voetbaltornooi: Nederland, België, Mexico en Chili.

Nederland wint in het stadion van Sparta met 3-1 van België, maar dat is zowat het enige dat intussen niet tussen de archiefplooien is verdwenen. De journalisten ter plaatse hebben het namelijk veel te druk met de andere sporten en de meer exotische voetballanden. Uit Zuid-Europa en Latijns-Amerika, bijvoorbeeld. 'Ze zoenen elkaar zoals wij de meisjes zoenen. Zij zoenen elkaar op de hopelijk gladgeschoren wangen en ze omhelzen elkaar daarbij inniglijk!' stelt Van Emmenes verbijsterd vast, en na de wedstrijd Turkije-Egypte schrijft hij: 'Dat is nu juist 't leuke van zo'n Olympisch tornooi, dat je al die volksstammen die je in je onschuld als halfwild beschouwt, ziet voetballen. Er waren erbij die zo zwart zagen als schoensmeer. Enfin, Allah is Allah en zijn profeet Mohammed schopte er een paar goals in. Verder zorgde Ramses de vijf-en-dertigste voor enige doelpuntjes, terwijl Ali Baba en nog een paar andere nikkers de grote overwinning der Egyptenezen tot een feit maakten.'

Nederland speelt de finale van het Olympisch Troosttornooi tegen Chili, en daarin staat het na verlengingen 2-2. Strafschoppenseries bestaan nog niet, een muntopgooi moet beslissen. Nederland wint de toss, maar schenkt de bijhorende beker 'uit beleefdheid jegens de verre gasten' toch aan Chili.

113 Wereldbeker 1930: Onze keeper is een Hollander!

4 mei 1930 (Olympisch Stadion, Amsterdam) en 18 mei 1930 (Olympisch Stadion, Antwerpen). Zich plaatsen voor het allereerste WK, in 1930 in

Uruguay, is een fluitje van een cent. Ook letterlijk: iedereen mag meedoen maar de dure bootreis naar Zuid-Amerika moet zelf betaald worden. Het resultaat is voorspelbaar: Nederland denkt er niet aan, België
pakt vrolijk zijn koffers. Voor de afreis staan er nog twee derby's der
Lage Landen in twee weken gepland, en de Belgen beschouwen die
zeer nadrukkelijk als een voorbereiding op het WK. In Amsterdam
houden ze de Nederlanders op 2-2, en thuis winnen ze met 3-1. Met
dank aan een uitstekende *Nolle* Badjou in het doel, al heeft die in de
aanloop wel voor paniek gezorgd.

Arnold Badjou is geboren in de Brusselse deelgemeente Laken. Op-
roepen voor de nationale ploeg, die kerel, wanneer hij zich bij Daring
Club Brussel ontpopt als de doelman van de toekomst! Graag, wat
Badjou betreft, maar er is een probleem. Hij is namelijk geen Belg, en
dat weet hij bovendien zelf niet eens. Eind 19de eeuw zijn zijn groot-
ouders naar België geëmigreerd, maar ze hebben dat officieel nooit geregeld en dus heeft hun kleinzoon hun Nederlandse nationaliteit.
Lang voor de naturalisaties van Josip Weber en Branko Strupar, laat
staan de tribulaties rond Zakaria Bakkalli en Adnan Januzaj, wordt het
allemaal nog net op tijd gefikst en Badjou kan spelen tegen Nederland.

Badjou mag ook mee naar het WK, waar hij en de andere Belgen
echter roemloos ten ondergegaan. 3-0 verlies tegen Amerika, daarna
met 1-0 de boot in tegen Paraguay en vervolgens ook weer letterlijk het
schip op voor de maandenlange terugreis. Zonder een punt of zelfs
maar een goal in de bagage.

114 Wereldbeker 1934:
Geplaatst met 9/100ste van een doelpunt

29 april 1934 (Bosuil, Antwerpen). Voor het eerst moeten er kwalificatie-
wedstrijden gespeeld worden om erbij te mogen zijn op het WK. Weliswaar nog in een bizar opzet met o.a. poules van drie waarin elk land
één keer tegen de twee andere speelt. België wordt uitgeloot tegen de
Ierse Vrijstaat, zoals het semi-onafhankelijke Ierland dan nog heet,
en... jawel, Nederland. Een nieuwe traditie is geboren en er komt er
meteen nog een bij: de Belgen knijpen hem voor het veel sterker geachte Oranje.

Het gaat op dat ogenblik zo slecht met ons nationaal elftal dat de 4-4 in en tegen Ierland als een overwinning wordt gevierd. Maar wanneer Nederland diezelfde Ieren thuis met 5-2 verslaat is het weer droefenis alom. Winnen op de Bosuil? Onmogelijk. Rekenen, dat wel, want het aantal goals zal de doorslag geven. De Ieren hebben hun twee wedstrijden al gespeeld en zijn gefinisht met 6 doelpunten vóór en 9 tegen. Een *average* van 0,66, legt het reglement van toen vast als lat waar de Belgen over moeten. Met andere woorden, verliezen met 0-1, 1-3, 2-4 of met een in die tijd niet eens zo belachelijk vergezochte 3-6 of 4-7 is prima, want dan doet België beter dan de Ieren. Onderuit gaan met 0-2, 2-5 of 4-8 zou niet helemaal een drama zijn, want dan komen de Belgen ook uit op een *average* van 0,66 en moet een loting bepalen wie naar het WK gaat. Dat mag België sowieso vergeten als het met 0-3, 1-4, 2-6, 3-7 of 4-9 verliest. Waanzin? Niet echt. Amper zes weken voor deze wedstrijd heeft België in Amsterdam nog flink voor zijn edele delen gekregen in de *gewone* derby: 9-3...

De Belgen – alwéér een rode draad door het verhaal – gaan er echter vol voor en halen het maximum uit hun beperkte middelen. Ze knokken zich naar een nederlaag met slechts 2-4 en klokken de kwalificatiereeks af met een *average* van 0,75. Amper negen honderdsten van een goal beter dan de Ieren, maar goed genoeg voor kwalificatie, samen met de Nederlanders.

België verliest op het WK in Italië met 5-2 van Duitsland, Nederland met 3-2 van Zwitserland en allebei mogen ze na amper één (1!) wedstrijd al terug naar huis. Vooral bitter voor Nederland, dat zich – ook dat wordt later vaste prik – vooraf ongegeneerd rijk heeft gerekend. 'We gaan naar Rome!' schalt dé voetbalhit van toen onophoudelijk op de radio. Naar de finale, dus. Helaas pindakaas. Voor het volgende WK komen België en Nederland opnieuw samen uit de kwalificatietrommel, deze keer met Luxemburg als derde poulelid. De Luxemburgers verliezen met 4-0 van Nederland en met 2-3 van België. Wat een cruciale wedstrijd moest worden, is prompt verwaterd tot een verplicht nummer. De Belgen en de Nederlanders gaan immers sowieso samen naar Frankrijk en houden het bij een 1-1 om snel te vergeten. Wat overigens ook geldt voor het WK zelf. Nederland-Tsjecho-Slowakije: 0-3, België-Frankrijk: 1-3, en opnieuw na één match allebei alweer uitgeschakeld.

115 Wereldbeker 1974:
Alle Belgen met rugnummer 16

19 november 1972 (Bosuil, Antwerpen) en 18 november 1973 (Olympisch Stadion, Amsterdam). Vandaag geldt het WK van 1974 in West-Duitsland als het tornooi waarop het magistrale Oranje van Cruijff en co de wereld heeft veroverd met zijn wervelende *Totaalvoetbal*. Nauwelijks iemand bij onze noorderburen die er nog bij stilstaat dat het slechts een paar centimeter en een foutief fluitsignaal heeft gescheeld of Nederland was er niet eens bij geweest.

In de kwalificatieronde wordt er al met poules gewerkt zoals we die vandaag kennen. Althans, in groepen met slechts vier teams en alleen de winnaar gaat door. Geen sprake van barrages voor de 'beste tweede', dus. IJsland en Noorwegen zijn in Groep 3 de tegenstanders van België en – hoe kan het anders? – Nederland. De Belgen zetten het grote Oranje twee keer schaakmat met meester-tacticus Raymond Goethals als bondscoach. Zijn legendarische *Hollanderscomplex* moet nog even sudderen, maar in de aanloop naar de wedstrijd op de Bosuil bakt hij het toch al behoorlijk bruin met een nooit eerder gezien staaltje psychologische oorlogsvoering: hij laat zijn selectie bij valavond trainen in een uithoek van de Heizel bij het licht van enkel wat straatlantaarns. Om mogelijke Nederlandse spionnen te vlug af te zijn, dragen álle spelers een truitje met rugnummer 16.

Na afloop is iedereen in het Belgische kamp dolblij met de 0-0. Jammer dat Jean Thissens kanonskogel tegen de paal is geknald. En dat de Belgen voor hetzelfde geld hadden kunnen winnen en twee punten pakken in plaats van één, maar *soit*... We hebben niet verloren, hoera! Het blijkt later helaas een eerste bijzonder duur verloren punt te zijn voor België.

Uit bij Nederland, een jaar later in Amsterdam, blijft het opnieuw 0-0. Weer hadden de Belgen kunnen winnen – het mythische afgekeurde doelpunt van Jan Verheyen, in geen honderd jaar buitenspel! – maar deze keer zijn ze een stuk minder blij met het gelijkspel. Nederland en België eindigen allebei met 10 punten, maar met 24 goals vóór en slechts twee tegen doet Oranje beter. De Belgen van aanvoerder Paul Van Himst hebben slechts 12 keer gescoord. Ondanks het feit dat ze geen enkele tegentreffer geïncasseerd hebben, ja zelfs geen enkele match verloren, gaan ze toch niet naar het WK... Om het met Goethals te zeggen: *faut le faire!* Nederland haalt in West-Duitsland de finale, die het verliest tegen het gastland. Voor België beginnen een paar hele donkere jaren.

116 Europees Kampioenschap 1976: De zwanenzang van De Tovenaar

25 april 1976 (De Kuip, Rotterdam) en 22 mei 1976 (Heizel, Brussel). Anderlecht wint als eerste Belgische club ooit een Europabeker, bij de Bekerwinnaars tegen West Ham United, Club Brugge sneuvelt pas in de finale van de UEFA Cup tegen Liverpool... De Belgische clubs presteren zonder meer uitstekend in Europa. Met dank aan hun buitenlandse sterspelers, vandaar het schrille contrast met de nationale ploeg. Goethals stelt jongeren als Hugo Broos, Ludo Coeck, René Vandereycken en Eric Gerets wel op, maar alleen als het echt niet anders kan. Hij houdt koppig vast aan zijn (te) oude garde. Ook al spelen dikke dertigers als Johan Devrindt en Wilfried Puis intussen bij Lokeren, ze komen aan de aftrap. En dat Jan Verheyen in Derde Klasse speelt bij Union, het zal de *Tovenaar* een zorg zijn. *Jantje* spéélt.

In de kwartfinale voor het EK tegen (uiteraard) Nederland volgt de lang uitgestelde maar onvermijdelijke ontluistering. Als ultieme illustratie van zijn selectiebeleid stelt Goethals in de heenmatch nog liever de geblesseerde, half kreupele Christian Piot op dan de fitte Jean-Marie Pfaff. België wordt weggespeeld. 5-0... De zwaarste nederlaag in tien jaar en Goethals' zwanenzang. Voor de overbodige terugwedstrijd, een 1-2 nederlaag in Brussel, zit zijn opvolger al op de bank: Guy Thys. Nederland bakt er vervolgens niks van op het eindtornooi in Joegoslavië. West-Duitsland verliest de finale met de strafschoppen van Tsjecho-Slowakije. Een opwippertje vanop de elfmeterstip heet vanaf die avond *een Panenka*, naar de man die de beslissende penalty zo omzet.

117 Wereldbeker 1978:
'Circus Guy Thys'

26 maart 1977 (Bosuil, Antwerpen) en 26 oktober 1977 (Olympisch Stadion, Amsterdam). Bob Dalving is een van de spelers die in 1976 in de Belgische basiself is gestart tegen Nederland, in de debuutinterland van Guy Thys. De eerste en meteen ook de laatste interland van de voorstopper met de enorme bakkebaarden van Lokeren. Rudi Haleydt van Waregem, de boomlange Cercle Brugge-spits Dirk Beheydt... Wie heeft Thys eigenlijk níet uitgeprobeerd in de aanloop naar het eerste kwalificatieduel tegen – jawel – Nederland voor het WK in Argentinië? Zonder bijster veel succes, het zal dus wel weer niks worden. Hoewel, als België wint tegen Oranje, nemen de Duivels een stevige optie op een ticket richting Buenos Aires. En het kàn, ja. Zijn de Nederlanders immers net niet verder geraakt dan 2-2, uit bij Noord-Ierland? Welaan dan, ten aanval!

Thys kiest voor een on-Belgische offensieve aanpak. Hartverwarmend, maar voor elke Fons Bastijns, Jos Volders en Willy Wellens staat aan de overkant een Johan Cruijff, Johan Neeskens, Johnny Rep, Rob Rensenbrink... En ja, hoor. *Slechts* met 0-2 verloren, maar helemaal afgeschminkt door de *Clockwork Orange.* 'Ik heb gegokt en verloren,' geeft Thys toe. 'Ik heb in het verleden zo vaak moeten horen dat wij uitsluitend defensief spelen, dat ik daar iets aan wilde doen. En ik hoopte dat Nederland nog eens zo'n off-day zou hebben als tegen Noord-Ierland. Hadden wij gewonnen, dan gingen wij naar Argentinië, want dan bedroeg onze voorsprong drie punten. Maar tegen dit Nederland kon dat nooit...' *Na wett'm 'et ùùk,* moet Raymond Goethals thuis in zijn zetel geschamperd hebben. Pikant detail: Goethals is op dat ogenblik trainer van Anderlecht en hij heeft zijn voorzitter, Constant Vanden Stock, de transfer afgeraden van een speler die in de 46ste minuut van deze België-Nederland zijn internationaal debuut heeft gemaakt. Jan Ceulemans.

De kwalificatiecampagne sleept zich naar haar einde voor de Belgen. In Nederland blijft de schade beperkt tot 1-0, maar verder? 'Daar trekt over de heuvels en door het grote bos,' om het met *Het land van Maas en Waal* van Boudewijn de Groot te zeggen, 'de lange stoet de bergen in van het Circus Guy Thys.' Met Marc Baecke, Bert Cluytens, Hubert Cordiez, Guy Dardenne, Willy Geurts, Charly Jacobs, Jean Janssens, Philippe Garot... hobbelt er een halve bus nieuwkomers mee richting kwalificaties voor het EK 80 in Italië. Ze zullen niet eens het eerste basiskamp op weg naar de top van die bergen zal halen.

Op het eindtornooi in Argentinië verliest Nederland opnieuw de finale tegen het gastland. In België heeft niemand in het algehele pessimisme in de gaten dat er een topploeg in de maak is. Pfaff, Gerets, Millecamps, Vandereycken, Coeck, Cools, de teruggehaalde Van Moer... Ze slaan de voetbalwereld met stomheid door de finale van het EK 80 te halen en die slechts nipt te verliezen van West-Duitsland.

118 Wereldbeker 1982: De ultieme Vandereycken-grijns

19 november 1980 (Heizel, Brussel) en 14 oktober 1982 (De Kuip, Rotterdam). Groep 2, in de kwalificatiepoules voor het WK in Spanje? Cyprus, Ierland, Frankrijk, België en – diepe zucht – Nederland. Hoewel, er is natuurlijk wel veel veranderd de laatste jaren. België is top, en bij Oranje is het allemaal een stuk minder. Pim Doesburg, Bennie Wijnstekers, Pier Tol, Michel van de Korput, Kees Kist... De lange circusstoet lijkt nu aan de andere kant van de grens de bergen in te trekken. 'Nee, we hebben geen Hollandcomplex meer,' zegt Guy Thys. Hij niet, en René Vandereycken al helemààl niet. De sluwe middenvelder breekt op de Heizel de ban tegen de wild om zich heen schoppende Nederlanders door gretig neer te gaan in het strafschopgebied. Penalty? Hij kijkt verwachtingsvol naar de scheidsrechter... Ja, penalty! Waarna groot in beeld de ultieme Vandereycken-grijns volgt. 'Ik hoorde ze achter me hijgen en ik wist dat ik alleen maar het strafschopgebied moest halen,' zegt hij na de wedstrijd. 1-0, want zo'n buitenkans vanop elf meter laat Erwin Vandenbergh uiteraard niet liggen, en Oranje druipt af. De terugwedstrijd, bijna twee jaar later in Rotterdam, doet er niet meer toe. België en Frankrijk zijn al geplaatst, Nederland ligt eruit en wint met 3-0 tegen een geïmproviseerd Belgisch elftal met o.a. Eddy Snelders, die in De Kuip zijn eerste en meteen ook laatste interland speelt.

Op het WK in Spanje wint België de openingsmatch van het tornooi tegen Argentinië met het iconische doelpunt van Erwin Vandenbergh ('Daar is 'm, daar is 'm! Góóóól!'... enzovoort) en gaat door naar de tweede ronde. Daarin degradeert Zbigniew Boniek met drie goals voor Polen gelegenheidsdoelman Theo Custers tot nationale vliegenvanger voor de eeuwigheid.

119 Wereldbeker 1986: Voetbal in tijden van burgeroorlog

16 oktober 1985 (Emile Verséstadion, Anderlecht) en 20 november 1985 (De Kuip, Rotterdam). Wie erbij was, herinnert het zich als de dag van gisteren. Ja, de goal van Georges Grün. Maar ook dat België in 1985 wel een land in oorlog lijkt. Op de tribunes, om te beginnen. Op woensdag 29 mei komen, nog vóór de aftrap van de Europacup I-finale tussen Juventus en Liverpool, 39 mensen om het leven in het Heizelstadion. En het gaat van kwaad naar erger. 2 september: Premier Wilfried Martens ontbindt het parlement. Er komen nieuwe verkiezingen in een land dat in een diepe constitutionele crisis zit. 27 september: bij overvallen op Delhaize-warenhuizen in Overijse en Eigenbrakel komen acht mensen om het leven. De Bende van Nijvel... 8 oktober: De extreem-linkse terreurorganisatie CCC brengt een bomauto tot ontploffing op de binnenplaats van een Sibelgaz-vestiging in Laken. Vier dagen later slaat de CCC opnieuw toe met twee bomaanslagen op de dag voor de verkiezingen.

In dezelfde week is Ludo Coeck (30) overleden aan de gevolgen van een verkeersongeval. Op 14 oktober zijn alle Rode Duivels present bij het laatste afscheid. Amper twee dagen voor de heenwedstrijd tegen Nederland in het stadion van Anderlecht, want de Heizel is na *Het Drama* verboden terrein. Frank Vercauteren smeert Wim Kieft een rode kaart aan en scoort zelf het enige doelpunt. De Belgen mogen met een 1-0 voorsprong naar Nederland voor de terugwedstrijd. Plaats van afspraak: de Rotterdamse Kuip, 20 november. Het zou goed moeten zijn voor paginabreed aftellen, maar... 4 november: De CCC pleegt twee nieuwe aanslagen, in Charleroi en Etterbeek, en de volgende dag nog twee, in Leuven en opnieuw Charleroi. En er komt maar geen einde aan. Vijf dagen later schiet de Bende van Nijvel bij de Delhaize van

Aalst weer acht klanten en personeelsleden in koelen bloede dood. Waar en wanneer gaan *de Killer* en *de Reus* opnieuw toeslaan? De angstpsychose bereikt haar hoogtepunt. Nooit eerder moet een voetbalwedstrijd zo welkom geweest zijn als ontsnappingsroute uit de grauwe werkelijkheid.

In de aanloop naar *Rotterdam* zijn alle schijnwerpers gericht op Waregem. *Essevee* is bezig aan een indrukwekkende Europese campagne, waarin het o.a. AC Milan zal uitschakelen, met Wim De Coninck, Danny Veyt en Philippe Desmet als uitblinkers. Veyt heeft in elke Europese wedstrijd gescoord en in de competitie staat hij ook al op 12 goals, evenveel als Erwin Vandenbergh. Met hun 1-0 uitgangspositie moeten de Rode Duivels niet per se scoren om zich te plaatsen voor het WK. Maar helemaal zonder aanvallers spelen, dat is in 1985 nog een brug te ver. De vraag is alleen: wie dan wel? Vandenbergh is geblesseerd, Voordeckers ligt in de lappenmand... Danny Veyt is alvast bij de 18 Duivels die beginnen aan de voorbereiding. 'Het is een wedstrijd van alles of niets,' licht Thys zijn keuze toe. 'Ik denk dan ook niet aan de toekomst, en ik zal bij mijn definitieve selectie meer dan ooit rekening houden met de huidige *forme* van de opgeroepen spelers.'

Er zal sowieso een onuitgegeven aanvalsduo aan de aftrap komen. 'Er zijn vier kandidaten,' zegt Thys. 'Het Standard-duo Czerniatynski en Claesen, en Veyt en Desmet.' Het psychologische steekspel woedt volop. Ook Oranje-bondscoach Leo Beenhakker spuit mist over zijn opstelling. Met of zonder John van Loen? Waarop Guy Thys dan weer: 'Sta me toe voor één keer geheimzinnig te doen. Gezien het belang van de wedstrijd en de manier waarop collega Beenhakker met zijn selectie bezig is, zal ik elk officieel commentaar en zelfs het bekendmaken van het elftal minimaal uitstellen tot de dag voor de wedstrijd.' 18 spelers, da's nog twee te veel. Wie valt af voor Rotterdam? Claesen en Czerniatynski. Het wordt Thys niet door iedereen in dank afgenomen. '*Sale flamin!*' krijgt hij naar het hoofd geslingerd tijdens de traditionele oefenpartij tegen de Beloften.

Desmet speelt in Rotterdam, dat is intussen een publiek geheim. Het is overduidelijk dat Thys op hem rekent om in zijn eentje voorin achter alle ballen aan te hollen. Voor de rest blijft hij pokeren, en Leo Beenhakker doet vrolijk mee. Een Belgische scout wordt weggestuurd van de tribunes tijdens de oefenwedstrijd van Oranje tegen de Rotter-damse eersteklasser Excelsior. Kort daarna krijgt een cameraploeg van de NOS van de weeromstuit verbod van Belgische kant om beelden te maken van een trainingspartijtje van de Rode Duivels in Knokke. De dag voor de wedstrijd maakt Thys zijn opstelling bekend: Desmet in de spits, Scifo en Veyt op de bank. Loeren op de tegenaanval dus, het be-proefde Belgische recept. Desmet ligt er totaal niet wakker van dat hij zijn debuut zal maken in een wedstrijd met zoveel inzet. 'Het hangt toch niet van mij alleen af of de Rode Duivels naar de Wereldbeker gaan? Maar wat zeg ik nu? Schrijf maar op, in dikke letters: de Rode Duivels gaan naar Mexico, zeg dat *Smet* het gezegd heeft!'

Smet krijgt gelijk. 'Daar is 'm, daar is 'm, en ik weet niet eens wie het is!' gaat Rik De Saedeleer *in overdrive* bij de 1-2 van Georges Grün in de 85ste minuut. Leo Beenhakker druipt af in de tunnel in de Kuip, en wij? Wij gaan naar Mexico! Euforie in de donderdagkranten, maar die-zelfde dag nog pleegt de CCC in Watermaal-Bosvoorde een nieuwe bomaanslag, en op 4 december slaat de terreurorganisatie toe in Ant-werpen. Twee dagen later, met Sinterklaas, ontploft er een bom in Luik, een halfuur voor minister van Justitie Jean Gol een toespraak zou houden voor 600 jonge advocaten. Er valt één dode, de aanslag wordt nooit opgeëist. Diezelfde dag pleegt de CCC een 13de aanslag, bij de NAVO-pijpleiding in Wortegem-Petegem.

Op zondag 15 december vieren koning Boudewijn en koningin Fa-biola hun 25ste huwelijksverjaardag. Het hele land feest mee. Een dag later wordt CCC-leider Pierre Carette opgepakt, en ook zijn kompanen Pascale Vandegeerde, Bertrand Sassoye en Didier Chevolet belanden in de cel. Een half jaar later halen de Rode Duivels in Mexico de halve fi-nale, en ze worden bij hun terugkeer als helden ingehaald. De Bende van Nijvel lijkt intussen van de aardbodem verdwenen. Vandaag is het nog steeds een mysterie wie de in totaal 28 slachtoffers en meer dan 40 gewonden op zijn geweten heeft, en waarom. Leve België, *vive la Belgi-que!*

120 Wereldbeker 1994:
De vergeten missers van de nationale held

25 juni 1994 (Citrus Bowl, Orlando, USA). De geweldige reddingen van Michel Preud'homme, de corner van Marc Degryse, en Rik De Saedeleer met het volume op duizend: 'Dat is het, dat is het, dat is het! IK WIST HET! Ik wist het! Philippe Albert!' 1-0, en dat blijft het ook tegen Oranje. Met ook de zege in hun openingswedstrijd tegen Marokko (1-0) op zak ligt voor de Rode Duivels de weg open naar groepswinst en een minder zware tegenstander in de achtste finale. Bondscoach Paul Van Himst besluit zijn sleutelspelers alvast rust te gunnen en stelt een veredeld B-elftal op tegen gedoodverfd kneusje Saoedi-Arabië. Zijn gok pakt helemaal verkeerd uit, de Belgen verliezen met 1-0.

Gevolg: Nederland wordt groepwinnaar en krijgt Ierland als volgende tegenstander. De Rode Duivels moeten favoriet Duitsland verslaan als ze de kwartfinale willen bereiken. Resultaat: 3-2 verlies in de roemruchte wedstrijd met de niet gefloten strafschop op Josip Weber. Einde WK voor de Belgen en tot op de weide van Rock Werchter toe wordt scheidsrechter Kurt Röthlisberger uitgeroepen tot volksvijand nummer één. De Zwitser bevrijdt prompt iemand anders van de last van nationale zondebok. Een Belgische spits die tegen Saoedi-Arabië een handvol kansen heeft gemist en na afloop samen met Van Himst de bekende boter heeft gevreten bij pers en publiek: Marc Wilmots.

121 Wereldbeker 1998:
Drie keer tegen elkaar

14 december 1996 (Heizel, Brussel), 6 september 1997 (De Kuip, Rotterdam) en 13 juni 1998 (Stade de France, Parijs). Het blijkt altijd nog gekker te kunnen met België-Nederland: twee keer tegen elkaar in de kwalificatiepoule voor de Wereldbeker en nóg een keer op het WK zelf in Frankrijk. De eerste twee wedstrijden laten weinig goeds verhopen. Bondscoach Georges Leekens rekent op o.a. – wie herinnert zich hém nog? – Gordan Vidović, Oranje heeft Edwin van der Sar, Jaap Stam, Frank en Ronald de Boer, Patrick Kluivert, Clarence Seedorf, Dennis Bergkamp... Moeder! Leekens grijpt dan ook terug naar de aloude

Goethalstactiek: verdedigen, verdedigen, verdedigen en heel af en toe, als het kan, een beetje minder verdedigen. Dikke lol voor het Oranjelegioen: 0-3 in Brussel en 3-1 in Rotterdam. Die laatste wedstrijd is vandaag overigens nog steeds de laatste die de Rode Duivels verliezen tegen Nederland.

Die vijftien jaar lange reeks begint in het Parijse Stade de France met de rode kaart voor Patrick Kluivert na het *verkrachtersakkefietje* met Lorenzo Staelens. 0-0, en heel België blij. Voor even toch, want na een 2-2 tegen Mexico en een ronduit gênante 1-1 tegen Zuid-Korea worden Georges Leekens en zijn Rode Duivels bij hun terugkeer met de Thalys nog net niet met pek en veren ingesmeerd in Brussel-Zuid. Nederland haalt de halve finale van het WK, waarin het met de strafschoppen verliest van Brazilië. Valt er in België toch nog iets te lachen.

Van Cadel Evans tot Robbie McEwen

De vreemdste koerskronkels

De Deen Martin Lind komt op 20 juli 2011 vol goede moed aan de start van de Brixia Tour, een rittenkoers in en om het Italiaanse Brescia. Vijf dagen duurt die, maar zo lang zingt de renner van Christina Watches het niet uit. In het namiddaggedeelte van de tweede etappe botst Lind in een afdaling op een stel koeien. Een bepaald niet blije stier neemt hem op de horens en gooit hem over de prikkeldraad. Vaarwel Brixia Tour, welkom ziekenhuis met een sleutelbeenbreuk en een hersenschudding. Een waaier opmerkelijke koersontwikkelingen, vóór, tijdens en na de wedstrijd.

122 Waalse Pijl 2010: De medische inschatting van Cadel Evans

'Gelukkig viel het allemaal nog wel mee,' zegt regerend wereldkampioen en winnaar Cadel Evans aan de aankomst over de blessures van zijn ploegmaat Karsten Kroon, die ten val is gekomen. Kroon blijkt na onderzoek een gebroken oogkas en een dito kaak- en neusbeen te hebben.

123 Olympische wegrit 2012: De achterstand van Mark Cavendish

Tijdens de wegrit op de Olympische Spelen in Londen wordt de werking van de GPS-systemen grondig verstoord, waardoor het niet altijd

duidelijk is wie hoeveel voorsprong heeft op wie. Ergo: de Britten hebben er geen idee van of de gedoodverfde winnaar Mark Cavendish nog
in aanmerking komt voor goud of niet. Oorzaak is de overbelasting
van het netwerk door tweets en sms'jes. De Cavendish-fans beginnen
prompt tweets rond te sturen om het probleem aan te klagen, waardoor ze het nog erger maken.

124 Tirreno-Adriatico 2009:
De tijdrit van Kevin Hulsmans

De Duitser Andreas Klöden wint de vijfde etappe, een individuele tijdrit waarin Kevin Hulsmans 145ste wordt op 5'01". Ja, en? Wel, de Belgische Quick.Step-renner is te laat aan de start gekomen om zijn zakje
met propere kleding nog af te geven. Hij maalt de 30 kilometer tussen
Loreto en Macerata dan maar af met dat ding op zijn rug. En dan doet
hij nog beter dan 43 van de andere 187 deelnemers.

125 Memorial Rik Van Steenbergen 2009:
De valpartij van Jérémy Honorez

Een renner van Lotto-Bodysol knalt op twintig kilometer van de streep
tegen een paaltje. In het ziekenhuis worden breuken aan zijn linkerdij-
been en rechteronderbeen vastgesteld. Opvallend, want het gaat om
de 22-jarige Jérémy Honorez, die eerder dat jaar nog voor commotie
heeft gezorgd met een filmpje op YouTube, waarin hij op de autosnelweg een paar centimeter achter een voortdenderende vrachtwagen
aanfietst.

126 B.K. junioren 2011:
De niet-truitjes van team-Museeuw

De Wielerbond Vlaanderen roept de leiding van het juniorenteam
Stannah-Museeuw op het matje na het nationaal juniorenkampioen-
schap in Wielsbeke. Niet omwille van de aanwezigheid van wespen of
andere gesneden broden, maar voor de afwezigheid van kleren: de VIP-
stand van de ploeg werd opgeluisterd door drie fotomodellen met een
gebodypainte wieleruitrusting.

127 Qiansen Trophy 2013:
De sportmaaltijd van Thijs Al

De Nederlandse veldrijder Thijs Al wint op 22 september de Qiansen Trophy, de eerste UCI-cross in China. En dat ondanks – of dankzij, je weet immers maar nooit – het galadiner met de burgemeester op de avond voor de wedstrijd: 'Die ging van tafel tot tafel om met alle renners te proosten. Lees: je glas in één keer achterover slaan. Je had de keuze tussen wijn en brandewijn. Het buffet was overvloedig maar ook vreemd. Van het vlees was de oorsprong niet altijd even duidelijk. Bij één soort stond de vertaling: 'donkey'. Ezel. Twee Amerikanen die ervan aten zijn twee dagen ziek geweest.'

128 Het criterium van Merelbeke 2011:
De massakermiskoers

In Merelbeke bij Gent wordt zo'n typisch Vlaamse koers georganiseerd voor beloften en elite-renners zonder contract. Zestien rondjes van 7,3 kilometer, de bekende met-zijn-allen-rond-de-kerktoren-hap, dus. Alleen... Er komen maar liefst 349 deelnemers aan de start. Even ter vergelijking: datzelfde jaar zullen er slechts 198 aan de Ronde van Frankrijk beginnen. De overbevolking heeft de nodige gevolgen: wanneer de start moet worden gegeven, staan nog tientallen renners aan te schuiven om zich in te schrijven, amper – nou ja – 200 deelnemers halen de finish als gevolg van onder meer een massale valpartij in de slotfase, en er gaan over de hele koers bekeken minstens 70 renners tegen het asfalt.

129 Luik-Bastenaken-Luik 2012:
De blitzdeelname van Igor Antón

Igor Antón moet opgeven in *La Doyenne* na een valpartij waarbij hij zijn sleutelbeen breekt. De Spanjaard is al tegen de vlakte gegaan in het rennersdéfilé voor de officiële start. Zijn landgenoot Alejandro Valverde houdt het iets langer vol maar ook hij haalt de eindstreep niet. Nadat hij is lek gereden op La Redoute neemt hij de kortere weg

die voorzien is voor de motoren. Valverde wordt samen met vier ploegmaats uit de koers gezet, nadat hij heeft geweigerd rechtsomkeert te
maken en het officiële parcours te volgen. Ook aardig qua prestatie en
administratie in de voorjaarsklassiekers van 2012: de Amerikaan Lucas
Euser wordt na amper één kilometer uit de wedstrijd gehaald in de
Brabantse Pijl wegens vergeten het startblad te ondertekenen.

130 Amstel Gold Race 2011:
De hoge nood van Ryder Hesjedal

De Canadees eindigt als voorlaatste in de Nederlandse klassieker. Een
tegenvaller, want vorig jaar finishte Hesjedal nog als tweede. 'Ik voelde
me super, maar in het laatste uur kwam het plots op,' zegt hij na de
aankomst. 'Het' zijnde *platte kak*, zoals wielerjournalisten het desbe-
treffende fysieke ongemak omschrijven als ze niet in de ether zijn. 'Op
de klimmetjes werd het erger. Ik dacht dat het op de vlakke wegen wel
in orde zou komen, maar plots kon ik het niet ophouden. Ik moest af-
stappen en bij een huis langs de kant van de weg aankloppen.'

131 Omloop Het Nieuwsblad 2013:
De verdwaalde debutanten

De Eritreeër Frekalsi Debesay Abrha en de Hongkong-Chinees Wang
Yip Tang komen voor het eerst aan de start in de openingskoers van
het Belgische wielerseizoen. Abrha verschijnt ruim een uur na de laatste in de officiële uitslag in aankomstplaats Gent. Alsnog in Gent, want
de kopman van het het Zuid-Afrikaanse MTN Qhubeka-team was een
paar uur spoorloos verdwenen. Hoe en waarom, daarover lopen de verklaringen achteraf nogal uiteen. Zelfs in zijn eigen ploeg. Volgens sommigen heeft hij onderweg opgegeven en is hij op eigen houtje naar het
rennershotel gefietst. Anderen houden dan weer vol dat Abrha inderdaad vroegtijdig afgestapt is en hopeloos verdwaald is op weg naar de
teambus. En er zijn er ook die beweren dat hij de Omloop wel degelijk
uitgereden heeft maar dat hij er gewoon heel erg lang over gedaan
heeft.

Wang Tip Yang, dan. Hij geeft op ter hoogte van Brakel, wordt door zijn sportdirecteur Franky Van Haesebroucke doorgestuurd naar het hotel, waarop die hem plots weer op het parcours ziet opduiken in de Lippenhovestraat. Niet op de fiets, maar in de auto van een toeschouwer die hem ergens onderweg heeft opgepikt. Van Haesebroucke: 'Zijn uitleg? Hij zag blauw van de kou en kon helemaal niks meer zeggen. We hebben hem dan maar weer *overgenomen* in de ploegauto. Tja, het is niet de eerste keer dat zoiets gebeurt met die Chinezen. Ze spreken amper Engels en ze kunnen de borden niet lezen. Wat zouden wij doen mochten ze ons ergens op het Chinese platteland droppen? Vanaf nu gaan we hen een briefje meegeven met de naam van het hotel, dan kunnen ze dat tonen om de weg te vragen.'

132 Omloop Het Nieuwsblad 2010: De volharding van Robbie McEwen

Robbie McEwen rijdt drie jaar voordien dezelfde Omloop Het Nieuwsblad uit, maar toch is er geen spoor van hem te bekennen in de officiele uitslag. Hij is op achttien kilometer van de streep voorbijgereden door de bezemwagen, en heeft de resterende afstand in het gewone verkeer afgelegd.

En dan zijn er ook nog...

Superprestige 2011: De 32-jarige Griek Konstantinos Xirogiannes komt in Zonhoven voor het eerst aan de start van een Superprestige-veldrit. Hij heeft maar één ambitie: niet gedubbeld worden. Na anderhalve ronde is het echter al zover, een nieuw parcoursrecord. * **Veldritseizoen 2012:** De Nederlandse belofte Gert-Jan Bosman heeft al een hele tijd last van pijn in de schaamstreek. In december is hij om die reden geopereerd aan het kruis. Hij mag opnieuw crossen, op voorwaarde dat hij de betrokken zone niet te veel belast. Bosman komt dan maar aan de start met een omgekeerd zadel: met de punt naar achteren. * **Parijs-Camembert 2013:** De Fransman Pierrick Fedrigo van FdJ wint deze semi-klassieker en daar hoort, naast een trofee, nóg een prijs bij: zijn lichaamsgewicht, een kilootje of 60, in camembertkaas. * **De Grote Prijs Stad Zottegem 2013:** Net voor het ingaan van de slotronde, met nog 30 km te gaan, heeft het peloton acht minuten achterstand op de leiders. Het wordt om veiligheidsredenen uit de wedstrijd gezet. Netto-resultaat: 130 renners aan de kant.

Van Paul Van Himst tot François Sterchelé

De meest aangrijpende voetbalmomenten

Voetbal is oorlog, voetbal is passie, voetbal is een feest... In de loop der jaren komen er de meest afgekloven, verkeerd begrepen en bewust misbruikte clichés voorbij. Maar soms is voetbal écht emotie...

133 Anderlecht – Wereldelftal 8-3 (26 maart 1975): Merci Popol!

Om zijn vijftiende verjaardag als speler in het eerste elftal van Anderlecht te vieren, krijgt Paul Van Himst een jubileumwedstrijd aangeboden tegen een wereldelftal. De mediabelangstelling is overweldigend. Er zijn bijna vijftig journalisten uit het buitenland aanwezig, en beelden van de wedstrijd worden van Rusland tot Algerije op het scherm gebracht. Dat heeft alles te maken met de indrukwekkende galerij wereldsterren die uitkomen in de Wereldselectie: Tomaszewski, Rijsbergen, Heredia, Van Hanegem, Rivera, Amancio, Jairzinho, en de heilige voetbaldrievuldigheid Eusebio, Cruijff en Pelé.

Ondanks het slechte veld en het daardoor wat tegenvallende spektakel, wordt het een avond om nooit te vergeten. De onverwachte ster van de avond wordt Anderlecht-doelman Jan Ruiter, die een strafschop van Pelé stopt en daarna ook nog eentje van Eusebio. Maar alle ogen zijn natuurlijk gericht op jubilaris Van Himst. In de traditie van de Britse *testimonials* is de opbrengst voor hem. Althans, na aftrek van alle kosten, en die zijn bepaald niet min. Om te beginnen voor de verzekering. Voor het wereldelftal wordt een polis afgesloten ter waarde van omgerekend 10 miljoen euro, plus eentje van 2,5 miljoen voor de spelers van Anderlecht. Voor Eusebio alleen al is er een polis van 750.000 euro. Vervolgens zijn er de kosten voor de organisatie van de wedstrijd, de vaste gemeentetaksen op inkomtickets én pittige *representatiekosten*. De wereldsterren krijgen elk een gouden uurwerk en een peperduur parfum voor hun echtgenote. Ook de reis- en verblijfkosten gaan af van het totaalbedrag, en op wat er dan nog overschiet, staat een belastingheffing van 60%. Niet erg waarschijnlijk dat Van Himst er dus twee miljoen frank (50.000 euro) aan overhoudt. Voor dat bedrag koopt hij zichzelf nog geen half jaar later vrij bij Anderlecht om een contract te tekenen bij RWDM.

134 Club Brugge – Nationale Selectie 4-3 (24 mei 1975): Bedankt Lotte, vaarwel Klokke

Michel D'Hooghe is nog voor zijn 30ste verjaardag lid geworden van het bestuur van Club Brugge en bruist van de ideeën. Hij heeft een bijzondere affectie voor zijn leeftijdgenoot Raoul Lambert (31). D'Hooghe bewondert hem als voetballer en als trouwe soldaat die al sinds 1956 bij Club speelt. En er is die bijzondere band tussen de clubarts en de speler met het glazen gestel die veel te vaak met een blessure bij hem moet langskomen. In de zomer van 1975 verhuist Club naar Olympia. D'Hooghe wil van de laatste wedstrijd op De Klokke iets bijzonders maken: een feestdag voor Lambert, om hem te eren voor zijn 300 wedstrijden en 200 doelpunten in het eerste elftal. Hij stort zich met hart en ziel op de organisatie van de *Jubilotte*, een samentrekking van 'jubileum' en 'Lotte', de bijnaam van Lambert.

Het begint allemaal met een feestelijke optocht door de binnenstad, die *Lotte* naar het stadion leidt. De verslaggevers ter plaatse zijn onder de indruk: 'Lambert was voor een dag koning van Brugge. Het heeft hem allemaal ook erg aangegrepen. Zeker een kwartier lang werden voor Raoul en zijn dame op het podium karrenvrachten bloemen en geschenken aangebracht. Het orkest van de Spionkop zorgde er inmiddels voor dat het stilaan vollopende stadion ook in die sfeer geraakte. Raoul zal bij de aftrap van de wedstrijd zeker zijn ogen niet hebben kunnen geloven als hij vaststelde dat ze er waren: circa 15.000 supporters. Ook de match stopte de feestvreugde van Raoul niet. Het werd immers een genietbare partij met voortreffelijk voetbal, knappe individuele flitsen van enkele nationale sterspelers en doelpunten op een rijtje.'

Geen wereldsterren bij de tegenpartij, maar een nationale selectie onder leiding van bondscoach Raymond Goethals. Paul Van Himst is kapitein en hij wordt geflankeerd door gewezen ploegmaats van Lambert bij Club zoals Wilfried Puis, Luc Sanders, Gilbert Marmenout en de afscheidnemende Johny Thio. Brugge wint de *Jubilotte* met 4-3, en het allerlaatste doelpunt op De Klokke wordt gescoord door de jubilaris. Lambert is tot tranen toe bewogen. Misschien wel omdat de wedstrijd ook op een andere manier een ultieme illustratie is van zijn carrière. 'Weet je dat ik in moeilijke omstandigheden heb moeten spelen?' zegt hij na afloop. 'Ik had twee inspuitingen nodig om aan mijn eigen jubileumwedstrijd te kunnen deelnemen.'

Lambert verhuist mee naar Olympia en wordt er een van de grote figuren in de grote Europese jaren onder Ernst Happel. Hij blijft Club altijd trouw. Aan het eind van het seizoen 1979-80 neemt hij afscheid, met 270 goals in de competitie, de Beker en de Europacup in zijn koffer.

135 **Club Brugge – RWDM 5-0 (8 mei 1982):**
Ontsnapt aan de degradatie

Goals van Frank Vercauteren (2), Willy Geurts, Juan Lozano op strafschop en de IJslander Petur Petursson, boem: 5-0 voor erfvijand Anderlecht. Club Brugge is uitgeschakeld in de 16de finale van de Beker van België. Op Allerheiligen, het kan nauwelijks symbolischer. Voor Club Brugge is het een van de vele dieptepunten in een ongezien *annus horribilis*. In de competitie doet blauw-zwart het niet onaardig tegen de Brusselse erfvijand (0-0 thuis en slechts 2-1 verloren in het Astridpark). Maar verder is het een doffe ellende. Allemaal het gevolg van een zware inschattingsfout in de transferperiode. De bezem is in de zomer namelijk wel heel erg grondig door de selectie gegaan. Fons Bastijns weg naar het Franse Duinkerken, Georges Leekens naar Sint-Niklaas, René Vandereycken naar FC Genoa, Paul Courant naar Cercle,

Walter Meeuws naar Standard... Het is een zware erfenis voor het le-
gertje nieuwkomers zoals Willy Wellens, Gilbert Van Binst, Walter
Ceulemans, Guy Dardenne, Anton Szymanowski en Anton Ondrus. En
welke trainer kan er op korte termijn een elftal van smeden?
     De ook al nieuwe coach, de Luxemburger Anton *Spitz* Kohn, alvast
niet. In oktober al beleeft hij zijn zwanenzang. Club staat op dat moment voorlaatste met 5 punten uit 10 wedstrijden. Zijn vervanger
wordt, tot ieders verbijstering, Rik Coppens. Niet bepaald een gelukkige greep, want na een schamele 13 punten op 34 wordt ook hij ontslagen. Alle hoop rust nu op hulptrainer Raymond Mertens om de almaar dreigender degradatie te voorkomen. Hoe liggen de kaarten op
de laatste speeldag van het seizoen 1981-82? KV Mechelen is al mathematisch veroordeeld tot Tweede Klasse. Vijf andere ploegen moeten
vrezen voor het tweede ticket. Cercle Brugge en Club Luik staan 13de
en 14de met 28 punten, Beringen en Winterslag volgen als 15de en 16de
met 27 punten, en 17de en voorlaatste staat nog steeds Club Brugge
met amper 26 punten.
     Club moet op de laatste speeldag winnen tegen RWDM. Dat lukt
makkelijk (5-0), maar dan is het nog bang afwachten hoe het op de
andere velden gaat. En het zit blauw-zwart mee. Winterslag verslaat
Club Luik in een rechtstreeks degradatieduel, maar de verlossing komt
van elders in Limburg. Beringen heeft thuis met 1-2 verloren van AA
Gent en degradeert samen met KV Mechelen. De zucht van opluchting
is tot ver voorbij Loppem te horen. Diezelfde dag is niet Anderlecht
maar Standard kampioen geworden, na een thuiszege tegen Water-
schei. Twee jaar later leidt het tot een *annus horribilis* voor het hele
Belgische voetbal.

136 Waregem – Anderlecht 1-2 (11 april 1987): Nooit meer Juan Lozano...

In de 20ste minuut van een doordeweekse competitiewedstrijd komt
er een eind aan de carrière van de beste voetballer van het land die
nooit de Gouden Schoen kreeg en niet één interland speelde. In die
fatale fase trapt Waregem-verdediger Yvan Desloover over de bal en hij
raakt het steunbeen van Juan Lozano. De gevolgen zijn verschrikke-

lijk. Diezelfde nacht nog wordt Lozano overgebracht naar het Leuvense Pellenberg-ziekenhuis, waar de diagnose kei- en keihard is: een dubbele open beenbreuk. Onderweg is de ambulance – een ongeluk komt nooit alleen – betrokken geraakt bij een verkeersongeval, waarbij de 32-jarige balvirtuoos ook nog een kneuzing aan de voet heeft opgelopen.

'Moet ik morgen iets voor je meebrengen?' vraagt Anderlecht-manager Michel Verschueren hem, wanneer hij de dag nadien op ziekenbezoek gaat. Lozano blijft ondanks alles geheel zichzelf: 'Ja, een contract voor volgend seizoen.' Waarop hij zich tot de artsen wendt en vraagt: 'Zal ik ooit nog kunnen voetballen? Nee, zeker?' Zijn voorgevoel klopt. Ondanks twee volle jaren intensief revalideren, wordt Juan Lozano nooit meer de oude. Meer zelfs, hij is geen schim meer van de man die schitterde bij Beerschot, Anderlecht en Real Madrid. Zelfs bij Eendracht Aalst, in Tweede Klasse, lukt het niet meer.

Aanvankelijk is Lozano nog mild voor Desloover. 'Ik kan me niet voorstellen,' zegt hij, 'dat een speler het duel ingaat met de bedoeling zijn tegenstander uit het veld te trappen. Hij deed het niet opzettelijk.' Later zal hij zijn belager alsnog voor de rechter dagen. Na een lange procedureslag wordt Yvan Desloover in 1993 vrijgesproken door het Antwerpse Hof van Beroep.

137 Standard – Lierse 0-3 (25 mei 1997): Lierke, kampioenenplezierke!

De titelstrijd in het seizoen 1996-97 is de spannendste in jaren. Het is een zenuwslopende nek-aan-nekrace met aan de ene kant Club Brugge, en aan de andere kant niet Anderlecht of Standard. Zelfs niet Racing Genk. Wel het verrassende Lierse, dat voor het eerst sinds 1960 kampioen kan worden. Het gebeurt wel vaker dat trainers aan het eind van het seizoen tussen twee stoelen dreigen te vallen, maar dit is wel een heel bijzonder geval. Lierse kan de titel pakken op het veld van Standard, dat is het basisgegeven. Zijn trainer, Eric Gerets, heeft voor volgend seizoen echter al getekend bij Club Brugge, de andere kandidaat-kampioen. Gevolg: als Gerets de titel pakt met Lierse, speelt hij volgend jaar geen Champions League-voetbal met zijn nieuwe club. Op de Luikse bank zit Jos Daerden. Die wordt volgend seizoen dan weer trainer van... Lierse. Dus: als hij zijn toekomstige club vandaag verslaat, zit het erin dat hij volgend jaar het kampioenenbal zal moeten missen met Lierse.

Een kluwen van formaat, maar na afloop is er weinig reden om dingen in vraag te stellen. Nog voor de rust zit de klus er al op: 0-3 en Lierse kampioen! 'We hebben ons spel gespeeld,' zet Eric Gerets de lange feestnacht in. 'Gedurfd, en dus aanvallend. Voor mij het zoveelste bewijs dat mijn manier van werken een ploeg naar een hoger niveau kan tillen. Bij Lierse is dat gelukt, en dat beschouw ik vandaag als de mooiste beloning die ik in heel mijn carrière als voetballer en trainer al heb gekregen.'

Het hele land juicht de titel van de Lierenaars warm toe en onder de Zimmertoren schalt het *Kampioenenlied* dat plaatselijke neringdoener Tony Cabana van het schap heeft gehaald. Het was de bedoeling dat Walter Grootaers het zou inzingen. Dat ging uiteindelijk niet door. Niet geheel onbegrijpelijk, gezien de tekst:

We zijn de strafsten van het land,
want onze ploeg die scoort het best.
We gaan ten aanval langs de flank,
en onze spitsen doen de rest!

Het blijft ook bij een eenmalige triomf. Stanley Menzo verhuist in de transferperiode naar Bordeaux, Eric Van Meir naar Standard, David Brocken naar Anderlecht, Bob Peeters naar Roda JC... Zelden zo'n leegloop gezien bij een kampioenenploeg, en de gevolgen zijn voorspelbaar. Het daaropvolgende seizoen zakt Lierse helemaal weg en het Champions League-avontuur wordt een sisser van formaat.

138 Westerlo – Anderlecht 6-0 (5 september 1998): De moeder aller crisissen

'Anderlecht in puin', 'Westerlo vernedert Anderlecht'... De kranten halen de grootste chocoladeletters uit de kast, want de trotse Brusselaars hebben er niet alleen zes om de oren gekregen in Het Kuipje, ze zijn ook teruggezakt naar de allerlaatste plaats in de rangschikking. Amper twee punten na vier speeldagen, één minder dan Lierse, Germinal en Lommel. Uitgerekend die ochtend had toenmalig minister van Binnenlandse Zaken Louis Tobback nog zwaar uitgehaald in *Het Nieuwsblad*: 'Het grootste probleem is de structuur van onze clubs, die ver boven hun stand leven. Ze willen meedoen met de grote profs, maar ze gedragen zich als amateurs. Misschien heeft het iets sympathieks dat Westerlo en Lommel in eerste spelen, maar eigenlijk is het zinloos.' Net dan geven amateurs en semi-profs als Patrick Rondags (dispatcher in een transportbedrijf) en Coen Burg (verkoper van vloertegels in het bedrijf van zijn schoonvader) de duurbetaalde paars-witte profs voetballes. 'Tijdens de training laat ik mijn gsm altijd achter aan de zijlijn bij de verzorger,' zegt de Nederlandse middenvelder. 'Als er een dringende oproep is, mag ik van onze trainer Jos Heyligen het veld verlaten.'

Burg voert die avond een weergaloze regie. Hij scoort en laat scoren, en Anderlecht kan er in anderhalf uur niet meer tegenover stellen dan één vrije trap van Dheedene en één kopbal van Iachtchouk, met een rode kaart voor Geoffrey Claeys als absoluut dieptepunt. Het Astridpark staat niet in brand, het gaat in lichterlaaie. 'Ik ben kwaad, beschaamd en diep vernederd,' zegt voorzitter Roger Vanden Stock. Trainer Arie Haan haalt uit naar zijn groep: 'Mijn spelers kennen het ABC van het voetbal niet', en Lorenzo Staelens voegt eraan toe: 'De sfeer in de groep is totaal verziekt.' De rode lantaarn komt snoeihard aan. Alles wat niet paars-wit is kan zijn lol niet op, de moeder aller crisissen is een feit.

De kelk is echter nog niet helemaal leeg. Op de volgende speeldag verliest Anderlecht thuis met 2-3 van Club Brugge en pas na een 0-3 overwinning bij Germinal komt het weg van de laatste plaats. Wanneer het met 0-2 verliest van Grasshoppers Zürich in de tweede ronde van de UEFA-beker, houdt Arie Haan de eer aan zichzelf en hij stapt op. Jean Dockx en Frank Vercauteren nemen over en leiden Anderlecht aan het eind van het seizoen nog naar de derde plaats, op drie punten van de verrassende kampioen Racing Genk. Een jaar later valt held van de avond Coen Burg ruw van zijn voetstuk. Hij wordt door de Bond geschorst en daarna ook door het gerecht veroordeeld voor het aannemen van steekpenningen van illegale gokkers om Westerlo te laten verliezen tegen KV Kortrijk.

139 Standard – Anderlecht 2-0 (20 april 2008): Standard champion!

Soms is de werkelijkheid zo mooi, dat je ze jezelf in je stoutste dromen nog niet durft te wensen. Exact vijfentwintig jaar na de door de affaire-Waterschei besmette titel eindelijk weer kampioen worden, het zou op zich al voor een gigantische ontlading zorgen in Luik. Gecoacht door clubicoon Michel Preud'homme en nadat kapitein Steven Defour voor de aftrap de Gouden Schoen heeft gekregen uit handen van niemand minder dan Zinédine Zidane. Het is twee keer goed voor een streepje extra op de feestmeter.

De absolute kers op de taart is dat de titel wordt binnengehaald in een thuiswedstrijd tegen de gehate rivaal uit Brussel. Mooier kan écht niet. Anderlecht wil op Sclessin wel vechten voor zijn laatste kans, maar niemand is er echt met zijn hoofd bij. Kort voordien is erevoorzitter Constant Vanden Stock (95) overleden. Paars-wit gaat ten onder. Met twee goals van Dieumerci Mbokani bovendien. Het voorgaande seizoen speelde hij nog bij Anderlecht, maar daar was hij nauwelijks meer dan een invaller voor *Mémé* Tchité. Toen men in het Astridpark dan toch oog kreeg voor de pure klasse van de Congolese spits, hoefde het voor hem niet meer. De groeten iedereen, hij ging naar Standard.

'Dit is mooier dan alles wat ik als speler ooit heb meegemaakt,' zegt Michel Preud'homme. 'We zijn 25 jaar lang belachelijk gemaakt, maar deze titel is zo verdiend en dat maakt het zo mooi.'

'Ongelooflijk dat ik dit op mijn 19de al mag meemaken,' glimt Axel Witsel. 'Dat we uitgerekend tegen Anderlecht kampioen worden, is tien keer mooier dan tegen eender welke andere club. Onze supporters zijn het delirium nabij, dit wordt de mooiste titelviering in jaren!' Hij krijgt meer dan gelijk. Twee dagen later worden er nog steeds feestvierende supporters van de Rouches gesignaleerd. Voor Standard begint een nieuwe lente. Zij het dan zonder Preud'homme, die overstapt naar AA Gent na onenigheid met het bestuur over zijn contract.

140 Club Brugge – Westerlo 4-0 (10 mei 2008): Adieu Sterchelé...

'Een ster was geboren, nu schitter je voor eeuwig aan onze blauw-zwarte hemel,' zo staat het er, op een van de talloze spandoeken die de Brugse supporters meebrengen naar het stadion op wat een van de meest bevreemdende avonden ooit zal worden in de geschiedenis van het Belgisch voetbal. Geen spoor van het gebruikelijke verwachtingsvolle gebabbel rond Jan Breydel. Enkel hier en daar wat ingetogen gefluister. Twee dagen voordien, op donderdagochtend 8 mei, is François Sterchelé om het leven gekomen bij een verkeersongeval. Op weg van Antwerpen naar Knokke is de 26-jarige topschutter met zijn Porsche Cayman tegen een boom gereden. *Swa* was op slag dood. Nooit eerder werd er zo geëmotioneerd gereageerd op de onverwachte dood van een sportman.

Maar vanavond moet er worden gevoetbald. Het kan niet anders, want Club Brugge-Westerlo is een wedstrijd op de slotspeeldag van de competitie. Niemand heeft er zin in, en achteraf zal niemand zich nog de doelpunten herinneren uit deze match waarin niet één keer wordt getackeld. Om vijf voor acht dragen jeugdspelers van Club een grote foto van Sterchelé het veld op. Oorverdovend applaus, wel tien minuten lang. De spelers, de staf en de begeleiders van blauw-zwart komen de grasmat op, met een gigantisch doek, van waarop *Swa* het stadion postuum toelacht. Ze houden halt rond de middenstip. Birger Maertens en Philippe Clement kunnen hun tranen niet bedwingen. Stijn Stijnen bréékt. Jonathan Blondel moet ondersteund worden door trainer Jacky Mathijssen. Het hele stadion zingt *You'll never walk alone...*

Er wordt veel te laat afgetrapt. Het kan niemand schelen. De hele wedstrijd door hangt er een beklemmende stilte in het stadion, af en toe onderbroken door applaus. In de 23ste minuut – zijn rugnummer – zetten de supporters *zijn* lied in: 'Na na na na, na na na na, hey hey hey, Sterchelé!'. Hoewel hij niet eens een volledig seizoen voor Club heeft gespeeld, krijgt François Sterchelé een plaats in de Eeuwige Blauwzwarte Galerij. Bij wijze van eerbetoon volgt er in elk thuiswedstrijd een spontaan applaus in de 23ste minuut.

Van Parijs-Nice tot de Ronde van Vlaanderen

Het duurste leergeld van Eddy Merckx

De Tour van 1969! De Ronde van Vlaanderen van 1975 waarin hij volgens Frans Verbeeck 'vijf per uur te snel' reed! Het werelduur-record! Peil bij honderd wielerliefhebbers naar hun herinneringen aan Eddy Merckx, en je krijgt tweehonderd keer een jubelportret van een mythische superkampioen. En toch is er een tijd geweest waarin zelfs hij de stiel moest leren. Hoe kleine Eddy grote Merckx werd, een reconstructie van zijn moeilijkste momenten op de hogeschoolbanken van het wielrennen.

141 Parijs-Nice 1966: 'Vreemdeling in een familiezaak'

Is Eddy Merckx van de regen in de drup beland? Hij begint er stilaan voor te vrezen. Rijden voor Peugeot. Grote namen, rijke historie, indrukwekkende traditie... Maar wat koop je daarvoor? Niet veel. Dat heeft hij vorig jaar al ervaren, bij zijn eerste werkgever bij de profs. Halverwege het seizoen 1965 heeft hij op zijn 19de zijn eerste contract getekend bij Solo-Superia. Merckx kreeg er al snel in de gaten dat je als nieuwkomer per definitie en traditie geacht wordt je neer te leggen bij de heersende hiërarchie. En heersen, dat doet Solo-kopman en *Keizer* Rik Van Looy op zijn 32ste nog steeds. 'Ik voelde mij als een vreemdeling in een familiezaak,' zegt Merckx er later over. 'Met Van Looy, zijn lieveling Ward Sels, zijn schoonbroer Hugo Mariën die geen objectieve sportbestuurder kon zijn... Nee, dat was te veel.' Merckx begreep ook dat Van Looy hem net in de ploeg heeft gehaald om hem makkelijker klein te kunnen houden. Het rode Solo-tricot zat hem nooit lekker, maar past zijn nieuwe Peugeot-jas hem wel beter? In de aanloop naar zijn eerste Milaan-Sanremo is *le petit Belge* in Parijs-Nice door zijn eigen ploegmaats uit de witte leiderstrui gereden, waardoor de eindzege naar concurrent maar Fransman Jacques Anquetil ging. Diepe zucht.

In België is er echter een ander moment uit Parijs-Nice dat eindeloos over togen en tongen rolt. Een kanttekening in de wedstrijd, maar ze zet wel de bakens uit voor jaren van discussies, speculaties, hectiek en intriges. In de 37,5 km lange tijdrit van Casta naar L'Île Rousse, op 13 maart 1966, heeft Merckx op tien kilometer van de streep de twee minuten voor hem gestarte Van Looy bijgehaald en achtergelaten. Het heeft zelfs de voorpagina van *Het Laatste Nieuws* gehaald: 'Eddy gunde Rik geen blik en Van Looy probeerde niet aan te klampen. Krijgt die ontmoeting later een symbolische waarde en zal men over een paar maanden – of wie weet nog vroeger? – schrijven dat de grote Belgische wielerhoop nu al *De Keizer* heeft achterhaald?'

142 Milaan-Sanremo 1966: 'Wachten was moeilijker dan winnen'

Eddy Merckx maakt zijn debuut in de grote voorjaarsklassiekers op een bar koude maar zonnige dag. De wind blaast in de rug, er wordt bijgevolg flink doorgepeerd in de 57ste Milaan-Sanremo. Elke ontsnapping kan beslissend zijn en op dik 30 kilometer van de aankomst op de Via Roma lijkt de goede vlucht vertrokken. Acht renners gaan de finale in, met onder hen de Fransen Désiré Letort en Lucien Aimar, de Italiaan Michele Dancelli en de Belg Robert Lelangue. Bij het doorrijden van Imperia hebben ze 55 seconden voorsprong op het peloton.

Van Looy kijkt het rustig aan. Hij heeft met Lelangue een ploegmaat voorin, dus waarom zou hij het initiatief nemen? Het geldt ook voor Merckx, met Peugeot-ploegmaat Letort voorin. Maar hij zet zich toch aan de kop van het peloton om het tempo op te voeren. Niet hoog genoeg, vindt Raymond Poulidor. Hij valt aan, Merckx gaat mee en met zijn tweeën beginnen ze aan een ware koppeltijdrit. Van Looy heeft meteen door dat dit een kantelmoment in de koers is en probeert

tot bij Merckx en Poulidor te geraken. Nù moeten we erbij zijn, besef-
fen prompt ook de anderen. Herman Van Springel, de Italianen Adriano
Duarte en Franco Balmanion en nog een handvol anderen volgen.
Even voor de Poggio halen ze Merckx en Poulidor bij, maar de volgers
gieren om een heel andere reden zenuwachtig over en weer. Van Looy?
Waar is Van Looy? Hij is er niet meer bij! Gelost? Dààr, daar komt hij
pas! Blijkbaar heeft Van Looy op zijn adem getrapt door het zwaarste
werk voor zijn rekening te nemen in de achtervolging op Merckx en co.
Hij heeft zich even laten uitzakken, er is een gat van amper twintig
meter gevallen, maar hij kreeg het niet meer dichtgereden. Rik Van
Looy zal Milaan-Sanremo niet winnen, zoveel is duidelijk, maar wie
dan wel?

Onder impuls van voornamelijk Eddy Merckx sluiten de eerste achtervolgers aan bij de groep-Letort-Lelangue, en achttien renners beginnen aan de beklimming van de Poggio. Heeft de onervaren Merckx
niet te veel met zijn krachten gewoekerd? Terechte vraag, maar niemand weet op dat moment hoe verschroeiend Merckx op zijn 20ste al
kan uithalen. Hij valt meteen aan. Negen medevluchters vliegen over-
boord, zes concurrenten voor de zege bijten door. Te veel, vindt
Merckx, en hij gaat een tweede keer. Hij wil het zekere voor het onzekere nemen en proberen alleen aan te komen. Zou het...? Nee, het lukt
niet, en Merckx heeft het begrepen. Hij besluit zijn krachten te sparen
voor de spurt en nestelt zich achterin het kopgroepje. Uit de achtergrond komen vier renners terug, onder wie de Fransman Lucien Aimar
en opnieuw Balmanion. Een bloedlinke situatie voor Merckx, vooral
omdat hij achterin blijft zitten. De slechtst mogelijke positie mochten
er in de afdaling van de Poggio ontsnappingspogingen komen.

Nog twee kilometer. Herman Van Springel demarreert! Hij neemt
200 meter. Wie durft nu nog het gat dicht te rijden? Adriano Durante
is intrinsiek de snelste maar besluit tóch de kop te nemen. De Italiaan
trekt iedereen weer tot bij Van Springel. Daar is de fontein, nog één
kilometer. 'Ik zat vooraan in het groepje toen wij rond de fontein
scheerden,' reconstrueert Merckx de ontknoping na de aankomst.
'Wachten was moeilijker dan winnen (lacht), maar ik kon mij beheer-
sen tot op 150 meter van het spandoek. Toen ging ik uit volle macht
aan de kop. De rest kan ik niet meer beschrijven, ik spurtte alleen maar
zo hard ik kon.'

En? Jawel, Eddy Merckx wint Milaan-Sanremo, zijn allereerste
klassieker! Van Looy? Opgegeven... Het scherpt de tegenstellingen
aan. Ook in de vaderlandse kranten, en de scheidingslijn loopt langs
communautaire en generatiegrenzen. *Het Laatste Nieuws* – een Brus-
sels dagblad voor de jonge, dynamische middenklasse – is lyrisch over
Merckx: 'De wielerwereld blijkt zijn nieuw idool gevonden te hebben.
Merckx heeft een nieuw geluid gebracht in de wielerwereld. In afwachting dat hij ook de favoriet werd van de sportliefhebbers, die nog leefden midden de emoties die de kopmannen van een vorige generatie
hen hadden bezorgd, is Eddy daar op de Poggio het idool geworden van
de jeugd waarvan hij de bekoorlijkste incarnatie is.' Het uit oervlaamse
boeren- en werkmansklei opgetrokken *Nieuwsblad* ziet het anders.
'Jonge opvolger wint eerste krachtmeting met oudere heerser,' klinkt
het wel in de paginabrede titel, máár: 'Zal deze toestand zich in de
toekomst bestendigen? Van Looy is nog niet ver genoeg gevorderd met
de vorm. Wie bovendien de vechtersbaas Van Looy kent, weet dat hij
zijn heerschappij niet zonder slag of stoot zal prijsgeven.'

143 Milaan-Sanremo 1967:
'Niet iedereen heeft zijn best gedaan'

Van Looy of Merckx, wie wordt het in Sanremo? In de Vlaamse kranten
en cafés laaien de discussies almaar heviger op. Iedereen lijkt erbij uit
het oog te verliezen dat de spreekwoordelijke derde hond misschien
wel het bekende been zal meegraaien. Wie was in 1966 immers de beste klassieke renner met zeges in Parijs-Roubaix en de Ronde van Lombardije? Felice Gimondi (24), het seizoen voordien ook al meteen eindwinnaar in zijn eerste Tour. Gimondi zweeft in deze Milaan-Sanremo
bovendien op de vleugels van een hele natie die na Loretto Petrucci in
1953 eindelijk weer eens een Italiaan wil zien winnen.

Gimondi is mee in de beslissende vlucht, en de Italianen worden
helemaal gek als het nieuws doorkomt dat er nog twee landgenoten
mee zijn: Franco Bitossi en Gianni Motta. *Vai! Vai! Vai!* En laat jullie
niet verrassen door de vierde man in de ontsnapping, *signori!* Die vierde man is Eddy Merckx. Met drie Italianen naar de streep, moeilijk.
Alleen tegen Motta, Gimondi en Bitossi, in het zicht van de bekendste

wielerfontein ter wereld... Het grote peloton volgt bovendien op nauwelijks 100 meter. Pokeren of krachtpatsen, wat moet Merckx doen?
En wat zijn de Italianen van plan? Met elkaar in de slag gaan, of net
niet? Over naar *Laatste Nieuws*-verslaggever ter plaatse Louis Clicteur:
'Nadat Gimondi aan de fontein het eerst gedraaid had met Bitossi in
het wiel en Motta en Merckx daarachter, zou Eddy een beslissing nemen die op het ogenblik zelf onbesuisd leek, maar die hem ingegeven
werd door zijn gave om een toestand snel te beoordelen. Vanop bijna
400 meter van de streep lanceerde hij de spurt uit volle macht. Bitossi
poogde hem tegen de omheining te krijgen.'

Tevergeefs echter. Merckx houdt stand en wint Milaan-Sanremo
voor de tweede keer op rij. Hosanna in het kwadraat bij de Belgische
wielerliefhebbers die echter – uiteraard in *Het Nieuwsblad* – streng
worden toegesproken: 'Onze jonge landgenoot is momenteel toonaan-
gevend en hij verenigt in zich alle hoedanigheden om mettertijd de
eerste viool te spelen in de wereld op twee wielen. Wie hem echter op
21-jarige leeftijd reeds de symbolische scepter in de handen stopt en
hem palmenwuivend als de grootste van allen huldigt, bewijst de jonge
kampioen in wording de slechtste dienst van zijn leven. Want al diegenen die hem nu reeds op het hoogste voetstuk zouden verheffen, zouden van hem van nu af aan in voortdurende kwellende herhaling prestaties eisen die hij op zijn leeftijd niet straffeloos kan leveren.'

In tegenstelling tot Rik Van Looy, dus. *Tiens,* nu we het toch over
hem hebben, hoe is het *De Keizer* eigenlijk vergaan in Milaan-Sanremo?
Geprobeerd op de Capo Berta, teruggehaald onder impuls van Merckx
en uiteindelijk als 12de gefinisht in de grote groep. Erg veel heeft hij
daar echter niet over te zeggen. 'Niet iedereen heeft zijn best gedaan
in de achtervolging,' klinkt het kribbig op de Via Roma, en weg is hij.

144 Parijs-Roubaix 1967:
'Ik heb te zot gedaan'

Heeft de vorige generatie afgedaan? En is het bijgevolg tijd voor een
nieuwe, met Merckx als speerpunt? Na Milaan-Sanremo wint hij ook
Gent-Wevelgem, maar in de Ronde van Vlaanderen loopt hij met zijn
kop tegen de muur. Eerst stuit hij op een coalitie van grijze en minder

grijze wolven onder leiding van Noël Foré (34). Wanneer hij er toch een bres in geslagen heeft, denkt hij er niet aan het op een akkoordje te gooien met diezelfde Foré. Resultaat: de Italiaan Dino Zandegú wint *Vlaanderens Mooiste* en Merckx is een wielerlevensles rijker.

Op naar Parijs-Roubaix. Merckx lijkt zich zeer goed bewust te zijn van zijn nieuwe status. 'Ik kan niet meer meegaan in lange ontsnappingen,' zegt hij, nadat hij op vrijdag de zwaarste kasseistroken heeft verkend. 'Als ik rij, volgen ze me allemaal. Dat is nu eenmaal *het gewicht dat ik moet dragen*. Maar wie er ook wint, zondag, hij zal stinken.' Merckx lacht en wijst naar zijn trainingspak dat besmeurd is met modder en walgelijke vlokken koeienvlaai. Een nieuw aan het parcours toegevoegd wegeltje leidt namelijk net niet dwars door een dampende mestvaalt. 'Wat gaat dat worden, als het zondag regent?'

Het regent niet, het giet. De eindstrijd begint bij Mons-en-Pévèle. Na wat accordeonwerk met leidende en achtervolgende trosjes renners rijden er nog dik dertig in de spits. Alle anderen zijn hopeloos achterop geslagen, voor zover ze al niet hebben opgegeven. De belangrijkste namen voorin: de *oudjes* Rik Van Looy (33), Raymond Poulidor (31), Rudi Altig (30) en de ouwelijke Jan Janssen (26), en de gretige jonge honden Felice Gimondi (24), Gianni Motta (24), Willy Planckaert (22) en Eddy Merckx (21). Altig ruikt zijn kans en valt aan. Janssen is de enige die meteen aanhaakt. Voor de anderen is het harken en schudderen om erbij te raken. Merckx, Ward Sels en Poulidor rijden als eersten het kleine maar hardnekkige gaatje dicht, en even later komen ook onder anderen Van Looy en de Arthur *Tuur* Decabooter (30) aansluiten.

We gaan de finale in met tien overlevenden van de helletocht. Altig, Motta, Poulidor... Om beurten proberen ze er alleen vandoor te gaan, maar stuk voor stuk worden ze teruggehaald door een man die in deze Parijs-Roubaix zijn benen niet lijkt te voelen: Jan Janssen. Het wordt een spurt met zijn tienen, en ook daarin is er niets te beginnen tegen de Nederlander. Merckx finisht als achtste. 'Ik heb *te zot gedaan*,' zucht hij. Hij was inderdaad vermoeid: 'Te veel krachten verspeeld onderweg, en die kwam ik te kort in de spurt.' 'De oudjes waren erbij,' grijnst Arthur Decabooter. Decabooter is de zwager van aankomend supertalent Walter Godefroot.

145 Luik-Bastenaken-Luik 1967: 'Het is een schande!'

Merckx versus eerst Van Looy en later Roger De Vlaeminck en Freddy Maertens, het zijn bittere duels tot op het bot die vandaag nog steeds tot de verbeelding spreken. Merckx versus de net geen twee jaar oudere Godefroot, daarentegen... Ze zijn nochtans al heel vroeg in hun carrière voor het eerst met elkaar in de clinch gegaan. Op de vooravond van Luik-Bastenaken-Luik wordt het roemruchte verhaal van de Olympische Spelen in Tokio alvast nog eens opgediept.

Merckx, op dat ogenblik wereldkampioen bij de amateurs, heeft op 2 oktober 1964 zijn zinnen gezet op het goud in de wegrit. 'Dat zou prachtig zijn,' zegt hij de avond voor de wedstrijd. 'Maar het zal niet gemakkelijk zijn, want híj wil ook winnen.' Hij? Merckx maakt een hoofdbeweging richting een landgenoot die net het Belgische kamp is binnengewandeld: Walter Godefroot. En wat gebeurt er in de koers? Merckx gaat in de aanval maar hij wordt in de finale nog bijgehaald. Godefroot finisht als derde in de massaspurt, na de intussen lang vergeten Italiaan Mario Zanin en de al even obscure Deen Kjetil Rodian. Brons voor de Belgen, dus. Sléchts brons, en na de wedstrijd vliegen de verwijten over en weer. 'Als iemand voor mij de spurt had aangetrokken, dan zou niemand mij geklopt hebben,' briest Godefroot, Waarop Merckx: 'Als ze mijn vlucht beter hadden beschermd, dan zou ik standgehouden hebben.'

Volgt het nationaal kampioenschap van 1965 in Vilvoorde. Het allereerste bij de profs voor zowel Merckx als Godefroot. Decabooter valt aan, Merckx gaat er achteraan met Godefroot in het wiel en die haalt het in de spurt. Slim gespeeld of achterbaks geregeld onder schoonbroers? Hangt er vanaf van wie je supporter bent en beide kampen zijn heilig overtuigd van hun gelijk. In het voorjaar van 1966 laait het vuur nog wat heviger op na een incidentrijke spurt voor de overwinning in Dwars door België. Er wordt *gekwakt,* aan truien getrokken, alle lepe trucs worden uit de kast gehaald. Godefroot gaat net voor de streep zwaar tegen het wegdek, Merckx wint en de hel breekt los. Supporters joelen, schelden, springen over de nadarafsluitingen en gaan zelfs met elkaar op de vuist. In het midden van de weg, terwijl de achtervolgende groep eraan komt ... Gevolg: massale valpartij. Herman Van Springel wordt met een elleboogbreuk afgevoerd naar het ziekenhuis. Godefroot dient klacht in tegen Merckx wegens ongeoorloofd spurten, en die reageert als door een horzel gestoken: 'Godefroot heeft mij niks te verwijten! Hij heeft zich laten insluiten en hij pakte mij twee keer bij mijn trui. Ik kan dus even goed klacht indienen tegen hem. Hij is waarschijnlijk uit evenwicht geraakt en hij heeft zo de afsluiting geraakt, waardoor hij gevallen is. Ik heb daar dus geen enkele schuld aan.' Godefroot probeert in de daaropvolgende koers, de Grote Prijs Pino Cerami, Merckx in het verlies te rijden. Tevergeefs.

Een wielervete is geboren. Het heeft wellicht ook te maken met de heel andere achtergrond van Merckx en Godefroot. Enerzijds een Brusselaar uit een middenstandsgezin, anderzijds de zoon van een renner, Urbain Godefroot, die opgegroeid is op het Oost-Vlaamse platteland. 'Ik heb drie jaar lang als schrijnwerker gewerkt van zeven uur 's morgens tot halfzeven 's avonds,' zegt Godefroot er later over. 'Willy Planckaert gold toen als de grote meneer van de Vlaamse wielerjeugd, ik was *dat boerke van Drongen*. "Godefroot, die kon niks!" Dus je vecht. Je vecht voor je plaats.' En vechten, dat doet Godefroot ook in de Waalse Pijl editie 1967, een paar dagen voor Luik-Bastenaken-Luik. Zonder succes. Merckx is alweer oppermachtig en stelt zichzelf prompt een nieuw doel: hij wil na Ferdi Kübler en zijn groot idool Stan Ockers de derde renner in de geschiedenis worden die in hetzelfde jaar de Waalse Pijl en Luik-Bastenaken-Luik wint.

Merckx is gretig. Misschien wel te gretig want hij gaat mee in een wel heel vroege aanval. De Fransman Jean-Claude Wuillemin demarreert meteen nadat de vlag is neergelaten en krijgt het gezelschap van landgenoot, neoprof en latere Tourdirecteur Jean-Marie Leblanc. Op de Côte de Bathy sluiten nog veertien renners aan. Merckx, maar o.a. ook Rudi Altig, Italo Zilioli, Ferdinand Bracke, Willy Monty en Walter Godefroot. Het blijkt meteen de goede vlucht te zijn in wat een heroïsche editie van *La Doyenne* wordt. 'Het verloop was feitelijk zo klaar als een klontje,' vat *Het Volk* de wedstrijd samen. 'Eén enkele ontsnapping die begon bij de start en die stand hield tot de allerlaatste meter. Maar nooit voorheen hebben wij zo'n spannende, zo'n schitterende koers, rijk aan magnifieke strijdtonelen en ontelbare kleine drama's meegemaakt. Petje af voor de jongens welke de kelk tot de laatste bittere druppel hebben geledigd.' Het gaat er inderdaad keihard aan toe in een wedstrijd die gereden wordt in helse winterse omstandigheden. 'Even buiten Spa dacht ik te sterven van de kou,' zal Merckx na de aankomst naklappertanden. 'Mijn handen waren stijfbevroren. Gelukkig kreeg ik een paar handschoenen van een *motard*.'

Merckx beukt, Godefroot kreunt maar hij houdt stand. Ze draaien met zijn tweeën de piste van Rocourt op voor een bijzonder vreemde ontknoping. Renners op het middenplein en supporters op de piste, de omgekeerde wereld. De neergutsende regen maakt het te gevaarlijk om, zoals voorzien, op de zwaar hellende piste te finishen. De organisatoren hebben tijdens de wedstrijd de streep verlegd naar een vlakke assestrook aan de rand van de wielerbaan. De wielen zakken er wel vijf centimeter diep in weg, en het wordt nauwelijks een spurt. Godefroot en Merckx lijken zich wel te laten uitbollen, en *dat boerke van Drongen* schuift in een sukkeltredje als eerste over de streep. Merckx is in alle staten. Hij beweert dat hij niet wist dat de aankomst niet op de piste lag. 'Ik was compleet verrast. Had ik dat geweten, dan zou ik er wel voor gezorgd hebben dat ik als eerste het stadion was binnengedraaid. Wie in zo'n omstandigheden op kop rijdt, is op voorhand gewonnen. Ik ben niet op mijn waarde geklopt.' *It's lonely at the top*, ervaart Merckx plots. Zelfs *Het Laatste Nieuws* vindt het maar een slappe smoes: 'Wij hebben Eddy nog nooit op een leugen betrapt, maar hij had de door de regen opgedrongen parcourswijziging moeten kennen.'

146 Ronde van Vlaanderen 1968: 'Dat ze niet komen zeggen dat ik op zijn wiel heb gereden!'

Op 3 september 1967 is Eddy Merckx wereldkampioen geworden in het Nederlandse Heerlen, maar veel geluk heeft de regenboogtrui hem nog niet gebracht in het nieuwe seizoen. Ja, hij is in 1968 de enige en onbetwiste kopman bij zijn nieuwe ploeg Faema. Maar op de vooravond van de Ronde van Vlaanderen heeft hij nog geen enkele koers gewonnen.

Wanneer de cafés in aankomstplaats Merelbeke sluiten, weet iedereen welke schaakstukken er op het bord hebben gestaan. Ja, Merckx heeft geprobeerd iedereen uit het wiel te rijden. Maar nee, het is niet gelukt in voor hem te milde weersomstandigheden. Ja, er zijn veel ontsnappingspogingen geweest. Maar nee, niet een ervan droeg tot aan de streep. Ook niet die van Ward Sels, die op 12 kilometer van de aankomst in de aanval was gegaan. Godefroot bleef zitten, Van Looy ook. In het wiel van Merckx, zoals haast de hele wedstrijd. Met zijn beiden hebben *De Keizer* en *Het Boerke van Drongen* elke tegenaanval van de wereldkampioen gecounterd. Van hen mocht Sels winnen, en die leek inderdaad op weg naar de overwinning. Tot hij – drama! – in de laatste kilometer een onwaarschijnlijke inzinking had gekregen. Het werd alsnog een spurt met een kopgroep van zestien, en Walter Godefroot won zijn eerste Ronde van Vlaanderen.

Hoe en waarom is er echter met torens, lopers en koningen geschoven? Decennia later pas zal Van Looy, en dan nog schoorvoetend en na behoorlijk stevig aandringen, toegeven dat hij 'wel eens' tegen *Merckx* heeft gereden. Maar dat was alleen maar omdat het de enige manier was om nog een koers te winnen als Merckx ook aan de start stond, pleit hij: 'Als ik bij hem kon blijven, had ik nog een kans in de sprint. Dan mocht ik die toch grijpen?' Walter Godefroot is minder terughoudend: 'Van meet af aan heb ik met Van Looy samengespannen tegen Merckx. In de Ronde van Vlaanderen van 1968 hebben Rik en ik hem in het verlies gereden.'

Na de aankomst van die bewuste Ronde klinkt het echter nog helemaal anders. 'Al diegenen die mij al hadden afgeschreven, zullen nu toch hun mening moeten herzien,' gnuift Van Looy. 'Ik was vandaag iedere keer met de besten mee. En dat ze niet komen zeggen dat ik weer alleen maar op het wiel van Merckx heb gereden. *Ten andere,* wat Merckx nu overkomt, daar heb ik al 15 jaar mee af te rekenen, en ik heb nooit geklaagd.' Wat vindt Eddy Merckx ervan, in Merelbeke? 'Godefroot is *als een weerlicht* links van mij weggesprongen. Hij had meteen twee lengten voorsprong, er was niets meer aan te doen.' Waarna hij zich omdraait naar zijn Faema-ploegmaats; 'Kom mannen, niet treuren. We zijn vandaag geklopt, en dat moeten we kunnen aanvaarden,' zegt hij. Afspraak volgende week in Parijs-Roubaix, denkt hij.

147 Parijs-Roubaix 1968:
'Ik wilde met een cadeautje naar huis komen'

Je kunt maar beter vroeg opgestaan en goed uitgerust zijn als je Eddy Merckx wil verslaan in deze Parijs-Roubaix. De verwachtingen zijn hooggespannen, want het hertekende parcours dat de organisatoren de renners dit jaar voor de wielen schuiven... 'De klok wordt een halve eeuw teruggedraaid,' klinkt het eensgezind in de voorbeschouwingen: 'Als men volgend jaar dezelfde wegwijzer behoudt, zal men geen twintig zelfmoordkandidaten vinden!' En ook: 'Wie wil winnen, heeft er alle belang bij alléén te rijden. Het is eenvoudig, maar men moet het ook aandurven en kunnen!' Flandria-sportdirecteur Briek Schotte is het er helemaal mee eens: 'Het wordt meer dat ooit een Parijs-Roubaix waarin het *elk voor zijn schelle zal gaan*. Voor mij staat het nu al vast dat alleen een oersterke coureur een kans maakt, en dan moet hij nog in de *forme* van zijn leven zijn ook.'

Met de conditie van Merckx zit het in elk geval goed. Angstaanjagend goed zelfs voor de concurrentie. Na de Ronde van Vlaanderen en in de aanloop naar deze Parijs-Roubaix heeft hij een van zijn weergaloze nummers opgevoerd in de tweede etappe van de Ronde van België. Lekgereden na 48 kilometer, in een grimmige kou en tussen de sneeuwbuien door van achtergebleven groepje naar groepje gedenderd, het grote peloton – of wat daar nog van overschoot – bijgehaald en achtergelaten, en in een moeite door meteen ook maar eenzame vluchter Wilfried David bijgebeend en ter plaatse gelaten. Rit gewonnen, alstublieft, dankuwel!

Hoe hangt de vlag bij de anderen? Walter Godefroot heeft, met zijn zege in de Ronde van Vlaanderen, het voordeel van de mentale rust. 'Ik heb mijn grote overwinning al binnen,' zegt hij, en met een veelzeggende grijns voegt hij er nog aan toe: 'Rudi Altig is als winnaar van Milaan-Sanremo de enige die dat ook kan zeggen.' Altig die vandaag opnieuw op de eerste rij verwacht wordt naast Merckx, Poulidor, Sels, Janssen, Van Looy uiteraard, en misschien ook nog... Hoewel, heeft het wel zin favorieten naar voren te schuiven? 'Liever dan een zinloze pronostiek te maken over de zegekansen van de 140 deelnemers,' klinkt het in *Het Laatste Nieuws*, 'zou men er beter een organiseren

over het aantal renners dat Roubaix zal bereiken. Twintig, tien of één.'
Het zullen er uiteindelijk 44 worden, maar ze zullen er niet minder
uitgeteerd om over de streep komen. Op één na...

Nee, het regent niet, bij de start in Chantilly. Gelukkig maar, want
anders zou de schade helemaal niet te overzien zijn op een nieuwe kas-
seistrook die in het parcours is opgenomen: het Bos van Wallers-Arenberg. Er schijnt een lentezon, maar de zeer sterke wind – meestal *op
kop* – zou wel eens een belangrijke rol kunnen spelen. Samen met het
vooruitzicht van de helse nieuwe kasseistroken zorgt het voor een wat
afwachtend wedstrijdbegin. Bij Solesmes lijkt het heel even een Frans
gekleurde Parijs-Roubaix te worden. Regerend Tourwinnaar Roger
Pingeon (27) komt er voorbij in het gezelschap van vijf medevluchters.
Ze hebben 3'30" voorsprong op het peloton. Even verderop beginnen
ze aan de kasseien, 111 kilometer in totaal tot in Roubaix. Pingeon
begrijpt dat hij niet veel meer heeft aan zijn metgezellen. Hij begint in
zijn eentje, als eerste renner in de geschiedenis van Parijs-Roubaix,
aan het Bos van Wallers-Arenberg. Hij rijdt intussen al 4'30" voor de
grote groep uit, waarin het voorspelde vagevuur hoog oplaait. Lekke
banden, valpartijen, wild toeterende volgwagens, wanhopige renners,
machteloze mechaniciens... Chaos!

Merckx en Van Looy voeren de forcing en bij Valenciennes houdt
Pingeon nog slechts anderhalve minuut over op het uitgedunde peloton. Niet meer dan een voetnoot bij het symboolzwangere moment
achter hem. Bijna simultaan moet Jacques Anquetil de anderen laten
gaan om definitief uit de wedstrijd te verdwijnen, Rik Van Looy staat
aan de kant met een lekke band en Eddy Merckx gaat in de aanval. Nog
bijna 60 kilometer, wie durft en kan meegaan met de ontketende wereldkampioen? Willy Bocklant, warempel! Vorig jaar nog knecht bij
Flandria, maar dit seizoen zegt de naam van zijn team alles over zijn
plaats in de wielerhiërarchie: Pull Over Centrale-Tasmanië... Wie nog?
Ward Sels, Herman Van Springel en... verder niemand. Van Looy blijft
weer zitten, Godefroot ook: 'Nog te ver tot de aankomst.' Een kapitale
fout, en wanneer hij dat in de gaten krijgt, gaat Godefroot alsnog in de
tegenaanval. Te laat. De koers ligt in haar definitieve plooi, de winnaar
zit vooraan. Sels wordt het alvast niet. Hij moet twee keer naar de kant
met een lekke band en zakt weg. Bocklant al evenmin. Hij wordt er

genadeloos afgereden en zal in het laatste wedstrijduur nog negen minuten verliezen. Blijven over: Merckx en Van Springel, die samen aan de laatste kasseistroken beginnen.

Meteen hebben we het hoogtepunt gehad, want de eindspurt is geen moment spannend. Merckx zet aan, Van Springel probeert wel, maar daarmee is alles gezegd. Eddy Merckx wint Parijs-Roubaix in de regenboogtrui. Ook op dat vlak heeft hij Van Looy geëvenaard. Met een brede glimlach rijdt hij een ereronde. Hij zwaait vrolijk met zijn zegeruiker. Een grote overwinning is in 1968 nog beroezend voor de 22-jarige superster in wording. 'Ik had nog geen klassieker gewonnen en ik werd natuurlijk zenuwachtig,' zegt Merckx er later over. 'Het was ook het jaar waarin ik getrouwd was, en ik wilde absoluut met een cadeautje naar huis komen.'

148 Milaan-Sanremo 1969: 'Die stijl, dat temperament, die energie!'

'De Kannibaal', noemen ze hem intussen. Een bijnaam die zijn gewezen Peugeot-ploegmaat Christian Raymond heeft bedacht. Veel beter kon het jaar alvast niet beginnen voor Eddy Merckx met zijn eerste van drie opeenvolgende zeges in Parijs-Nice. 48 uur later domineert hij alles en iedereen in Milaan-Sanremo. Op de Poggio worden de mannen eens te meer van de jongetjes gescheiden. Merckx gaat, Vittorio Adorno en Raymond Poulidor zijn de enigen die kunnen volgen. Eén explosieve versnelling later moeten ook zij eraf. Merckx stort zich als een slechtvalk in de afdaling richting Via Roma.

Komt het peloton nog terug? Neoprof Roger De Vlaeminck (21) is de enige die in de slotkilometers nog iets probeert, maar meer dan een tweede plaats zit er niet in. Twaalf seconden na Eddy Merckx, want die is oppermachtig en wint zijn derde Milaan-Sanremo in vier jaar. 'Merckx is de grootste,' genieten de Belgische verslaggevers ter plaatse. 'Tijdens zijn zegevierende afdaling van de Poggio riep hij het beeld op van de superkampioen. Die stijl, dat temperament, die energie, dat geloof in eigen kunnen! Hij is in staat op ieder domein en in alle omstandigheden de weg naar de overwinning te effenen.'

Merckx is pas 23 en zijn troon begint langzaam maar zeker lekker te zitten. Hoewel, daar gaat het hem strikt genomen niet om. 'Wat mij dreef om altijd de beste te willen zijn?' blikt hij later terug op zijn carrière. 'Eerzucht? Nee, ik denk het niet. Liefde voor de sport. Niet om te kunnen zeggen: "Ik ben de beste", maar om als eerste over de meet te kunnen rijden.'

149 Ronde van Vlaanderen 1969: 'Eindelijk door iedereen aanvaard'

99 koersen en klassementen gewonnen, waaronder drie keer Milaan-Sanremo, Gent-Wevelgem, de Waalse Pijl, Parijs Roubaix en de Giro, maar de Ronde van Vlaanderen... Nee, die staat in het voorjaar van 1969 nog niet op het palmares van de nog steeds amper 23-jarige Eddy Merckx. Wat wordt het in dit seizoen waarin alles, in theorie toch, in het teken staat van zijn langverwachte Tourdebuut? Een paar ijkpunten volstaan om de film te laten afrollen van dé prestatie in de moderne geschiedenis van de Ronde van Vlaanderen. De wedstrijd waaraan het begrip 'merckxiaans' zijn volle betekenis ontleent en die hij vandaag zelf beschouwt als 'de grootste fysieke prestatie die ik in een ééndagskoers heb neergezet.'

In storm en regen blijven er op zondag 30 maart op de Kwaremont nog slechts een dertigtal renners over. Merckx geeft kilometerslang het tempo aan en in Vollezele gaat hij er alleen vandoor. In hondenweer en met tegenwind, met nog volle 75 kilometer te gaan tot de aankomst in Gentbrugge. Lomme Driessens komt naast hem rijden *('Wat steekt gij nu uit? Zijde zot geworden?' – 'Kust gij een beetje mijn kloten!')*, waarna Merckx onverstoorbaar doorstoomt, zijn eerste Ronde van Vlaanderen wint en zegt: 'Mijn grootste voldoening is dat ik nu besef dat ik door iedereen aanvaard word.'

Het Laatste Nieuws schrijft wat Merckx zelf onuitgesproken laat: 'Hoofdzakelijk om extrasportieve redenen heeft het een hele tijd geduurd vooraleer Eddy Merckx, van wie niet zo onmiddellijk die warme menselijkheid uitstraalt die andere kampioenen, zelfs zonder erelijst zo volksgeliefd maken, het hart van Vlaanderen heeft veroverd.' Die 'extrasportieve redenen' zijn er eigenlijk maar één: het feit dat zijn huwelijk met Claudine Acou eentalig in het Frans is voltrokken in het gemeentehuis van Anderlecht. 'Het werd geweldig opgeschroefd. Gevoelig als hij is, werd Eddy diep getroffen door sommige beledigende brieven. Gelukkig maar stelt de Vlaamse sportman de sport boven al de andere kwesties en Merckx heeft kunnen merken dat de bewondering van Vlaanderen zeker even groot is als die van alle andere gewesten en landen waar de wielersport bloeit.'

Tweede in de Ronde van Vlaanderen, editie 1969? Felice Gimondi op 5'36". Derde: Marino Basso op meer dan acht minuten, Walter Godefroot komt op bijna een kwartier over de streep. De kaarten zijn definitief geschud. Vanaf nu is het helemaal en voor lange tijd één tegen allen en allen tegen *de Kannibaal*. 'Ik heb feitelijk niet gedemarreerd,' zegt Merckx doodleuk in Sportweekend. 'Ik heb gewoon tempo op kop gereden.' Slik. Kleine Eddy is grote Merckx geworden.

Van de eerste deklat tot de eerste gele kaart

De belangrijkste voetbalmijlpalen

Het Engelse Notts County (1862) is de oudste nog bestaande profclub, maar allesbehalve de meest succesrijke. In anderhalve eeuw heeft Notts welgeteld één trofee gewonnen: de F.A. Cup. In 1894, bovendien. Het is er bijgevolg al ruim meer dan een eeuw wachten op een nieuw succes voor de supporters. En er is meer: Notts County speelde in het seizoen 1991-92 voor het laatst in de Engelse hoogste afdeling. Die heette toen nog gewoon First Division, en de vetpotten van de Premier League volgden precies één jaar later. Net gemist dus, waardoor Notts County een club met vooral cultstatus blijft.

De stichting van Notts County wordt een jaar later gevolgd door de oprichting van de eerste voetbalbond ter wereld, de Engelse Football Association. Op 8 december 1863 komen de clubs die daar deel van uitmaken na eindeloos lang onderhandelen tot de allereerste gemeenschappelijke spelregels. Tevoren deed iedereen zomaar wat. De meest opvallende zijn (a) dat de bal wel door elke veldspeler met de handen mag worden opgevangen, maar niet verder op het veld gedragen en (b) het verbod een tegenstander neer te halen. Eén club, Blackheath, kan zich daar absoluut niet in vinden en verlaat de F.A. om zich later bij de rugbybond aan te sluiten. De eerste wedstrijd met deze regels wordt een dikke week later gespeeld tussen Barnes en Richmond. De match eindigt op 0-0, en dat gebrek aan doelpunten zit het bestuur van Richmond zo hoog, dat ook die club overstapt naar het rugby.

Het is het begin van een reeks ingrepen, wijzigingen en andere premières die zullen leiden naar het voetbal zoals we dat vandaag kennen. De eerste decennia spelen die zich nog, weinig verrassend, hoofdzakelijk af op de Britse eilanden, de bakermat van het voetbal.

150 De eerste deklat

In het eerste voetbalreglement van de Engelse bond staat vermeld dat het doel afgebakend wordt door twee palen die op 8 yard van elkaar moeten staan, maar niet tot op welke hoogte. Probleem uiteraard, en het leidt in 1865 tot de introductie van de deklat. Althans, het dektouw, want er wordt op een afgesproken hoogte een touw gespannen tussen beide palen. Tien jaar later pas wordt de deklat geïntroduceerd, en het duurt nog tot 1882 voor het gebruik van een touw expliciet verboden wordt.

151 De eerste speler die buitenspel staat

Aanvankelijk is het zo dat élke speler die zich voor zijn teamgenoot in balbezit bevindt, buitenspel staat. In de praktijk is het gevolg echter dat de man met de bal niet veel andere keuzes heeft dan eindeloos verder dribbelen tot hij de bal verliest, waarop de tegenstander die daarin is geslaagd precies hetzelfde moet doen. Vandaar dat er in de eerste jaren van het voetbal zo weinig gescoord wordt. Om dat te verhelpen wordt de eerste versie van de buitenspelregel ingevoerd: op het ogenblik van de voorzet moeten er zich tussen de speler die de voorzet ontvangt en de doellijn minstens drie spelers van de tegenpartij bevinden. De allereerste speler in de geschiedenis die officieel buitenspel staat, in 1866, is Charles W. Alcock, aanvaller van London én secretaris van de Engelse voetbalbond.

152 De eerste interland

Die wordt gespeeld op 30 november 1872 tussen, weinig verrassend, Schotland en Engeland in Glasgow. Het blijft bij 0-0, en het is wachten tot 6 maart 1873 op het eerste interlanddoelpunt. Inderdaad, in de terugwedstrijd tussen de Engelsen en de Schotten. In de eerste minuut al scoort William S. Kenyon-Stanley voor de Engelsen. Die hebben met een 2-2-6 voor een naar hedendaagse normen belachelijk offensieve opstelling gekozen en winnen met 4-2.

153 De eerste scheenbeschermers

Sam Weller Widdowson, aanvoerder van Nottingham Forest en Engels international, introduceert die in 1874 wanneer hij een paar cricketbeenbeschermers op maat verknipt, en bovenop zijn kousen om zijn schenen bindt. De Engelse voetbalbond vindt het maar niks, en verbiedt het prompt. Een volle eeuw later zal diezelfde bond ze verplichten.

154 Het eerste fluitsignaal

De overlevering wil dat de wedstrijd Nottingham Forest – Sheffield Norfolk in 1878 de eerste is waarin de scheidrechter gebruikmaakt van een fluitje om het spel stil te leggen. Voetbalhistorici hebben er echter een flinke kluif aan, want een van die archeologen van de bal diepte intussen een factuur uit 1872 op uit de archieven van Forest voor 'de aanschaf van een scheidsrechterfluitje'. Weinig waarschijnlijk dat het zes jaar ongebruikt in een lade heeft gelegen. Hoe dan ook, het is een revolutionaire vernieuwing, want voordien moest de scheidsrechter met een zakdoek zwaaien om de aandacht van de spelers te trekken. En dat was op zich al een ommezwaai, want daarvoor was er helemaal geen scheidsrechter. Beslissingen op het veld werden door beide aanvoerders genomen in goed overleg, zoals het ware *gentlemen* betaamt.

155 De eerste wedstrijd bij kunstlicht

20.000 toeschouwers maken in 1878 het historische moment mee op Bramall Lane, vandaag nog steeds de thuisbasis van Sheffield United en het oudste stadion ter wereld waar profvoetbal wordt gespeeld. De wedstrijd gaat tussen twee gelegenheidsteams samengesteld uit spelers van een aantal clubs uit de plaatselijke *Sheffield Association* en anderzijds euh, óók spelers van een aantal clubs uit de plaatselijke *Sheffield Association*. Voor de verlichting zorgen twee draagbare generatoren die elk twee lampen bevoorraden die tien meter hoog op een houten paal gemonteerd zijn in elke hoek van het veld. In Europa worden er al snel echte verlichtingsinstallaties rond de velden geplaatst, maar in Engeland blijven ze tot 1951 strikt verboden door de voetbalbond met het argument dat ze te veel stroom verbruiken. Een neveneffect van voetballen bij kunstlicht is de introductie van de witte bal, ook in 1951. De bruine exemplaren waarmee tot dan toe was gespeeld, zijn namelijk te weinig zichtbaar voor de supporters bij avondwedstrijden.

156 De eerste wereldkampioen

En dat is... *(tromgeroffel)...* Renton Football Club! Althans, dit elftal uit een dorp in het Schotse West Dunbartonshire, roept zichzelf in 1888 uit tot *Champions of the United Kingdom and the World* nadat het twee keer op rij de Schotse Beker heeft gewonnen, en de Engelse bekerhouder West Bromwich Albion met 4-1 heeft verslagen.

157 Het eerste competitiedoelpunt

Lange tijd is er in Engeland en dus in de rest van de wereld niet echt een nationale competitie zoals we die nu kennen. Wel de F.A. *Cup*, maar verder wordt er zomaar een beetje vriendschappelijk tegen elkaar gevoetbald, zoals het toevallig uitkomt. In 1888 schrijft William McGregor, een winkelier uit Birmingham en bestuurslid van Aston Villa, een aantal clubs in de buurt aan met de vraag of zij geen zin hebben om het op regelmatige basis tegen elkaar op te nemen. Vier andere teams zien dat zitten. Het eerste officiële competitiedoelpunt wordt op 8 september 1888 gescoord door Gershom Cox van Aston Villa in de wedstrijd tegen Wolverhampton Wanderers (eindstand 1-1). Het is overigens een owngoal.

158 De eerste wedstrijd met doelnetten

Is de bal nu in doel gegaan, of naast de paal buiten? Decennialang wordt er soms eindeloos over gediscussieerd. Tot John Alexander Brodie, een professor en ingenieur, in 1890 op het lumineuze idee komt een doelnet aan palen en deklat te hangen. Niet toevallig nadat hij getuige is geweest van zo'n oeverloos gekissebis tijdens een thuiswedstrijd van zijn favoriete club Everton. Op nieuwjaarsdag 1891 wordt de eerste match met doelnetten gespeeld: Nottingham Forest – Bolton Wanderers.

159 De eerste lijnrechters

Hiervoor moeten we terug naar de periode tussen de jaren waarin de aanvoerders het onder elkaar bespreken en de introductie van de scheidsrechter. In die tussenperiode duiden beide clubs elk een *referee* aan, die allebei in de tribunes zitten. Beide heren mogen in geen geval op het veld komen, en ze mogen alleen beslissen wanneer de *captains* hun daarom verzoeken. In 1891 worden ze op het veld toegelaten en mogen ze vanaf de zijkant mee beslissen met de scheidsrechter.

160 De eerste internationale spelregels

Dat 'internationaal' moet alsnog niet te ruim gezien worden. Het gaat wel om regels die in 1898 vastgelegd worden door de twaalf jaar eerder opgerichte *International Football Association Board* (IFAB), maar ondanks die ronkende benaming valt het wel mee met het internationale karakter ervan. De Engelsen hebben het initiatief genomen, Schotland, Ierland en Wales vervoegen zich bij hun gezelschap, en dat vinden ze met zijn allen eigenlijk wel best genoeg zo. De spelregels in kwestie gaan bovendien enkel over basisdingen: strafschop, hoekschop, enzovoort. Voordien werd er bij interlands door de twee deelnemende landen onder elkaar afgesproken welke regels die dag van toepassing zouden zijn en welke niet.

161 De eerste interland in Europa

Strikt genomen is het eigenlijk geen echte interland. Oostenrijk verslaat Hongarije in oktober 1902 wel met 5-0, maar... Beide landen vormen, ten eerste, dan nog het Oostenrijks-Hongaarse Rijk. De spelers van beide teams komen, ten tweede, allemaal uit respectievelijk Wenen en Boedapest. Het is dus veeleer een Europabekerwedstrijd avant-la-lettre dan een interland.

162 De eerste buitenspelval

Billy McCracken, verdediger bij Newcastle United, bedenkt in 1904 het bekende *stapje-vooruit* om tegenstanders in de buitenspelval te lokken. Niet iedereen vindt dat fijn, en dat is dan nog zacht uitgedrukt. Het regent protesten van spelers en scheidsrechters. Op een dag wordt het veld zelfs bestormd door supporters die het zat zijn dat het spel voortdurend wordt onderbroken omdat McCracken zo nodig weer de buitenspelval moest openen. Dat was overigens een stuk makkelijker dan vandaag, want als aanvaller moest je dus nog drie spelers van de tegenpartij vóór je hebben om niet buitenspel te staan.

Pas 21 jaar later, in 1925, wordt dat teruggebracht tot twee. In 1990 volgt de verfijning dat de aanvaller op dezelfde hoogte mag staan als de op één na laatste tegenstander, en pas vanaf 2002 – net geen eeuw na het slimmigheidje van McCracken dus – wordt er niet meer gefloten voor buitenspel wanneer de speler in kwestie niet in het spel betrokken is.

163 De eerste sponsor

Gezondheidsgoedjes zijn ook in het vorige millennium al een goudmijn, en dus staan de verschillende merken elkaar naar het leven met allerlei reclame. De producenten van *Wincarnis*, een – en wij citeren – 'met vitamines en kruiden verrijkte levenswijn die goed is voor de gezonde, de invalide en de herstellende', zien als eersten mogelijkheden in het voetbal. Ze worden in 1909 de eerste voetbalsponsor, en de club die met het geld en de eer gaat lopen is Manchester United.

164 Het eerste muurtje op 9 meter 15

De invoering van deze nieuwe spelregel heeft o.m. te maken met het aanvankelijke gebrek aan doelpunten. Met name goals uit een vrije trap vallen haast nooit. Dat heeft te maken met de zwaardere bal, die een stuk moeilijker over het muurtje te krullen is, maar nog veel meer met het feit dat dit laatste op slechts vijf meter van de bal moest staan. Vanaf 1913 wordt dat de huidige 9m15. Dat vreemde getal heeft alles te maken met de Britse *roots* van het voetbal: de nieuwe afstand wordt bepaald op 10 yard.

165 De eerste retro

Pelé en Marco van Basten zijn er voor eeuwig en een dag mee verbonden, maar de allereerste omhaal staat op naam van de Chileen Ramon Unzaga. Hij verbaast er vriend en vijand mee op de Copa América, editie 1920.

166 Het eerste radioverslag

Op 22 januari 1927 is de wedstrijd Arsenal-Sheffield de eerste in de Engelse competitie die rechtstreeks te volgen is op de BBC. De luisteraars houden daarbij een schema op schoot waarop het speelveld in acht genummerde vakken is onderverdeeld, waarnaar de commentator verwijst tijdens zijn verslag. Een intussen lang vergeten procéde, maar het heeft de tand des tijds wel overleefd in een Engelse uitdrukking: '*back to square one*', 'terug naar af'.

167 De eerste ongelukkige commentator

Grote opwinding bij de BBC en bij uitbreiding in heel Groot-Brittannië: de Cup Final wordt in 1938 voor het eerst live op televisie uitgezonden!

Finalisten Preston North End en Huddersfield bakken er echter niet veel van. 0-0 na 90 minuten, nog steeds 0-0 net voor het einde van de tweede verlenging. 'Als een van deze teams er nog in slaagt te scoren, eet ik mijn hoed op,' zucht commentator Thomas Woodrooffe. Waarop de scheidsrechter prompt een strafschop fluit voor Preston, dat met 1-0 wint.

168 De eerste 'Góóóóóóól! Gól! Gól!'

Uiteraard niet de al eindeloos vaak herhaalde '...de Belgica' van Rik De Saedeleer op het WK 82 in Spanje bij het doelpunt van Erwin Vandenbergh tegen Argentinië. De Saedeleer heeft de kreet, zoals bekend, geleerd en geleend van zijn Zuid-Amerikaanse collega's. Die hebben het op hun beurt te danken aan de Braziliaanse commentator Rebelo Junior, die er voor het eerst mee uitpakte in 1942. Zijn opvolger, Raul Longas, rekte de 'Góóóól!' nog een eind langer uit. Dat had niks te maken met enthousiasme of zijn voorganger overtreffen. Wel met het feit dat Longas erg slechte ogen had, en bijgevolg nooit wist wie er precies gescoord had. Zijn langgerekte 'Góóóól!' gaf een collega de tijd om de naam van de doelpuntenmaker voor hem in grote letters op een papiertje te krabbelen.

169 De eerste Goddelijke Kanaries

Nadat Brazilië in 1950 de finale van het WK in eigen land heeft verloren tegen Uruguay worden de meest waanzinnige verklaringen en dus ook remedies aangehaald. Een ervan is dat het allemaal lag aan van de witte uitrusting van de Brazilianen die te weinig vaderlandslievend zou geweest zijn. De krant Correio da Manha schrijft in 1953 een wedstrijd uit: ontwerp een nieuwe uitrusting voor de nationale ploeg in de kleuren van de Braziliaanse vlag. Geel, groen en een toefje blauw, dus. Het resultaat kennen we intussen.

170 De eerste Europabeker

Het begint allemaal met een uitzonderlijke buitenlandse trip van Spartak Moskou in 1954. In de Sovjet-Unie van Stalin heeft het voetbal zich helemaal op zichzelf teruggeplooid. Elke wedstrijd tegen een club uit het *decadente, kapitalistische Westen* houdt een risico in. Een nederlaag zou in volle Koude Oorlog een kaakslag zijn voor het *superieure communisme*, een overwinning daarentegen... Spartak waagt zich in het hol van de leeuw: Engeland. Het begint goed voor de Russen, die op Highbury met 1-2 gaan winnen tegen Arsenal. Algemene verbijstering bij de Engelse journalisten, die het ergste vrezen voor de volgende wedstrijd: Spartak tegen de Wolverhampton Wanderers... De *Wolves* blikken de vermoeide Russen echter in met 4-0, en de kranten zijn van de weeromstuit hysterisch enthousiast: 'Wolverhampton wereldkampioen bij de clubs!' Hebben de *Wolves* kort tevoren immers ook niet met 3-2 gewonnen tegen het Honvéd Boedapest van Puskás en co?

Het brengt de Franse journalist Gabriel Hanot op een idee. Waarom geen tornooi organiseren dat officieel kan uitmaken wie de beste is? Zoiets als de Wereldbeker, maar dan voor clubteams, *quoi*. Hij schrijft er een artikel over in *L'Equipe*, met onder meer deze paragraaf die de geschiedenis van het voetbal voorgoed verandert: 'Laat ons toch nog maar wachten op een wedstrijd in Moskou of Boedapest, alvorens de onoverwinnelijkheid van Wolverhampton uit te roepen. En bovendien, er zijn nog andere clubs van internationale waarde: AC Milan en Real Madrid, om maar die te noemen. Het idee van een Kampioenschap van de Wereld of op zijn minst toch van Europa, verdient het overwogen te worden. Wij zouden het er in elk geval wel op wagen.'

Dat laatste is geen vrijblijvende afsluiter. De volgende dag al wordt het idee concreet uitgewerkt door *L'Equipe* en het gaat als een lopend vuurtje Europa rond. Iedereen is er enthousiast over behalve – vreemd genoeg – de voetbalbonzen. Zo meldt het bestuur van de Franse voetbalbond in een officieel communiqué: 'In overweging nemend dat wij onze toestemming hebben gegeven tot de organisatie van een Europabeker voor nationale bonden *(het EK voor landenelftallen, dat uiteindelijk pas in 1960 voor het eerst zal plaatsvinden; GDV)* kunnen wij het ons voorgelegde voorstel niet in overweging nemen.' De UEFA verklaart zich onbevoegd, net zoals de FIFA. 'De organisatie van een dergelijk tornooi is niet onderworpen aan de toestemming van de wereldvoetbalbond, waarvan de statuten enkel gericht zijn op competities van vertegenwoordigende elftallen van nationale bonden,' reageert de waarnemend voorzitter, onze landgenoot R.W. Seeldrayers. Hij laat echter ook een belangrijke opening: 'Maar als het mogelijk is de kalender van deze competitie te verzoenen met de al erg volle kalender van de nationale competities, dan twijfel ik er niet aan dat dit kampioenschap uitzonderlijk interessant zal zijn en dat het een groot succes tegemoet gaat.'

Meer hebben de initiatiefnemers niet nodig. Op 2 april 1955 wordt in het Hôtel Ambassador in Parijs de Beker voor Landskampioenen in de steigers gezet. Een aantal clubbestuurders, onder wie Santiago Bernabéu van Real Madrid en Anderlecht-secretaris Eugène Steppé, werken het idee uit tot een concreet tornooi, met meteen al een ingebouwde garantie voor de grote clubs: deelnemen aan de eerste editie gebeurt op uitnodiging. Een club moet, met andere woorden, niet per se de titel winnen in eigen land om erbij te zijn. Kwestie van de grote clubs te allen prijze aan de aftrap te zien. Voor de eerste ronde worden de wedstrijden bovendien door de organisatie vastgelegd, want een loting is een te groot risico. Als twee of meerdere groten meteen tegen elkaar moeten uitkomen, zou het tornooi binnen de kortste keren onthoofd zijn, niet waar?

Het lijkt de Champions League van vandaag wel, maar we hebben het wel degelijk over 1955 en het is ook toen al geen al te beste zaak voor de Belgische clubs. Sterker nog, het wordt een regelrechte afgang voor onze eerste deelnemer, Anderlecht. Dat wordt in de eerste ronde meteen afgeslacht door het Hongaarse Vörös Lobogó. 6-3 in Boedapest en 1-4 in Brussel. En dan valt het nog mee in vergelijking met de ultieme vernedering in de tweede editie: 10-0 (tien-nul!), uit bij Manchester United in 1956. Het is zelfs wachten tot 1958 op de eerste Belgische zege in het Europees voetbal. Standard verslaat dan het Schotse Heart of Midlothian op Sclessin met 5-1 en – nog een Belgische primeur – gaat door naar de volgende ronde.

171 De eerste gele kaart

Op het WK van 1970 in Mexico worden gele en rode kaarten voor het eerst gebruikt op internationaal niveau, waardoor er een eind komt aan alle mogelijke spraakverwarringen op het veld. Het idee komt van de Engelse scheidsrechter Ken Aston, die het bedacht toen hij op een dag stilstond voor een verkeerslicht: geel betekent uitkijken, rood stoppen.

En dan zijn er ook nog...

1882 – Voortaan moet een inworp met beide handen gebeuren. Voordien was dat met één hand en in een rechte hoek in verhouding tot de zijlijn, zoals in het rugby. * **1912** – Handspel van de keeper? Als hij de bal buiten het strafschopgebied met de handen raakt, toch? Inderdaad, maar deze regel wordt pas in 1912 ingevoerd. Tot dan mag hij zijn handen over de hele eigen speelhelft gebruiken. * **1924** – Scoren uit een hoekschop mag voortaan. Tot dan leverde een corner die rechtstreeks in doel ging niet meer op dan een uittrap voor de tegenpartij. * **1970** – Bij het begin van het Europese seizoen 1970-71 gaat een nieuwe regel in. Bij een gelijke stand na verlengingen wordt er niet langer een muntstuk opgegooid om de winnaar te bepalen. Voortaan worden er strafschoppen genomen. * **1981** – Het eerste kunstgrasveld ter wereld wordt ingehuldigd: bij Queens Park Rangers, in Londen.

Van Prudencio Induráin tot Juraj Sagan

De kleurrijkste wielerbroers

Op het gevaar af de Honderdjarige Oorlog van het Meetjesland te laten heropflakkeren: Roger De Vlaeminck was een van de beste wegrenners aller tijden én wereldklasse in het veldrijden, zijn broer Eric wellicht de beste cyclocrosser ooit maar óók een prima wegrenner met o.a. een Tourrit en de Ronde van België op zijn palmares. In andere wielerfamilies is de appel echter een stuk verder van de spreekwoordelijke boom gevallen.

172 Prudencio Induráin (broer van Miguel): Van mus tot politicus

Het verhaal van de tijdrit rond het Lac de Madine in de Tour van 1993 is bekend: Miguel Induráin (°1964) rijdt lek, wint alsnog de etappe maar loopt slechts 2'11" uit op zijn uitdager Gianni Bugno. Het voordeel is echter dat jongere broer en trouwe knecht Prudencio (°1968) door Miguels tijdverlies net niet buiten tijd finisht. Of de latere eindwinnaar al dan niet deed alsof hij een mechanisch probleem had om zijn broer in de Tour te houden, zullen we wellicht nooit met absolute zekerheid weten. Dat Prudencio een treetje of vijftien lager op de talentladder stond dan zijn broer, daarentegen... 'Ik ben een normale renner en Miguel is een groot kampioen,' zegt Prudencio er tijdens hun actieve carrière zelf over. 'Hij heeft een ander metabolisme dan het mijne en dat van alle anderen. Hij is een arend, ik ben niet meer dan een mus.'

Na hun profcarrière lopen de wegen van de Induráins uit elkaar. Miguel renteniert, Prudencio stapt in de politiek. In 2011 staat hij als onafhankelijk kandidaat op de verkiezingslijst van de UDP *(Unión del Pueblo Navarro)*, een conservatieve regionale partij die zich sterk verzet tegen het Baskisch nationalisme en pleit voor een eigen maar Spaans geïnspireerde identiteit van Navarra. Met 34,5% van de stemmen bij de regionale verkiezingen kan niemand om de UDP heen. Het levert Prudencio een jaar later de baan op van directeur van het *Instituto Navarro de Deporte y Juventud*, een plaatselijke organisatie die zich bezighoudt met sport en jeugd.

173 Jean Bobet (broer van Louison): Intellectueel en schrijver

Nee, de Nederlandse columnist Thijs Zonneveld is niet de enige, laat staan de eerste ex-renner in de journalistiek. Zelfs Fred De Bruyne, na zijn wielercarrière commentator bij de BRT en analist avant-la-lettre voor *Het Laatste Nieuws*, heeft voorgangers onder wie een heel opmerkelijke. Jean Bobet (°1930) doet het als wielrenner veel minder goed dan oudere broer Louison (°1925). Wat stellen één eindoverwinning in Parijs-Nice en een derde plaats in Milaan-Sanremo in 1955 immers voor als je broer datzelfde jaar de Ronde van Vlaanderen en zijn derde Tour wint? In de regenboogtrui, bovendien. Jean Bobet is zelf nochtans ook wereldkampioen geworden. Bij de universitairen, en het zijn zijn talenstudies die na zijn carrière zijn echte talent aan de oppervlakte brengen.

De jongste Bobet wordt eerst reporter voor de Franse televisie en daarna chef-sport bij Radio Luxemburg. Hij schrijft ook voor *L'Equipe, Miroir du Cyclisme* en zelfs *Le Monde*. Zowat het hoogst haalbare in de Franse journalistiek, maar het kan zijn literaire ambities niet blussen. Tijdens zijn studies aan de universiteit van Rennes heeft hij al in een onbescheiden opwelling een brief geschreven aan zijn grote voorbeeld, de latere Amerikaanse Nobelprijswinnaar Ernest Hemingway *(For Whom the Bell Tolls, The Old Man and the Sea...)*. Later gaat Jean Bobet voluit voor zijn pen. Hij schrijft elf boeken, waaronder *Le vélo à l'heure allemande*, een studie over het Franse wielrennen tijdens de Duitse bezetting, en de klassieker *Demain on roule...* (2004). *Morgen gaan we rijden...* is een fijnbesnaarde en ontroerende ode aan zijn broer en aan de fiets, die hij allebei verafgoodt: 'Morgen gaan we rijden, dat is wat mijn broer en ik steevast tegen elkaar zegden als we afspraken om samen te gaan fietsen. Elke dag toen we nog koersten en daarna alleen nog maar op zondag, toen we gestopt waren. We bleven fietsen tot het einde van zijn leven *(Louison overleed in 1983 aan kanker; GDV)* omdat we zelfs dan – vooral dan, misschien – elkaar het best begrepen op de fiets. We hadden een fiets onder ons nodig omdat we, zoals het gezegde gaat, hoge toppen hebben gescheerd en door diepe dalen zijn gegaan: in het wielrennen zijn de gloriedagen altijd minder glorieus geweest dan hun schaduw.'

174 Henri Poulidor (broer van Raymond): Bokser tussen de koeien

Het kan nauwelijks ironischer: Raymond Poulidor (°1936) is de wielergeschiedenis ingegaan als *de eeuwige tweede* en het beste resultaat bij de profs van zijn oudere broer Henri (°1933) is – jawel – een tweede plaats. Tot zover de gelijkenissen. Raymond staat immers op het op één na hoogste trapje in onder meer de Tour, de Vuelta, Milaan-Sanremo, de Waalse Pijl en het WK op de weg. Henri's trofee moet niet meer geweest zijn dan pakweg een ham van de plaatselijke slager met zijn tweede plaats in de Promotion Pernod in 1963. Het was ook Henri's eerste en meteen enige seizoen bij de profs.

Wat Henri betreft hadden de Poulidors het beter bij hun eerste sportliefde gehouden. Raymond raakt als scholier gepassioneerd door sport dankzij een abonnement op *Miroir Sprint* dat hij cadeau krijgt van een leraar als beloning voor een goed rapport. In dat sportblad leest hij echter vooral reportages over zijn groot idool: de Franse wereldkampioen boksen Marcel Cerdan. 'Ik droomde ervan om, net zoals hij, ooit in *Miroir Sprint* te staan,' vertelt de jongste van de in totaal vier broers Poulidor er later over. 'Zoals elke boerenzoon vond ik het prachtig als het regende, want dat betekende dat we niet op het land konden werken. Dan hadden mijn broer Henri en ik tijd om te boksen in de schuur tussen de koeien en de balen stro.'

175 Cesare Cipollini (broer van Mario):
Hartlijder met schulden

Lang voor Mario (°1967) in 1989 aan zijn kleurrijke carrière begint,
lijken zijn oudere broer Cesare en zelfs zus Tiziana de wielersterren
van de familie Cipollini te worden. Een echt koersgezin dat aanvankelijk gedreven wordt door de frustratie van vader Vivaldo. Ooit was hij
een veelbelovend amateur, tot hij aangereden werd door een auto en
zijn carrière meteen voorbij was. De opvolging lijkt verzekerd wanneer
Cesare en Tiziana zich ontpoppen als het nationale koningspaar in
hun leeftijdscategorieën. Ondanks het feit dat Cesare (°1958) in 1976
nog junior is wordt hij geselecteerd voor de ploegenachtervolging op
de Olympische Spelen in Montreal. Het levert hem met Italië een vijfde plaats op en een voetnoot in de wielergeschiedenis: met zijn 17 jaar
is hij de jongste wielrenner aller tijden op de Spelen. Overwinningen
in de Giro delle Tre Provencia en de Via Reggio di Firenze trekken de
profploegen en de Italiaanse wielerbond helemaal over de streep: Cesare geldt als een groot talent. Zo groot dat hij voor zijn 20ste al prof
mag worden, een uitzondering op de leeftijdsregel die de Italiaanse
wielerbond vóór hem alleen aan Giuseppe Saronni heeft gegund.
Cesare tekent in 1978 bij Magniflex en geldt samen met Saronni en
Roberto Visentini als de grote hoop van het Italiaanse wielrennen.

Helaas, het wordt niks. In 1982 is hij mee in een ontsnapping in
Milaan-Sanremo en een jaar later wint hij de Ronde van Emilia. Veel
meer valt er echter niet te melden. Cesare Cipollini houdt het nog tot
in 1990 vol bij de profs, ofwel in een tweederangsteam à la Dromeda-
rio, ofwel als anonieme knecht van o.a. Adriano Baffi of als rijdende
wegwijzer voor zijn debuterende broer Mario bij Del Tongo. Totaal
aantal overwinningen? Vijf, en op zijn 32ste stopt hij met koersen. Hij
is het wielermilieu en de dopingcultuur kotsbeu. En: 'Om met mijn
mislukking als Grote Italiaanse Wielerhoop geen schaduw te werpen
op de mooie toekomst die iedereen Mario voorspelt.' Hij verdwijnt in
de anonimiteit, tot hij in februari 2013 plots opduikt in de Italiaanse
regionale krant *Il Tirreno*. De bijhorende foto toont een zorgelijk kij-
kende, ouwelijke man in een onbestemde woonkamer in Lucca.

Cesare Cipollini zit in de problemen. Zoals wel meer landgenoten zit hij verstrikt in zo'n typisch Italiaanse administratieve mallemolen, maar in tegenstelling tot vele anderen komt hij er niet vanaf met de schouders ophalen. Sinds 2011 heeft hij de ene rekening met intrest na de andere in zijn brievenbus gekregen, en zijn schuld is opgelopen tot in totaal – zo rekenen de administraties hem met genadeloze nauwkeurigheid voor – 19.155 euro en 35 cent. En dat kan hij niet betalen, want de voormalige superster in spe moet proberen rond te komen met 750 euro per maand. Tot 2007 heeft Cesare bij een coöperatieve gewerkt, maar na een hartaanval is hij teruggevallen op een invaliditeitsuitkering. Waarna, het noodlot blijft maar op hem inbeuken, zijn toenmalige vriendin hem in de steek heeft gelaten en hun 2-jarige zoontje meegenomen. Net voor Cesare zijn verhaal doet aan *Il Tirreno* is er nog een afknapper bijgekomen. Parkeren is verboden in het centrum van Lucca, maar door zijn ziekte kan hij zich niet of nauwelijks te voet, laat staan met de fiets, verplaatsen. Hij poot bijgevolg al maandenlang zijn wagen noodgedwongen zomaar ergens neer. De lokale politie heeft net de afrekening gemaakt van alle parkeerboetes: 3.361 euro. In totaal te betalen: 22.465,35 euro. Vooruitzichten: nul.

176 Daniël Van Damme (broer van Albert): Wereldberoemd in Wetteren

Daniël Van Damme (°1939) begint in 1962 als veldrijder bij Dr Mann. Zijn precies 341 dagen jongere broer Albert (°1940) krijgt een kruimelcontractje als *Onafhankelijke*, maar aan het einde van hun cyclocrosscarrière in respectievelijk 1976 en 1978 is *Berten* de grote man van de familie met 281 overwinningen, waaronder 6 nationale titels en het wereldkampioenschap bij de profs van 1974. Daniëls 20 zeges raken er helemaal door ondergesneeuwd. Zijn allermooiste moment is bovendien geen overwinning maar een triomf met zijn broer op het BK van 1970 in Wetteren, net naast de ouderlijke deur in Laarne.

In de aanloop naar dat kampioenschap gaat alle aandacht naar twee andere broers: de De Vlaemincks. Eric (°1945) is de absolute favoriet, maar kort voor het BK knalt hij in een cross in Duitsland keihard tegen een paaltje. Ondanks een flinke knieblessure is hij nog gaan bijfietsen op de Gentse piste, maar de pijn wordt ondraaglijk. Blijkt dat de wonde onvoldoende gereinigd is en de chirurgen moeten alles op alles zetten om een beenamputatie te voorkomen. Roger (°1947) is aanvankelijk niet van plan in Wetteren aan de start te komen, in zijn debuutjaar bij de profveldrijders. 'Om mijn broer waardig te vervangen' komt hij daar alsnog op terug, maar echt spannend wordt het nooit. *Berten* Van Damme gaat er op zijn favoriete zware ondergrond meteen vandoor, neemt 100 meter en loopt ronde na ronde verder uit. Aan de finish heeft hij 1'43" voorsprong op De Vlaeminck. Zijn vijfde nationale titel en zijn 300ste zege, jeugdcategorieën inbegrepen, *voor eigen volk!* En het wordt nog mooier want achter De Vlaeminck heeft Daniël Van Damme tot ieders verbazing de derde plaats gepakt. Samen op het podium dus, een uniek moment dat twee Zwitserse broers nooit gegund wordt.

Op het WK van 1974 waarin *Berten* Van Damme zijn enige regenboogtrui bij de profs verovert wordt een veelbelovende jonge Zwitser 10de. Albert Zweifel (°1949) zal aan het einde van zijn carrière goed zijn voor 85 crosszeges waaronder vijf wereldtitels. Zijn oudere broer en collega-crosser Hansruedi (°1945) vergaat het veel minder goed. Diens beste prestatie is een derde plaats in het Zwitsers Kampioenschap van 1968.

177 Stefan Kupfernagel (broer van Hanka): Winnaar van 0,045 koersen

Hanka Kupfernagel (°1974) is een reuzin in het dameswielrennen: nummer één van de wereld op de UCI-ranking in 1997 en 1999 en in het nieuwe millennium viervoudig wereldkampioene in het veldrijden (2000, 2001, 2005 en 2008). Jongere broer Stefan (°1977) komt nog niet aan haar sokken. Zijn enige profzege op de weg die het stof van de statistieken overleefd heeft is nog een bijzonder bizarre ook. Op 23 juni 2004 beslist de jury na de aankomst van de Profronde van Fryslân in Leeuwarden namelijk 22 renners ex-aequo als winnaar uit te roepen na 'onregelmatigheden in de wedstrijd'. Onder hen Nico Mattan, Tom Veelers, Erik Dekker en dus ook Stefan Kupfernagel. Eén zege, gedeeld met en door 22 renners, is gelijk aan 0,045 overwinningen.

178 Julien Vervaecke (broer van Félicien):
Vergeten oorlogsslachtoffer

Strikt genomen hoort Julien Vervaecke (°1899), de oudere broer van
Félicien (°1907, en bergkoning in de Tour van 1935), niet thuis in dit
hoofdstuk. Of toch niet helemáál. Enerzijds staat er immers een al bij
al mooi profpalmares op zijn naam met winst in o.a. Parijs-Roubaix
(1930) en de koninginnenrit in de Tour van 1927 over de Vars en de
Izoard. Anderzijds vergaat het hem echter slechter dan haast alle andere *broers van* in dit verhaal. Kort na zijn afscheid aan het wielrennen,
in 1937, wordt Julien Vervaecke namelijk een van de eerste Belgische
slachtoffers in de Tweede Wereldoorlog.

In mei 1940 staat hij achter de toog van zijn café in Menen wanneer
de stad wordt overspoeld door Britse troepen die door de Duitsers te-
ruggedrongen worden tot in Duinkerken. Weken later wordt Vervaecke
dood teruggevonden in het Noord-Franse Roncq. 'Hij werd sinds 26
mei 1940 vermist,' meldt *Sport Echo* op 17 juni 1941, 'en een onderzoek
heeft uitgewezen dat hij tijdens de oorlogshandelingen door een vijftal
geweerschoten werd getroffen en gedood.' Waarom? Onbekend en dat
blijft ook na de oorlog zo, want er is bepaald weinig animo om mogelijke oorlogsmisdaden van de geallieerden, ten slotte toch onze bevrij-
ders, verder te onderzoeken. En dan is het, zoals zo vaak, aan amateur-
historici om zich decennia later alsnog in de zaak te verdiepen. In dit
geval Gentenaar Gilbert Dubois, die zich na zijn pensionering als rijks-
wachter in 1989 vastbijt in het verhaal achter de terugtocht van de
Britse troepen in de eerste oorlogsdagen.

Lang niet alleen in de zaak-Julien Vervaecke, trouwens. Tientallen
onschuldige Belgen zijn toen zonder enige vorm van proces terechtge-
steld waaronder in Helkijn alleen al 16 tot 18, concludeert Dubois in
2010 in *Het Nieuwsblad*. 'De Engelsen waren bloednerveus. Wie hen
ook maar een beetje verdacht leek, *pakten ze*. Zo stelden ze voorbeel-
den en krikten ze hun eigen moreel op.' En Julien Vervaecke? 'Hij had
het gewaagd te protesteren tegen het feit dat soldaten het meubilair
van zijn café aan de Rijselstraat op straat hadden gesleept om het te
gebruiken als barricade tegen de Duitsers. Een jaar later hebben ze zijn
lijk opgegraven in Roncq. Hij bleek gefusilleerd te zijn. Waarom? Vol-

gens iedereen die hem kende deed Vervaecke niet aan politiek, was hij geen spion en was hij al helemaal niet Duitsgezind.'

179 Jérôme Gilbert (broer van Philippe): Twitterkomiek

Jérôme Gilbert (°1984) torst, in tegenstelling tot zijn broer Philippe (°1982), niet de last van het kopmanschap, maar kent van de weerom-stuit de lust van miljoenencontracten niet. Geen FdJ, Lotto of BMC voor hem als kapitaalkrachtige werkgever, maar eerst het Algerijnse Geofco – Ville d'Alger met ploegmaats als de Est Carl Heinrich Pruun en de Algerijn Nabil Baz, en daarna Accent Jobs. Jérôme valt eigenlijk meer op door zijn tweets dan door zijn prestaties. 'PRET pour le RON-DE!!' vóór de recentste Ronde van Vlaanderen, bijvoorbeeld. Of later, tijdens de Ronde van Frankrijk: 'Le Tour de France est Froome-idable.'

180 Juraj Sagan (broer van Peter): YouTube-cameraman

Bij de amateurs wint Juraj (°1988) in 2009 nog de Slovaakse GP Boka waarin broer Peter (°1990) derde wordt. Bij de profs is het echter niet bepaald een groot geheim dat de oudste Sagan zijn contract bij eerst Liquigas en daarna Cannondale krijgt om superster Peter tevreden. Jurajs beste prestatie is wellicht die als cameraman voor het legenda-rische YouTube-filmpje waarin zijn broer zijn fiets op het dak van een Citroën parkeert. 'In Bratislava na een bostraining was dat,' vertelt hij het maar wat graag na. 'Komaan, neem je camera en film maar, zei Peter. Ik kon mijn ogen niet geloven. Maar achteraf bekeken was het een prima stunt want het filmpje werd intussen al meer dan een half miljoen keer bekeken en Citroën is een van Peters sponsors.' Juraj maakt de onderlinge krachtsverhoudingen helemaal duidelijk wan-neer hij eraan toevoegt: 'Ik zit zelf ook altijd op het puntje van mijn stoel om te zien wat hij uitspookt. Heerlijk!' Op het puntje van zijn stoel voor de televisie, want de punt van het zadel is helaas te hoog gegrepen.

En dan zijn er ook nog...

Francesco Fondriest (°1963): Broer van Maurizio (°1965, winnaar van o.a. het WK en Milaan-Sanremo). Wint in het jaar waarin zijn broer wereldkampioen wordt zijn eerste profkoers: het criterium van Scordia (Sicilië). Blijft nog tien jaar beroepsrenner, maar er komt slechts één zege bij: een rit in de Ruta del Sol. Gaat in het wielerzakenleven, Cicli Fondriest wordt een succes en Francesco geldt vandaag in eigen land als 'een toonbeeld van Italiaanse ondernemingszin.' * **Mauro Bartoli (°1975):** Broer van Michele (°1970, winnaar van o.a. de Ronde van Vlaanderen en twee keer Luik-Bastenaken-Luik). Mag met dank aan zijn broer in 1989 stage lopen bij diens ASICS-team. Zijn profloopbaan strandt op 15 augustus 2000 bij Amore e Vita. Stapt van de fiets en in de meubelmakerij van vader Giorgio. * **Gino Van Hooydonck (°1964):** Broer van Edwig (°1966, winnaar van o.a. twee keer de Ronde van Vlaanderen en vier keer de Brabantse Pijl). Volgt zijn broer van 1986 tot 1992 van bij Kwantum Hallen over Superconfex naar Buckler, met als persoonlijk hoogtepunt de zege in de Dr Tistaert Prijs in Zottegem editie 1989. Wanneer Edwig stopt met koersen wegens helemaal afgeknapt op de epocultuur in het peloton, fietst Gino nog een seizoen door bij La William met als sportdirecteur – o ironie, gezien de latere onthullingen rond Jan Ullrich – Rudy Pevenage.

Van Lomme Driessens tot de Belgische voetbalbond

De grootste bestuursblunders

Beerschotvoorzitter Patrick Vannoppen wil in februari 2012 een paarse grasmat laten leggen op het Kiel en doelpalen die langer nagalmen als de bal er tegenaan kletst: 'Ik denk aan de beleving in het stadion. Qua decibels en klank zorgt dat voor extra spektakel.' Een andere boekhoudkundige aanpak zou een beter idee geweest zijn want een jaar later, op 21 mei 2013, wordt zijn club failliet verklaard. Geluiden uit bestuurs- en andere bazenkringen die misschien beter binnenskamers waren gebleven...

181 Lomme Driessens (1969): Iedereen is er, behalve...

De eerste Tourzege van Eddy Merckx wordt gevierd met een banket, maar niemand heeft in de gaten dat er een belangrijke gast ontbreekt: Merckx zelf. Die is domweg achtergelaten door zijn sportdirecteur Lomme Driessens, die tijdens de huldigingsceremonie alvast vooruit gereden is met de ploegmaats. Gevolg: de Tourwinnaar staat, nog steeds in zijn koerskledij, ergens in Parijs. Moederziel alleen en hopeloos verdwaald. Hij kan zich bovendien met de beste wil van de wereld de naam niet herinneren van het hotel waar het banket plaatsvindt. Iets met 'Royal', maar helemaal zeker is Merckx niet. Een Tourofficial rijdt uiteindelijk met hem alle Parijse hotels af met 'Royal' in de naam. Pas na nog een uur zoeken is het bingo: het Hotel Pont Royal. 'Merci, hé!' snauwt Merckx Driessens toe.

182 FC Den Bosch (2013): In de val van de sjeiks

Bij de noodlijdende Nederlandse tweedeklasser FC Den Bosch – de club waar Ruud van Nistelrooij in 1993 aan zijn profcarrière begon – kunnen ze twintig jaar later hun lol niet op. Hebben ze in december 2013 toch wel niet een stel Arabische sjeiks op bezoek gehad, zeker? Die hun een onvoorstelbare zak geld voorhouden en de verzamelde bestuurders stellig verzekeren dat ze van Den Bosch een titelkandidaat op het hoogste niveau willen maken.

Klopt uiteraard niks van. De steenrijke Arabieren zijn in werkelijkheid vermomde journalisten van het roemruchte *PowNews*. Onwaarschijnlijk dat iemand daar nog intrapt sinds o.a. de toenmalige Engelse bondscoach Sven-Göran Eriksson in 2006 al op precies dezelfde manier voor schut werd gezet door persratten van wijlen het roddelvod *News of the World*. Die vroegen hem toen of hij geen club voor hen wist waarin zij wat miljarden kwijt konden en die hij wel zou willen trainen. Ja hoor, knikte Eriksson. Aston Villa, en hij suggereerde meteen ook maar dat hij ervoor kon zorgen dat zijn internationals Michael Owen, Wayne Rooney, Rio Ferdinand én David Beckham mee naar Villa zouden komen. En hebben ze bij Den Bosch verder ook geen seconde verder nagedacht toen de nep-sjeiks, naast nieuwe clubkleuren en een nieuwe trainer, aparte ingangen voor mannen en vrouwen eisten?

183 Nederlandse voetbalbond (1966): Snel vergeten, die schorsing...

In zijn tweede officiële interland, tegen Tsjecho-Slowakije, gaat het meteen al goed fout voor Johan Cruijff. Het supertalent kan het op zijn 19de al niet laten de scheidsrechter de levieten te lezen en hij grijpt hem even bij de arm. Cruijff mag meteen inrukken en wordt de eerste Nederlandse international ooit die van het veld wordt gestuurd.

De Nederlandse voetbalbond – dan nog een bastion van keurige heertjes met het bijhorende bekakte taaltje – schorst hem voor een jaar omdat hij zich 'in houding en gebaar heeft misdragen in de richting van de scheidsrechter, waarbij een klap was inbegrepen'. Klinkt integer, maar wanneer Oranje er zonder Cruijff niet veel van terecht-brengt, wordt die schorsing al snel weer opgeheven.

184 Newcastle United (2013): 'Koopt wat gij al hebt'

Joe Kinnear, technisch directeur van Premier League-club Newcastle United is in november 2013 behoorlijk gecharmeerd van Shane Fergu-son, de 22-jarige middenvelder van tweedeklasser Birmingham. Wan-neer hij informeert naar de transferprijs, wordt hij eerst getrakteerd op verbaasde blikken bij het Birminghambestuur en daarna op hoon-gelach in de pers. Ferguson wordt namelijk door Newcastle voor een seizoen verhuurd aan Birmingham. Kinnear was, met andere woorden, bereid tientallen miljoenen neer te tellen voor een speler die al onder contract stond bij zijn club.

185 Covenant (2009): Ontslagen wegens triomf

Micah Grimes wordt op 25 januari 2009 op staande voet ontslagen na-dat de wedstrijd Covenant – Dallas Academy op 100-0 is geëindigd. Grimes is nochtans de trainer van het winnende schoolbasketbalteam. Directeur Kyle Queal vindt echter dat het niet strookt met de christe-lijke normen en waarden van zijn onderwijsinstelling om een tegen-stander zo te vernederen. Hij dient ook nog een verzoek bij de bond in om de overwinning om te zetten in een forfait-nederlaag. Grimes blijkt ook aan het eind van het bizarre verhaal de snuggerste te zijn: 'Ik mag dan wel mijn job kwijt zijn, mijn integriteit heb ik nog altijd.'

186 Atlético Madrid (1992): Duurbetaalde besparing

Jesús Gil y Gil, burgemeester van Marbella en de excentrieke voorzit-ter van Atlético, heeft weer eens een van zijn malle ideetjes. Om kos-ten te besparen schrapt hij de jeugdopleiding. Een jonge voetballer kan niet anders dan met pijn in het hart zijn lievelingsclub verlaten en gratis overstappen naar stadsrivaal Real: Raùl.

187 NAC Breda (2009):
Onverwachte ongewenste intimiteit

Theo Mommers, directeur van de Nederlandse eersteklasser NAC, wordt in september 2009 aangesproken door een supporter. Of hij bereid is het clublogo te kussen? De fan in kwestie heeft namelijk gewed voor honderd biertjes dat hij de clubbons zo ver zou krijgen. Mommers stemt toe. De fan in kwestie trekt zijn broek uit, het logo staat op zijn achterwerk getatoeëerd.

188 Fulham en Chelsea (1905):
Veld zoekt club

De meeste voetbalclubs hebben in de pioniersjaren van het voetbal eerst een elftal, en moeten daarna op zoek naar een veld om op te spelen. De Londense zakenman Gus Mears ziet daar wel een lucratief handeltje in, en koopt de terreinen van een verkommerde atletiekvereniging. Hij ziet het zo al voor zich: Fulham Football Club kan er komen spelen, en hij zal er een vette huurprijs opstrijken. Alleen, bij Fulham vinden ze dat Mears net iets te veel vraagt, en daar zit hij dan met zijn lap grond. Even overweegt hij die aan de spoorwegen te verkopen, maar dan gaat er hem een licht op. Waarom zou hij niet gewoon zelf een club stichten? De terreinen heten de 'Stamford Bridge Athletics Ground', en de nieuwe club Chelsea.

189 RKC Waalwijk (2011):
Stadion-uitbreiding van de eeuw

De Nederlandse eersteklasser RKC uit Waalwijk meldt in oktober 2011 via een persbericht trots dat het zijn stadion gaat uitbreiden. De ereloge wordt vernieuwd en voortaan kunnen daar 36 mensen in, in plaats van 28. De totale capaciteit wordt aldus verhoogd van 7.500 naar 7.508 toeschouwers.

190 Voorzitter Wereldschaakbond (2011):
Remise met Kadhafi

Terwijl de bommen op Lybië vallen, speelt kolonel Kadhafi in juni 2011 voor de camera een partijtje schaak met Kirsan Iljoemtsjinov, de Russische voorzitter van de wereldschaakbond. Waarbij het nog maar de vraag is wie van beiden de grootste gek is, want Iljoemtsjinov beweerde ooit dat hij ontvoerd is geweest door buitenaardse wezens.

191 Marathon van Utrecht (2011):
Zwart en wit geld

De organisatoren van de Marathon van Utrecht zijn het een beetje beu dat er elk jaar weer een Keniaan of een Ethiopiër wint. Zij zouden het wel fijn vinden als er op 25 april eens een Nederlander op het podium stond. Ze willen dit een tikje in de hand werken door de drie snelste lopers een premie van 100 euro te beloven. De snelste drie Nederlanders krijgen echter respectievelijk 10.000, 8000 en 6000 euro. Lees: ze hopen dat de Afrikanen wegblijven wegens niks te verdienen.

192 FIFA (2012):
Lazarus naar Rio

De Nigeriaanse ref Auwalu Barau wordt op 27 januari 2012 door de wereldvoetbalbond FIFA op de lijst van 'internationale scheidsrechters' geplaatst. Hij komt bijgevolg in aanmerking voor het WK van 2014 in Brazilië. Vervelend detail: Barau is al sinds 4 december 2011 overleden.

193 UCI (2012):
Maar verder klopt alles

In de aanloop naar het WK veldrijden in Koksijde publiceert de internationale wielerunie UCI in zijn officiële maandblad editie januari 2012 een foto van Kevin Pauwels, in volle actie tijdens een cross in 2011 in het Spaanse Igorre. In het onderschrift is de voornaam fout: 'Kewin'.

Enne, de renner eigenlijk ook, want de man op de foto is niet Pauwels, maar een obscure Spanjaard die wordt gedubbeld door een Belg. Nee, nog steeds niet Pauwels, maar Niels Albert. Die in 2011 niet aan de start stond in Igorre. Het jaartal is bijgevolg óók fout.

194 Belgische Waterpolobond (2012): 0,6 seconden over te spelen

De wedstrijd tussen Kortrijk en Doornik eindigt op 1 april 2012 op 13-12. Na de match wordt het beslissende doelpunt echter afgekeurd. Uit amateurbeelden blijkt dat een uitgesloten speler van Kortrijk zich bij die goal achter het doel van Doornik bevond. Er is óók op te zien hoe hij op het moment van het schot dat doel hoger optilt uit het water, waardoor de bal er precies in past. Over naar de waterpolobond, die beslist dat het laatste Kortrijkse doelpunt alsnog wordt afgekeurd en dat Doornik een penalty krijgt. Beetje lastig, want de match is uiteraard lang en breed afgelopen. Maar geen nood, Doornik mag die strafworp nemen in de tijd die nog restte op het moment dat Kortrijk scoorde. Die moet namelijk overgespeeld worden. Welgeteld zes tienden van een seconde...

195 vv Leiden (2012): Stom kalf!

Het is intussen vaste prik bij geldinzamelacties van noodlijdende sportclubs: zet een koe op een in vakjes onderverdeeld voetbalveld en laat de aanwezigen gokken waar ze... Inderdaad. Het bestuur van de Nederlandse amateurclub vv Leiden lijkt het eind mei 2012 ook wel wat. De initiatiefnemers hebben echter niet in de gaten dat de koe die zij inhuren zwanger is. Het dier draait geen drol, het baart een kalf.

196 FC Twente (2012): Hogeschoolvoetbal

'Oeps foutje' in het Nederlands onderwijs. Een scholengroep uit de buurt van Enschede stuurt de ouders van haar leerlingen op 20 september 2012 een brief: fikse besparingen laten geen ruimte meer voor de bouw van nieuwe klaslokalen. Diezelfde scholengroep blijkt echter wel een loge te huren in het stadion van FC Twente a rato van 45.000 euro. Van de leerkrachten werd bovendien verwacht dat ze die in hun vrije tijd komen poetsen. Op zich al onfris genoeg, maar dan moet de verklaring van het schoolbestuur nog komen: 'We gebruiken die loge als vergaderlokaal, zodat we daarvoor geen andere ruimte hoeven te huren.' Het is dus, met andere woorden, een besparing.

197 FC Zwolle (2012):
Geen Timmer op de Timmertribune

Bij het Nederlandse FC Zwolle gieren de zenuwen de stewards door de keel in de slotfase van de voetbaljaargang 2011-12. Henk Timmer mag van hen het stadion niet in voor de kampioenswedstrijd. Wat bijzonder vreemd is aangezien Timmer (a) aanwezig is als analist voor de betaalzender die de wedstrijd live op het scherm brengt, (b) 11 seizoenen lang de vaste doelman van de club is geweest en (c) zich aanbiedt bij de ingang van een tribune die naar hem is vernoemd.

198 Belgische volleybalbond (2013):
Verboden te laten wassen

De Belgische volleybaldames stunten in september 2013 op het Europees Kampioenschap volleybal in Duitsland en Zwitserland. Na een sensationele zege op topland Italië in de groepsfase en een nipte nederlaag tegen Duitsland in de halve finale worden de Yellow Tigers derde na een overwinning tegen Servië in de kleine finale. Brons dus, en dat mag best beloond worden! Euh, met een dagvergoeding van 25 euro en een extraatje voor een avond uit. Het is echter iets heel anders dat de Belgische bond op onvoorziene kosten jaagt. Enkele meisjes hebben hun sportbeha laten wassen in het hotel, terwijl dat strikt verboden was. Aanvankelijk dreigt de bond ermee dat de speelsters zelf moeten opdraaien voor de kosten, maar uiteindelijk besluiten de nationale volleybalbonzen het astronomische bedrag van 180 euro toch maar zelf op te hoesten.

199 Belgische voetbalbond (2009):
Geste naar de supporters

De voetbalbond meldt op 19 mei 2009, de dag van de wedstrijd, vrolijk dat er nog tickets te koop zijn voor België-Bulgarije, de eerste interland van de Rode Duivels onder de dan nieuwe bondscoach Georges Leekens. Wie zich bij het bondsgebouw meldt, krijgt echter te horen dat enkel Bulgaarse supporters daar terecht kunnen. Belgische fans moeten zich melden bij een anderhalve kilometer verderop gelegen verkooppunt, helemaal aan de achterkant van het Koning Boudewijn-stadion. Een ticket kost er bovendien twee euro méér.

En dan zijn er ook nog...

In het Ecuadoriaanse voetbal toont **Liga de Quito** een filmpje waarin Adolf Hitler wordt voorgesteld als de nieuwe voorzitter van stadsrivaal Deportivo. Niet op het internet overigens, maar op het grote scherm in het stadion. * De Spaanse tweedeklasser **Recreativo de Huelva** presenteert in juli 2012 de met afstand lelijkste nieuwe uitshirts aller tijden: rood met witte bollen. * De voorzitter van de Maleisische club **Terengganu** verdenkt zijn keeper er in september 2012 van dat hij in de slag is gegaan met goksyndicaten, nadat hij in een duel om de Malasyia Cup een goal heeft toegestaan door de bal in eigen doel te slaan. Hij laat hem prompt aan een leugendetector leggen. Resultaat? Negatief. * Wanneer verdediger Grétar Steinsson (ex-AZ) in april 2012 zijn nieuw contract bij Premier League-club **Bolton Wanderers** voorgelegd krijgt, blijkt het te lopen tot 20014. Niet voor twee jaar maar voor 18 eeuwen wegens een 0 te veel, dus.

Van Athene 1896 tot Londen 2012

De sterkste Olympische zomerstunts

De eerste moderne Olympische Spelen, in 1896 in Athene, zijn een behoorlijk zootje. Er komen slechts 200 deelnemers opdagen, vooral Grieken. Het voetbal en het cricket worden geschrapt wegens gebrek aan belangstelling, roeien en zeilen kunnen dan weer niet doorgaan door het slechte weer, enzovoort. En dan is er ook nog die plaatselijke held die het eerste hoofdstuk schrijft in het blunderboek van de Spelen.

200 Athene 1896:
Op de fiets van een toeschouwer

Aristidis Konstantinidis wint op de allereerste editie van de moderne Spelen de Olympische wegrit. Het merkwaardige is niet dat hij volkomen uitgeput over de aankomstlijn zwijmelt, en zelfs niet dat hij onderweg twee keer zwaar tegen het wegdek is gesmakt. Wél dat zijn fiets daarbij finaal de geest heeft gegeven, en dat Konstantinidis is verder gepeddeld met een rijwiel dat hij van een toeschouwer aan de kant van de weg heeft geleend.

201 Parijs 1900:
Goud zonder het ooit te weten

De Amerikaanse Margaret Abbott wint het golftornooi bij de dames, maar zij heeft zelf nooit geweten dat zij Olympisch kampioene was.

Haar familie ontdekt dat pas in 1983, wanneer Margaret zelf al lang naar de eeuwige *greens* is afgereisd. Oorzaak van een en ander is dat de Spelen in Parijs in de grootste verwarring verlopen. De atletieknummers vinden in juli plaats in het Bois de Boulogne, het zwemmen een maand later in de Seine... Sommige competities moeten ook onderbroken worden omdat de stank van rottend fruit en groenten niet meer te harden is in de nasleep van een landbouwtentoonstelling in de buurt.

Die algehele chaos is echter niet de enige reden waarom Margaret Abbott nooit heeft geweten dat zij de allereerste Amerikaanse Olympische kampioene ooit was. Vrouwen mogen in Parijs wel voor het eerst meedoen aan de Spelen, maar alleen in sporten die de organisatoren voor hen geschikt achten. En dat zijn er welgeteld twee: tennis en golf. Bovendien geven ze daar zo weinig mogelijk ruchtbaarheid aan omdat de paus dat absoluut niet ziet zitten. Bij de mannen staan er intussen nogal wat merkwaardige sporttakken, nou ja, op het programma. Schieten op levende duiven bijvoorbeeld, waarin onze landgenoot Léon de Lunden het haalt met 21 voltreffers.

202 Saint-Louis 1904: Op cognac en strychnine

Lang voor er nog maar gedacht wordt aan *whereabouts* en meer van die pretbedervers voor sporters die de kluit willen belazeren met verboden middelen, wint de Amerikaan Thomas Hicks voor eigen publiek de marathon. Met dank aan een aantal kompanen die langs het parcours hebben postgevat om hem op tijd en stond een dosis cognac en strychnine aan te reiken. En dan lukt het hem zelfs bijna nog niet, want het is zijn landgenoot Fred Lorz die als eerste het stadion bereikt. Alleen, Lorz' probleem is dan weer dat hij in werkelijkheid na een kilometertje of 20 heeft opgegeven met krampen. Een vriendelijke chauffeur heeft hem een lift aangeboden, maar onderweg krijgen ze autopech. Lorz is dan alsnog naar het stadion gelopen, komt er als eerste aan en wordt tot winnaar uitgeroepen. Hij houdt wijselijk zijn mond, maar wordt na de medaille-uitreiking toch ontmaskerd.

203 Londen 1908:
De valse marathon

'De Olympische marathon is even lang als de afstand die een bood-schapper in de Griekse Oudheid aflegde van Marathon naar Athene, na een overwinning van de Grieken op de Perzen.' Zo willen de sport-handboeken het, maar het is niet het enige dat niet helemaal of zelfs helemaal niet klopt. De afstand tussen Marathon en Athene bedraagt namelijk minder dan 40 kilometer. Vandaar dat de eerste marathon-wedstrijden over 39 kilometer gaan. Tijdens de Spelen in Londen wordt de afstand verlengd tot 41 km 947 m. Het startschot moest zonodig gegeven worden onder het balkon van een zaal in Windsor Castle, waar op dat ogenblik net een verjaardagsfeestje bezig is voor een koninklijk nichtje. De koninklijke familie een lol doen, vonden de organisatoren best leuk. Alleen, bij de gebruikelijke afstand zou de finish dan een heel eind van de koninklijke box in het Olympisch Stadion liggen. Daarom werd de streep dan ook maar een eind verderop getrokken, zodat de koninklijke familie haar uitstekende plek bij de aankomst behield.

204 Stockholm 1912:
De kamp van elf uur

De Amerikaan Ralph Craig wint zowel de 100 als de 200 meter, waarbij vooral de finale van dat eerste sprintnummer het onthouden waard is. Er gaan maar liefst zeven valse starts vooraf aan zijn zege en bij een ervan heeft Craig de volledige afstand gelopen, voor hij in de gaten krijgt dat hij zich voor niks heeft uitgesloofd.

Al even raar, maar net zo waar: de deelnemers aan het speerwerpen moeten eerst met hun rechterarm werpen en daarna met de linker. Een wat vreemde kronkel van de organisatoren, die geobsedeerd zijn door het evenwichtsprincipe van de Zweedse gymnastiek. In Stockholm wordt ook de langste ononderbroken wedstrijd in de Olympische geschiedenis genoteerd. In de halve finale van het Grieks-Romeins worstelen verslaat de Rus Martin Klein de Fin Alfred Asikainen na een kamp van elf (11!) uur onder een blakende zon. Klein is vervolgens zo uitgeput dat hij forfait moet geven voor de finale.

205 Antwerpen 1920:
Goud voor een 72-jarige

Oscar Swahn is 72 wanneer hij zilver wint met het Zweedse team. Hij wordt daarmee tot vandaag de oudste medaillewinnaar aller tijden en het had nóg sterker gekund. Vier jaar later is Swahn namelijk opnieuw geselecteerd, deze keer voor de tweede editie van de Spelen in Parijs. Hij is echter te ziek om af te reizen, en mist zo wellicht een nieuwe medaille in zijn sporttak: schieten op levende en rennende herten.

206 Amsterdam 1928:
Goud op één been

Olivér Halassy wint zilver met het Hongaarse waterpoloteam, en op de daaropvolgende Spelen van Los Angeles (1932) en Berlijn (1936) zelfs goud. Wat best opmerkelijk is, want op zijn 11de is Halassy in Boedapest overreden door een tram, waarna zijn linkervoet en een stuk van zijn linkerbeen moesten worden geamputeerd.

Hoe zit het intussen met de pauselijke ban op deelnemende dames? In Amsterdam mogen vrouwen voor het eerst aantreden in atletieknummers, ondanks het krachtige protest van paus Pius IX, die het allemaal maar zedenverwildering vindt. Het Olympisch Comité zwicht echter voor het ultimatum van een aantal atletes, die gedreigd hebben met het organiseren van alternatieve Spelen voor vrouwen.

207 Los Angeles 1932:
Sorry, winnende worp gemist...

In het discuswerpen werpt de Fransman Jules Noël zijn discus het verst van alle deelnemers. Goud, dus? Euh, nee. Geen enkele official heeft namelijk gezien waar zijn discus precies is neergekomen omdat ze op dat ogenblik met zijn allen de razend spannende ontknoping in het polsstokspringen aan het volgen zijn. Bij wijze van goedmaker mag Noël een extra worp wagen. Hij komt helaas niet meer in de buurt van zijn onopgemerkte poging, en hij mist brons op 12 centimeter na. Wat een pech... Of nee, wacht even. Winnaar wordt John Anderson. Een

Amerikaan, en waar worden de Spelen nu ook weer georganiseerd? Precies, ja.

208 Berlijn 1936:
Twee mannen bij de vrouwen

De Duitse Dora Ratjen wordt vierde in het hoogspringen, en voor de Pools-Amerikaanse Stella Walsh – ook bekend onder haar Poolse naam Stanislawa Walasiewicz – is er zilver op de 100 meter. Beide dames zijn behoorlijke mannetjesputters. Letterlijk. Dora Ratjen geeft dertig jaar later toe dat zij eigenlijk een man is en Herman Ratjen heet. De *Hitler Jugend* zou haar, naar eigen zeggen, gedwongen hebben zich in te schrijven als vrouw. Stella Walsh komt 44 jaar na de Spelen van Berlijn om bij een gewapende overval, en de autopsie brengt aan het licht dat ook zij een man was. Terwijl een blik op foto's uit 1936 in beide gevallen al had kunnen volstaan, maar goed. Later werd een geslachtstest verplicht voor iedereen die aan de Spelen deelneemt. Slechts één atlete mocht die sindsdien aan zich laten voorbijgaan: de Britse prinses Anne, die in 1976 in Montréal voor haar land uitkwam in de paardensport.

209 Helsinki 1952:
Help, mijn vader verdrinkt!

De Fransman Jean Boiteux wint de 400 meter vrije slag voor de ogen van zijn toekijkende vader. Pa Boiteux is zo blij met de zege van zijn zoon dat hij in het zwembad springt. Hij is echter uit het oog verloren dat hij niet kan zwemmen, en moet door zijn nog nahijgende zoon van de verdrinkingsdood gered worden.

210 Melbourne 1956:
Jouw speer of de mijne?

'Waarom ook niet?' moet speerwerper Viktor Tsiboelenko gedacht hebben, toen hij zijn speer even leende aan Egil Danielson. De Sovjet-rus staat op een zucht van zilver en misschien wel van goud, terwijl de

Noor als zesde zo goed als kansloos is. Danielson werpt er een nieuw wereldrecord mee, Tsiboelenko moet tevreden zijn met brons.

211 Rome 1960:
De Schone Slaper

Wim Esajas, de allereerste Olympische atleet ooit namens Suriname, is ingeschreven voor de 800 meter. Wanneer hij zich in de namiddag aandient bij de Olympische piste, blijken de reeksen echter 's ochtends al plaatsgevonden te hebben. Esajas is gediskwalificeerd wegens niet komen opdagen, en moet terug naar huis. Het begin van een sport-mythe maar toch ook wel van een schrijnend verhaal. Het gerucht dat Esajas zich zou verslapen hebben, gaat een eigen leven leiden en hij krijgt de bijnaam *De Schone Slaper*. Zelf ontkent hij het bij hoog en bij laag, en hij bezweert dat hem is gezegd dat er in de namiddag gelopen zou worden. In april 2005, bijna een halve eeuw later, blijkt dat zijn versie van de feiten al die tijd ten onrechte is weggelachen. Er wordt namelijk een document teruggevonden waarin de Surinaamse delega-tieleider van toen schrijft dat hij 'Esajas ervan op de hoogte heeft ge-bracht dat de reeksen verplaatst zijn van de ochtend naar de namid-dag.' Foutje, dus. Esajas wordt in ere hersteld. Nog net op tijd want amper twee weken later overlijdt hij.

212 Montréal 1976:
Hoezo, geraakt?

Boris Onishenko blinkt namens de Sovjet-Unie uit in het onderdeel schermen van de moderne vijfkamp. Logisch, zo blijkt al snel, want hij heeft een en ander aangepast aan de elektronische punt van zijn wa-pen. Die geeft treffers aan, terwijl hij zijn tegenstander helemaal niet heeft geraakt.

213 Seoel 1988:
Boksen buiten de ring

Byun Jong-il, de Zuid-Koreaanse en bijgevolg plaatselijke favoriet in het boksen bij de bantamgewichten, staat in de halve finale tegenover de Bulgaar Hristov. Het wordt een regelrechte slachtpartij, waarbij de Nieuw-Zeelandse scheidsrechter de Bulgaar tot winnaar uitroept. Byuns begeleiders zijn daar behoorlijk misnoegd over, en klimmen in de ring met de duidelijke bedoeling de referee in elkaar te slaan. Die wordt door veiligheidsagenten de zaal uit geleid. Buiten het gezichtsveld van de camera timmeren ze hem alsnog in elkaar... En Byun Jong-il? Die bevindt zich op dat ogenblik nog steeds in de ring. Hij blijft, bij wijze van stil protest, zestien minuten lang pal in het midden zitten.

214 Athene 2004:
De deelname van twee seconden

De Zuid-Koreaanse zwemmer Park Tae-Hwan heeft zich als 14-jarige gekwalificeerd voor de 400 meter vrije slag. Wanneer hij klaar staat op zijn startblok, verliest hij het evenwicht en hij kukelt het zwembad in. Valse start, en na pakweg een paar seconden in het water zitten zijn Spelen er al op. Een van de zovele hilarische exotische flatervogels in de Olympische geschiedenis? Allerminst. Vier jaar later wint Park in Peking goud op diezelfde 400 meter vrije slag, en op de 200 meter moet hij alleen fenomeen Michael Phelps laten voorgaan.

215 Peking 2008:
Het strenge dopingbeleid

In de aanloop naar de Nationale Spelen in Jinang en in het kielzog van de Olympische Spelen van een jaar eerder, stellen de Chinese sportoverheden in april 2009 hun antidopingprogramma voor. Alle kandidaat-deelnemers aan de atletieknummers moeten vooraf een dopinghandboek van de federatie instuderen dat hen – en wij citeren – 'waarschuwt voor de potentiële gevaren van verboden middelen'. Daarna is er een schriftelijk examen met multiplechoicevragen. Teams waarvan

40% of meer van de atleten niet geslaagd zijn, worden uitgesloten van deelname. Er wordt – niet echt verrassend – nooit iets vernomen over eventuele positieve gevallen.

216 Londen 2012:
400 meter met een gebroken been

De Qatarese Noor Hussain al-Malki start in de reeksen van de 100 meter atletiek in een aerodynamisch pak dat alleen haar handen en haar gezicht vrijlaat. Ze schiet uit de startblokken, grijpt naar haar dijbeen en na twee seconden zijn de Spelen voor haar alweer voorbij. Ze wordt met een spierscheur afgevoerd in een rolstoel. Slappe hap, moet de Amerikaanse 4 x 400 meterloper Manteo Mitchell denken. Hij loopt zijn race namelijk uit met een gebroken kuitbeen: 'Na 100 meter voelde ik iets raars, na 200 meter voelde ik mijn been breken.'

En dan zijn er ook nog...

Parijs 1900: Tussen 1900 en 1924 staat het rugby vier keer op het Olympisch programma. Elk team dat zich inschrijft, wint een medaille want er zijn nooit meer dan drie deelnemende landen. * **Saint-Louis 1904:** Op deze Spelen staan ook 'anthropologische disciplines' op het programma. Competities waarin 'etnische minderheden' in traditionele klederdracht deelnemen aan sporttakken als schieten met een primitieve boog en boomklimmen. * **Seoel 1988:** Eduard Paululum, de eerste Olympiër ooit uit Vanuatu, blijkt bij de weging voor zijn eerste bokskamp bij de bantamgewichten 500 gram te zwaar te zijn, en mag terug naar zijn archipel in de Stille Zuidzee zonder zijn bokshandschoenen te hebben aangetrokken.

Van de eerste titelmatch tot de grootste zege

De meest memorabele duels tussen Anderlecht en Club Brugge

Er zijn inderdaad ook Standard en Racing Genk, en de voorbije decennia denderden RWDM, Lierse en Beveren wel eens als een hond door het kampioenenkegelspel. Maar Anderlecht-Club Brugge en vice versa blijft toch de enige echte Clásico in het Belgisch voetbal. De meest memorabele edities op een rij.

217 Anderlecht – Club Brugge 1-1 (8 april 1973): Eindelijk kampioen, maar ook bijna failliet

Ja, het is lang wachten voor de Club-supporters op een nieuwe titel na die van 2005, maar in vergelijking met het begin van het seizoen 1972-73 valt dat eigenlijk heel goed mee. Het vorige en tot dan toe enige Brugse kampioenschap dateert dan al van 1920. Maar vier speeldagen voor het einde kan Club dan toch weer kampioen worden. Eindelijk, na vijf tweede plaatsen in de voorbije zes seizoenen. Op het veld van Anderlecht bovendien, dat samen met Standard al decennia de plak zwaait in onze competitie. Het moét eigenlijk ook, want het Brugse bestuur heeft zwaar geïnvesteerd in de komst van Ulrik Le Fèvre (Borussia Mönchengladbach), Johan Devrindt (PSV) en Ruud Geels (Go Ahead Eagles). Vorig seizoen is Nico Rijnders (Ajax) er al bij gehaald en met Henk Houwaart loopt er al enkele jaren een al evenmin goedkope buitenlander bij. Een zware last met zware gevolgen, maar daarover straks meer.

Als Standard niet wint tegen KV Mechelen heeft Club genoeg aan een punt in het Astridpark voor de titel. 'De wedstrijd was vrij behoorlijk,' noteert de voetbalpaus van *Het Volk*, Bob Deps. 'Hij werd trouwens zo spontaan opgeluisterd door de Brugse Spionkop dat het bij momenten veel meer een operette leek dan wel een heet duel voor de punten. Hoewel er hard wel gespeeld.' Hard genoeg voor twee strafschoppen: Raoul Lambert zorgt voor de 0-1, Jan (vader van Gert) Verheyen maakt gelijk voor Anderlecht. En dan is het wachten op Standard. Nee, het is de Rouches niet gelukt, de kloof met Club is niet meer te dichten, Brugge kampioen! 'Eens het resultaat van Standard bekend,' vervolgt Deps, 'was het sein gegeven voor een terugkeer in het veld en een ereronde. De trompettist van dienst blies zelfs een denderende Brabançonne voor de nieuwe kampioen en achteraf, op de autosnelweg, werd het een triomftocht van blauw-zwart dat vandaag Brussel veroverde. Anderlecht aarzelde nochtans niet om zijn feestvierende gasten achteraf champagne aan te bieden. *A volonté!*'

De zware investeringen in dure spelers van met name clubbeheerder, manager én boekhouder Jozef Hutsebaut hebben dan toch gerendeerd. Klopt, maar op onrustwekkend korte termijn, zo blijkt. De kloof is groot binnen de spelersgroep, met aan de ene kant volksjongens als Raoul Lambert en Johny Thio, die letterlijk met de fiets naar de training komen, en aan de andere kant de buitenlandse grootverdieners met een peperdure villa aan zee van de club. '*De Miljonairs van Knokke*,' worden ze genoemd, en al snel blijkt dat zij eigenlijk te prijzig zijn voor de Brugse kas. Het Nederlandse *Voetbal International* vraagt zich af hoe dit allemaal kan, en ontdekt dat er op De Klokke bizarre dingen gebeuren met ziektekosten, kinderbijslag en dergelijke meer. Meer zelfs, de boekhouding schetst een beeld van een club op de rand van het bankroet. Jozef Hutsebaut ontkent eerst nog dat er een tekort is van 80 miljoen frank (2 miljoen euro), maar al snel wordt duidelijk dat er wel degelijk een financieel drama dreigt. Op 5 februari 1974 biedt Hutsebaut zijn ontslag aan. Officieel omdat zijn werk voor Club niet langer te verenigen is met zijn drukke beroepswerkzaamheden. Het wordt zonder veel discussie aanvaard door het bestuur en wijlen burgemeester Michel Van Maele moet Club van de ondergang redden.

218 Club Brugge – Anderlecht 4-3 (12 juni 1977): De grote Bekerfinale met nog grotere gevolgen

Er schijnt een heerlijk zondagszonnetje op de bomvolle Heizel en de wedstrijd is ook rechtstreeks op tv te volgen. Hoogst uitzonderlijk voor een finale van de Beker van België in die tijd, maar beide clubs hebben een geste gedaan. 'Ze hebben er geen enkele vergoeding voor gevraagd,' glundert BRT-commentator Rik De Saedeleer. 'Brugge en Anderlecht beschouwen deze wedstrijd als propaganda voor het voetbal.' Een intentie die beide ploegen ook meer dan waar maken op het veld. Aanvallend voetbal, veel goals, dramatische kantelmomenten... De beste Bekerfinale aller tijden, eigenlijk.

Anderlecht, met Raymond Goethals op de bank, neemt een vliegende start. 1-0 via Arie Haan na amper drie minuten en op het kwartier 2-0 met een goal van *Swat* Vander Elst, de match lijkt al gespeeld. In de 26ste minuut brengt Raoul Lambert Club terug tot 2-1, maar wanneer Ludo Coeck er nog vóór het halfuur 3-1 van maakt, ziet het er al voor de tweede keer naar uit dat de winnaar bekend is. Nauwelijks vijf minuten later wordt het echter 3-2, een goal van de afscheidnemende Ulrik Le Fèvre, en na de rust is het moment gekomen van een van de meest iconische aanvallers in de blauw-zwarte geschiedenis: de Engelse spits Roger Davies. Hij maakt zich onsterfelijk in deze geweldige finale, maar ligt ook aan de basis van een conflict dat op korte en lange termijn het gezicht en het succes van Club Brugge zal bepalen.

Even terug naar de transferperiode in de aanloop naar het seizoen. Na het vertrek van Roger Van Gool naar FC Keulen heeft Club-trainer Ernst Happel snelheid in de aanval nodig. De enige die nog in de diepte kan worden gestuurd is oude krijger Raoul Lambert, 32 intussen en blessuregevoeliger dan ooit. Hoewel hem voor de zomer al gevraagd is mee uit te kijken naar een aanvaller, beweegt Happel niet. Een paar bestuursleden schieten dan maar zelf in actie. In het BBC-programma *Match of the Day* hebben ze gezien dat Roger Davies het wel aardig doet bij Derby County. Trekken en sleuren, met afgezakte kousen alles en iedereen tackelen en desnoods een betonblok wegkoppen voor een aanstormende trein, een echte Engelse midvoor. Alleen, bepaald snel is Davies niet en zijn kennismaking met Happel is ontnuchterend:

'*Was kan ich mit zo'n lang stuk ellende anfangen? Muss basketball spielen.*' Happels reactie is niet alleen gebaseerd op Davies' gebreken, het zit hem vooral hoog dat het bestuur een speler heeft aangetrokken zonder dat hij daar zijn zegen over heeft gegeven. De kiem van een cruciaal conflict is gezaaid.

Happel laat Davies nauwelijks of niet aan een wedstrijd beginnen, maar toch verovert de Engelsman langzaam maar zeker zijn plaats in het team en in het hart van de supporters. Op de achtergrond escaleren de spanningen tussen Happel en het bestuur steeds verder. Begin maart leidt het tot crisisoverleg waarop nieuwe afspraken worden gemaakt. Voortaan krijgt de trainer inspraak in alle transfers en in alle *spelersaangelegenheden*. Het eerste wat Happel doet met die nieuwe bevoegdheid, is Davies een forse boete geven voor een rode kaart op RWDM en de bijbehorende schorsing. De daaropvolgende wedstrijd tegen Anderlecht is het begin van het einde. Midden april wint Club de topper met 2-0. Het bouwt zijn voorsprong uit tot zes punten en is virtueel kampioen, maar in de catacomben heerst geen feestelijke stemming. Na het laatste fluitsignaal stormt Happel rechtstreeks van het veld naar de parking, en hij weigert elk commentaar. Het incident wakkert het wantrouwen aan bij het Brugse bestuur. Wil Happel een breuk forceren? Real Madrid, AC Milan en Feyenoord worden al genoemd als nieuwe werkgever.

Twee speeldagen voor het einde, op 2 mei, wint Club Brugge met 3-0 van Beringen en is het ook mathematisch zeker van de titel. Roger Davies sluit de competitie af met 14 goals. In de Beker van België heeft hij er al drie gemaakt, maar daar kunnen er nog bij komen in de Bekerfinale. We pikken de draad weer op bij de 3-2 voorsprong van Anderlecht. Op het uur stuurt LeFèvre Davies diep, die gaat alleen op doelman Jan Ruiter af, maakt een draai om zijn as en lobt de bal in doel: 3-3! Vlak voor tijd slaat hij nog een keer toe met een caramboledoelpunt: 3-4 en Club wint alsnog de Beker! Davies zit in de Heizelkleedkamer uitgebreid na te genieten. 'Ik ben zó tevreden dat we gewonnen hebben. *Mister* Happel had het ons nadrukkelijk gevraagd, en ik ben blij dat ik de man ben die hem de zege heeft geschonken.' Maar of Happel daar zelf zo blij mee is? 'Roger Davies heeft zich vandaag van zijn beste kant laten zien,' geeft hij toe, maar: 'Ik hoop dat er tijdens de komende dagen een belangrijke transfer wordt afgerond: Jan Ceulemans. Ik wil dat hij komt, koste wat het kost.'

Ceulemans komt echter (nog) niet, en Happel gebruikt Roger Davies als breekijzer in wat nu een ware machtsstrijd is geworden met het bestuur. Opnieuw stapelen de incidenten zich op. Happel verwijst Davies zelfs naar de B-kern: 'Voor mij mag hij definitief terug naar Engeland, maar ik weiger daar zelf ook maar iets voor te doen. Het bestuur heeft hem naar hier gehaald, het moet nu dus maar zijn verantwoordelijkheid nemen.' Hem is beloofd, zegt Happel nog, dat hij een échte manager naast zich zou krijgen, met wie hij dan de transfers zou regelen, want: 'Met amateurs kan ik niet samenwerken.' Happel noemt geen namen, maar het sportieve beleid valt onder directeur Antoine Vanhove.

De laatste blauw-zwarte goal van Roger Davies is een zielig treffertje met de invallers tegen La Louvière, en de *Held van de Heizel* verlaat Club in de winter voor Leicester City. Probleem opgelost? Toch niet. Wederzijdse verwijten bliksemen maandenlang over en weer en het is een mirakel dat Club in zo'n sfeer toch opnieuw kampioen wordt en de finale van Europcup I haalt, die op Wembley slechts nipt verloren wordt tegen Liverpool (1-0). Het gooit geen olie op de blauw-zwarte golven. Integendeel, Happel provoceert opnieuw. Hij neemt er zonder overleg een bijbaantje bij als supervisor van het Nederlands elftal. Oranje moet zich nog plaatsen voor het WK in Argentinië in een poule met België. Een wel heel bizarre situatie is het gevolg: door de week is Happel trainer van de Brugse Rode Duivels, en in het weekend neemt hij het tegen hen op in cruciale interlands. Zowel de Belgische Voetbalbond als het Club-bestuur vinden het maar niks, maar gesteund door zijn sportief succes blijft Happel zijn gang gaan. Hij schakelt met Nederland de Rode Duivels uit en reist met Oranje naar het WK in Argentinië. Vóór het vertrek naar Zuid-Amerika is hij opnieuw *vergeten* hierover afspraken te maken met het Brugse bestuur. Zijn vijanden schuiven de troefkaart in hun mouw, en ze kan er al snel weer uit. In de voorbereiding op het nieuwe seizoen krijgt Happel het aan de stok met o.a. René Vandereycken en Georges Leekens, in de competitie zwemt Club lange tijd in de onderste helft van de rangschikking, en in september wordt het al Europees uitgeschakeld door het Poolse Wisla Krakau.

De messen worden geslepen maar Happel houdt de regie van zijn onvermijdelijke afscheid in eigen hand. Eerst leidt hij Club nog naar de vierde plaats, vervolgens gaat Anderlecht met 3-0 over de knie, en een week na de topper belt hij zelf alle bestuursleden op, behalve Vanhove: 'Ik neem ontslag.' Sfinx als hij is verrast Happel vriend en vijand door niet over te stappen naar een buitenlandse topclub, maar te kiezen voor een *interim* bij tweedeklasser Racing Harelbeke. Hij gaat zelfs eerst nog bij Standard langs vóór hij HSV tussen 1981 en 1987 naar o.a. twee Bundesligatitels en één Europacup 1-zege leidt. Antoine Vanhove wordt tot in lengte van jaren de sportieve baas bij Club, en lont in het kruitvat Roger Davies sluit zijn carrière af in de Amerikaanse competitie. Daarna gaat de *Held van de Heizel* aan de slag bij de prestigieuze autobouwer Rolls Royce.

219 Club Brugge – Anderlecht 2-2 (6 mei 1986): De snel vergeten onvergetelijke apotheose

Bij Club Brugge zijn ze er helemaal klaar voor. Naast Olympia, zoals Jan Breydel dan nog heet, is een circustent opgetrokken voor het grote kampioenenfeest. Na de Bekerzege van een paar dagen eerder tegen Cercle, lijkt de dubbel binnen. Club staat 2-0 voor tegen Anderlecht, goals van Jean-Pierre Papin en Willy Wellens, het moet volstaan na de 1-1 in Brussel. Sleep alvast maar wat extra champagne aan! Hoewel...

In een zinderend laatste halfuur maakt René Vandereycken de aansluitingstreffer en in de 75ste minuut scoort Stéphane Demol zelfs de 2-2. In het resterende kwartier ranselt Jacky Munaron alles uit zijn doel. 'Ik had zo'n dag waarop alles lukte,' blikt de Anderlechtkeeper erop terug. 'Die avond in Brugge wist ik niet wat stress was.' Olympia leeft toch weer even op wanneer Vandereycken rood krijgt. 'René was een ruziestoker,' zegt toenmalig Club-trainer Henk Houwaart er later over. 'Bij het verlaten van het veld stak hij een hand in een denkbeeldige binnenzak, maakte het typische gebaar met de vingers, alsof hij wilde zeggen dat de arbiter *uitgekocht* was. Dat heeft de laatste tien minuten compleet verpest. Roepen en tieren, iedereen dreef op emotie, het voetbal was weg.' Er vallen inderdaad geen doelpunten meer en de titel gaat toch nog naar Anderlecht. Een zinderende apotheose om in te lijsten, maar al snel spreekt niemand er nog over. De spelers van Anderlecht en Club vertrekken namelijk met de Rode Duivels op hoogtestage naar het Zwitserse Ovronnaz als voorbereiding op *Mexico 86*, en dat verhaal kent u intussen.

220 Anderlecht – Club Brugge 0-3 (24 september 1993): De hattrick van De Lorre

Op 23 oktober 2013 krijgt Zlatan Ibrahimović de handen spontaan op elkaar in het Astridpark met het derde van zijn vier doelpunten voor PSG in het Champions League-duel tegen Anderlecht. Bijna exact tien jaar eerder zijn de paars-witte supporters een stuk minder mild bij een andere hattrick. 45ste minuut: 0-1, Lorenzo Staelens, 51ste minuut: strafschop en 0-2, Lorenzo Staelens, 65ste minuut: 0-3, Lorenzo Staelens... Drie goals geïncasseerd in twintig minuten. Van een speler van Club Brugge bovendien, het is stevig balen als je hart bij Anderlecht ligt. 0-3, de grootste thuisnederlaag ooit tegen de rivaal bij uitstek...

Het lijkt voor Staelens een stevige opstap richting Gouden Schoen. Het roddelvod *Blik* kleeft zijn gezicht alvast met schaar en lijm op een staatsieportret-met-trofee van Franky Van der Elst uit 1990 onder de titel 'SUPERLORRE!'. *De Lorre* wordt echter pas tweede, na – inderdaad... – Anderlechtmiddenvelder Pär Zetterberg. Het daaropvolgende jaar kan het echter niet misgaan. Niemand anders dan Lorenzo Staelens wint de Gouden Schoen 1994, daar is iedereen het vooraf over eens. Hij wordt pas achtste, beent woedend de zaal uit en zweert dat ze hem nooit meer zien op het gala. Gilles De Bilde (Eendracht Aalst) wint, houdt Club Brugge in de transfermolen maandenlang aan het lijntje en kiest voor Anderlecht. In 1999 moet Staelens in allerijl met een helikopter ingevlogen worden, want de Gouden Schoen is eindelijk voor hem. *De Lorre* speelt dan echter zelf ook al bij – inderdaad – Anderlecht.

221 Club Brugge – Anderlecht 2-1 (2002): De rode kaarten van De Bleeckere

Een bijzonder goeie editie wordt het niet, met als *Man van de Match* de enige die dat eigenlijk in geen enkele wedstrijd mag zijn: de scheidsrechter. 'Club Brugge heeft, met de hulp van Frank De Bleeckere, Anderlecht verslagen met 2-1,' klinkt het bitter op de paars-witte supportersfora en een handvol hooligans trekt zelfs naar het huis van De Bleeckere om er een ruit in te gooien.

Hoe zat het nu ook weer precies? 33ste minuut: Birger *Bicky* Maertens trapt na op Nenand Jestrović en krijgt een van zijn drie rode kaarten op rij, 45ste minuut: Bertrand Crasson brengt Anderlecht 0-1 voor, 50ste en 51ste minuut: tweede keer geel voor Glen De Boeck en Jestrović, en verder met tien tegen negen, 63ste minuut: Olivier De Cock brengt Club Brugge langszij en 76ste min: Philippe Clement scoort de beslissende 2-1. De wedstrijd ontaardt nu helemaal, met een elleboogstoot van Marc Hendrikx en een paar stevige uithalen met de vuist van Betrand Crasson, die na afloop zegt: 'Het mocht toch, het was een boksmatch.' 'De Bleeckere stak zijn Brugge-voorkeur niet onder stoelen of banken,' klinkt het ook bij paars-wit. 'Heel Anderlecht voelt zich bekocht!' Het zal iedereen bij blauw-zwart worst wezen, al dan niet met mosterd of ketchup.

222 Club Brugge – Anderlecht 4-0 (22 september 2013): De grootste thuiszege/uitnederlaag

Zowel in 1926 als in 1970 heeft Club ook thuis met 4-0 gewonnen van Anderlecht, maar wie weet dat nog in 2013? En vooral: wie kan het wat schelen op deze zondag waarop de hemel blauw-zwart kleurt boven Jan Breydel? Met kersvers trainer Michel Preud'homme nog op de tribune vreet een wervelend Brugge paars-wit helemaal op met goals van Timmy Simons, twee keer Maxime Lestienne en de net aangekomen Nigeriaan Kehinde Fatai.

Geweldige revanche voor interim-coach Philippe Clément, die in november 2012 nog stilletjes zat te sterven op de bank toen Anderlecht Club wegborstelde, waarover zo meteen meer. Leuk ook voor verloren

zoon Tom De Sutter, die in de zomer naar Brugge is teruggekeerd van
bij Anderlecht. En Vadis Odjidja (ook ex-Anderlecht) betrekt er de
twaalfde man bij: 'Omdat het tegen Anderlecht was, reageerden de
fans helemaal anders. De positieve sfeer die we ook al vóór de match
voelden, heeft zich op het veld vertaald.' En bij Anderlecht? 'Dit is de
zwartste dag sinds ik hier trainer ben,' zucht coach John van den Brom.
    Het geldt voor iedereen met een paars-wit hart, maar de Ander-
lecht-supporters hebben ook zo hun euforische dagen gehad. Zowel op
10 september 1977, als op 17 september 1983 en op 11 november 2012
spat het Constant Vanden Stockstadion haast uit elkaar van vreugde
na 6-1 overwinningen tegen Club Brugge. De namen van de doelpun-
tenmakers lezen als de geschiedenis van een halve eeuw paars-wit top-
voetbal: Ludo Coeck (2), Rob Rensenbrink (2), *Swat* Van der Elst, Benny
Nielsen, Frank Arnesen (2), Frankie Vercauteren (2), Michel De Groote,
Erwin Vandenbergh, Massimo Bruno, Dieumerci Mbokani, Milan
Jovanović, Sacha Kljestan, Lucas Biglia en Dennis Praet. De maandag
na de recentste 6-1 is Anderlecht-manager Herman Van Holsbeeck te
gast in *Extra Time*. Wat hij na de match gezegd heeft tegen Club-voor-
zitter Bart Verhaeghe en manager Vincent Mannaert, wil Frank Raes
graag weten. 'Ja, wat zeg je tegen iemand die juist met 6-1 *op zijn doos
heeft gehad*? "Drinkt iets en *courage*".'
    6-1 is overigens geen record. In het seizoen 1946-47 hangt er aan
het einde 7-1 in de manshoge houten letters van toen op het bord.
Anderlecht wordt dat jaar voor het eerst kampioen, de RFC *Brugeois* –
zoals Club Brugge dan nog heet – eindigt als laatste en degradeert.

En dan zijn er ook nog...

Anderlecht – Club Brugge 4-1 (26 mei 1976): Nooit eerder vertoond
en ongetwijfeld ook nooit meer opnieuw te beleven: een halve finale in
de Beker van België tussen twee Europese finalisten. Anderlecht wint
de Beker voor Bekerwinnaars tegen West Ham (4-2), Club Brugge komt
in de finale van de UEFA Cup net te kort voor een tweede Belgische
Europacupzege in één seizoen: 3-2 uit en 1-1 thuis tegen Liverpool. *
Anderlecht – Club Brugge 2-0 (22 mei 1994): Het enige duel ooit tussen de twee erfvijanden op het veld van Standard. Omwille van het

gelijknamige drama is de Heizel nog verboden terrein voor de Beker-finale. Het vaste alternatief, het Anderlechtstadion, zien ze bij Club uiteraard niet zitten. Vandaar dat er wordt uitgeweken naar het veld van de derde traditionele topclub. * **Anderlecht – Club Brugge 1-1 (6 mei 2012)**: Algemene verbijstering in het Astridpark. Club Brugge leidt in de 93ste minuut met 0-1 (goal: Carlos Bacca) en lijkt alsnog op weg om paars-wit van de titel te houden. Dieumerci Mbokani gaat nog één keer wanhopig in duel met Michael Almebäck. Strafschop, oordeelt scheidsrechter Alexandre Boucault. Guillaume Gillet achter de bal, 1-1, en Anderlecht is kampioen.

Van Diego Maradona tot Carlo Ancelotti

De gekste trainerscapriolen

De Italiaan Sergio Brio neemt in 2004 afscheid als trainer van Bergen met een ereronde na een 0-9 nederlaag tegen Club Brugge, Nederlands meest eigenzinnige coach Co Adriaanse laat zijn spelers bij AZ bij wijze van straftraining een uur lang zoeken naar paaseieren die er helemaal niet blijken te liggen en bij Ajax stuurt hij doelman Bogdan Lobont voor een dag als telefonist naar de receptie nadat diens gsm heeft gerinkeld tijdens een tactische bespreking... Voetbaltrainers? Vreemd volkje, soms!

223 Diego Maradona (Argentinië): De sigaar van God

Diego Maradona steekt op 11 januari 2009 een sigaar op in zijn suite in het Edwardian Radisson Hotel in Manchester. Als Argentijns bondscoach wil hij er later op de dag Carlos Tévez scouten bij United in de topper tegen Chelsea. De *Hand van God* strijkt de lucifer af om zeven uur 's ochtends en prompt gaat het brandalarm af. Knap vervelend voor de spelers van Chelsea, die in datzelfde hotel op afzondering zijn. De hele tent wordt geëvacueerd en Frank Lampard, John Terry, Didier Drogba en co staan in nachtkledij te bibberen op het voetpad. Chelsea verliest de wedstrijd later op de dag met 3-0, en Tévez blijft 90 minuten op de bank bij United. Maradona had, met andere woorden, net zo goed thuis kunnen blijven.

224 Paolo di Canio (Sunderland): Het zangverbod

Eind augustus 2013 vindt de Italiaanse manager van Sunderland, met wie als speler vroeger zelf geen land te bezeilen viel, dat het allemaal best wel wat strikter mag in zijn spelersgroep. Geen telefoons meer in de kleedkamer, verordonneert di Canio, geen ketchup, mayonaise, frisdrank of koffie meer op tafel en het is voortaan ook verboden... te zingen onder de douche. Dit gaat volgens de excentrieke Italiaan namelijk ten koste van de concentratie. Exact één maand later wordt hij uitgespuugd door zijn spelersgroep en ontslagen door het bestuur omdat Sunderland nog steeds stijf onderaan staat in de Premier League.

225 Dennis van Wijk (SV Roeselare): De bizarre assistent

Bij het in degradatienood verkerende SV Roeselare staat in februari 2009 een wel heel vreemde snuiter voor de groep. Trainer Dirk Geeraerd is vervangen door Dennis van Wijk, maar echt beter gaat het voorlopig niet en het regent boze telefoontjes bij de club. Een van de bellers maakt de nieuwe coach met de grond gelijk, niet wetend dat het toevallig Van Wijk zelf is die de hoorn heeft opgenomen: 'Weet u wat? Kom morgen zelf maar de training leiden.'

Het wordt helemaal lachen wanneer de man in kwestie zich inderdaad meldt en Van Wijk effectief woord houdt. Hij stelt hem voor aan de spelersgroep en gaat aan de kant staan toekijken. Na wat ongemakkelijk geschuif en knullige oefeningetjes is de lol er snel af, en de nieuwbakken trainer druipt af. 'Nog kandidaten?' vraagt Van Wijk aan de andere supporters. Niet meteen en de Nederlander houdt Roeselare uiteindelijk in Eerste Klasse via de Eindronde.

226 Felix Magath (Bayern München): De nachtwacht

Trainingen op een onzindelijk ochtendlijk uur? Het is intussen al niets bijzonders meer. Laszlo Bölöni deed het in 2009 bij Standard na een

1-1 gelijkspel bij Cercle Brugge, in Nederland liet TOP Oss-trainer Hans
de Koning in 2006 zijn voltallige selectie tot half drie 's nachts natrai-
nen na een 4-0 nederlaag tegen Stormvogels Telstar, en Albert Cartier
flikte het zowel bij AFC Tubize als bij KAS Eupen. Beide clubs degra-
deerden prompt opnieuw naar Tweede Klasse. Bij Tubize haalde de
Fransman een tweede keer de wereldpers met zijn wel heel aparte bij-
sturing tijdens de rust van de Bekerwedstrijd tegen Moeskroen. 0-3
achter, dat moet beter na de koffie, brult Cartier zijn spelers toe, niet
in de kleedkamer maar in de middencirkel en in de vrieskou, terwijl het
hele stadion meekijkt en luistert.

Niemand kan echter tippen aan Felix Magath. De hele voetbalwereld kent de Duitser intussen als een kiezelharde coach en in oktober
2005 doet hij zijn reputatie alle eer aan bij Bayern München. Wanneer
zijn team in het Duitse bekertornooi met 1-0 verliest bij Erzgebirge
Aue, spat Magath haast uit elkaar van razernij. Na de wedstrijd krijgen
zijn spelers om halfvier 's nachts een uiterst pittige straftraining voor
de kiezen. Wanneer Hasan Salihamidžić onder Magaths bewind bij
Bayern *out* is met een gebroken arm moet hij tóch meedoen aan de
teamsessie push-ups: 'Met één arm gaat ook!'

Het zijn lang niet de enige opmerkelijke capriolen van 'de laatste
dictator van Europa', zoals zijn spelersgroep hem stiekem noemt. Zo
wordt Magath er bij Wolfsburg uitgeknikkerd net vóór hij zijn plan kan
uitvoeren om Shaolin-monniken in te zetten tijdens de training. Hij
heeft zich dan al nog minder populair gemaakt bij zijn spelers door hen
de dag na een 0-3 thuisnederlaag tegen Bayern eerst helemaal af te
beulen met een loodzware bosloop, om daarna voor hun ogen de klaar-
staande flessen water om te kieperen. 'Een pedagogische maatregel,'
noemt hij dat.

227 Valère Billen (Dessel Sport):
Het slot op de deur

Zijn team gaat in het seizoen 2008-09 thuis met 0-3 onderuit tegen
Verviers na een volgens Billen lamlendige vertoning. De ex-trainer van
KV Mechelen, Sint-Truiden en Lokeren gooit de deur van de kleedka-
mer in het slot om ze pas anderhalf uur later weer te openen. Zo moe-

ten ze zich wel bezinnen over hun wanprestatie, vindt hij. Of ze dat dan ook gedaan hebben is nog maar de vraag. Dessel Sport sluit het seizoen in Derde Klasse B af als 13de. Het daaropvolgende jaar mist de club zónder Billen op een haar na de promotie naar Tweede.

228 Serse Cosmi (US Palermo): De pittige opwarming

Een indrukwekkend succesparcours in de lagere reeksen met AC Arezzo, Europees voetbal gehaald met Perugia, Genoa na tien jaar eindelijk weer naar de Serie A geleid... Geen twijfel mogelijk, vindt het bestuur van US Palermo op 3 maart 2011, Serse Cosmi is dé man om de net ontslagen Delio Rossi op te volgen en de Sicilaanse eersteklasser uit de problemen te halen. Het is wel even slikken wanneer hij bij zijn aanstelling het geheim van zijn succes toelicht: 'Op weg naar het stadion laat ik mijn spelers altijd erotische films zien op de teambus. Een porno-prent kan voor een goeie stemming zorgen, en ik moet mijn spelers wakker zien te krijgen.' Palermo zet in elk geval een sterke inhaalrace in, sluit het seizoen af als achtste en mag naar de voorronde van de Europa League.

229 Sándor Popovics (Verbroedering Geel): De doe-het-zelver

Halverwege het seizoen 1999-2000 wordt de Hongaar, samen met een handvol voetballers uit zijn vaderland, in allerijl ingevlogen om het onverwacht gepromoveerde Verbroedering Geel in Eerste Klasse te houden. Popovics heeft een verleden als trainer bij Waregem en een hele rist Nederlandse clubs (NEC, De Graafschap, Cambuur, Excelsior...) en in zijn jongere jaren als speler bij Újpest FC en Sparta. Net dat laatste breekt de intussen 60-jarige coach zuur op. Op training wil hij zijn spelers tonen hoe je een op het eerste gezicht verloren bal alsnog binnen de lijnen kunt houden met een omhaal. Popovics scheurt zowat elke spier en pees in zijn lichaam, verontschuldigt zich met een uitgestreken gezicht bij zijn spelers, hinkt naar de kleedkamers en zet het daar op een godsallemachtig schreeuwen van de pijn. Omhaal of niet, Geel degradeert en keert nooit meer terug in de hoogste afdeling.

230 Steve Cain (Nieuw-Zeeland): De foute foto

De coach van de Nieuw-Zeelandse nationale ploeg voor min 17-jarigen, wordt op 19 april 2011 ontslagen door de Nieuw-Zeelandse voetbalbond. Het klassieke verhaal van tegenvallende prestaties, uitgewerkte chemie en meer van die dooddoeners? Nee. Cain heeft een foto van zijn intieme delen opgestuurd naar de moeder van een van zijn spelers. 'Ik deed het na een paar biertjes te veel,' is zijn niet echt overtuigend pleidooi.

231 Gertjan Verbeek (AZ): De tactvolle vertaling

In september 2011 krijgt AZ-trainer Gertjan Verbeek op de vooravond van de Europa League-wedstrijd uit bij het Oekraïense Metalist Kharkiv, op de persconferentie de volgende vraag van een plaatselijke journalist: 'Hoe komt het dat Nederlandse clubs nooit meer een Europabeker winnen?' 'Omdat wij geen zwart geld hebben,' antwoordt Verbeek. Wat door de tolk, na een gênante stilte, vertaald wordt als: 'Omdat wij minder geld hebben.'

232 Pál Csernai (Antwerp): De spits op weduwschap

Csernai is snoeihard voor zijn spelers. Hij loopt bijvoorbeeld de avond voor elke wedstrijd langs in een aantal Antwerpse cafés, en als de in het voormalige Oostblok geknede Hongaar er een van hen aantreft, dan wordt die kordaat huiswaarts gestuurd. Alles moet wijken voor de match, zelfs de huwelijksnacht van spits Roger Van Gool. Die trouwt op vrijdag 7 november 1971 en de dag nadien speelt Antwerp voor de Beker tegen Daring. Zonder Van Gool? 'Nee,' stelt Csernai. 'Ik zal persoonlijk in de gaten houden of Roger wel voldoende nachtrust krijgt. Hij heeft me uitgenodigd voor het avondfeest, en dat laat me toe erover te waken dat hij om tien uur gaat slapen, terwijl zijn bruid verder feest.' Van Gool speelt de hele wedstrijd mee en Antwerp wint met 2-1, maar veel splijtende acties laat hij niet zien.

233 Nebil Cimen (SC Lemele):
De truc met de tweelingbroer

Cimen, oud-speler van het Nederlandse Heracles, maakt in januari 2013 een uitstekende indruk op het bestuur van amateurclub SC Lemele: 'Díe moeten we hebben als nieuwe trainer!' Nadat hij is voorgesteld aan pers en spelersgroep blijkt echter dat hij zijn tweelingbroer het sollicitatiegesprek heeft laten voeren. Cimen wordt prompt ontslagen.

234 Pierre Sinibaldi (Anderlecht):
De telemetrische voorbereiding

Sensatie, tijdens de voorbereiding op het seizoen 1970-71. Anderlecht-trainer Pierre Sinibaldi kiest namelijk voor een revolutionaire, wetenschappelijke aanpak tijdens een vierdaagse stage in het Zeepreventorium in De Haan. De spelers moeten er een hindernissenparcours afleggen. 'Tijdens deze oefeningen dragen zij om beurt een zender op de rug,' stelt *Het Nieuwsblad* in opperste verbazing vast, 'die volgens het systeem van de telemetrie alle bij de spelers opgenomen gegevens overmaakt aan een toestel dat de reacties van het bloedvatenstelsel optekent.' Standard wordt kampioen, vóór Club Brugge en dan pas komt Anderlecht aangesukkeld.

235 Fritz Korbach (Ajax):
De verkeerde timing

De op 14 augustus 2011 overleden trainer werkt, op één seizoen bij het Indonesische PSM Makassar na, zijn hele carrière in Nederland waar hij zich ontpopt als een van de kleurrijkste coaches aller tijden. FC Twente, FC Utrecht, Heerenveen, Go Ahead Eagles, Sparta... Noem een club en Fritz Korbach is er tussen 1968 en 2007 wel eens langsgekomen. Behalve bij de traditionele top-3: PSV, Feyenoord en Ajax. Dat laatste had nochtans gekund, maar Korbach verknalt het. Hij is trainer van PEC Zwolle wanneer de voorzitter van die club een akkoord heeft met Ajax. Maar de altijd even vrolijke als grofgebekte Korbach loopt de bestuurskamer binnen en vraagt luidkeels: 'Zo, wanneer begint het neuken hier?' De belangstelling van Ajax is prompt van de baan.

236 Aad de Mos (PSV):
De truc met de midvoor

Na zijn Belgische jaren bij KV Mechelen en Anderlecht begint De Mos bij PSV aan het seizoen 1993-94. 'Ik ben een garantie voor succes,' is zijn binnenkomer. *Mwa,* valt wel mee – of beter: tegen – want Feyenoord wordt kampioen en Ajax wint de Beker. Dat moet beter in het volgende seizoen met spelers als Jan Wouters, Frank Arnesen, Ronald Waterreus, Boudewijn Zenden en vooral nieuwkomers Luc Nilis en Ronaldo. Niet dus, en De Mos graaft ironisch genoeg zijn eigen graf met een van zijn tactische slimmigheidjes waar hij zo graag over opsnijdt.

Het gebeurt allemaal in het dubbele UEFA Cup-duel met Bayer Leverkusen. De pion op het schaakbord is Erik Meijer (ex-Antwerp). Een bonkige midvoor van de oude school die zelfs een opgegooide kassei in doel zou proberen te koppen, maar met het duo Nilis-Ronaldo voorin is Meijer gedoemd tot de rol van bankzitter annex breekijzer. Tot de heenwedstrijd in Duitsland waarin De Mos hem, tot ieders verbijstering, opstelt als... linksachter. Het wordt een debacle. Na een kwartier staat het al 3-1 voor Leverkusen, maar dankzij een paar briljante ingevingen van Ronaldo blijft de schade alsnog beperkt tot 5-4. Oef, één keer scoren in de terugwedstrijd en Meijer vooral nóóit meer opstellen als verdediger! In Eindhoven blijft het echter 0-0. Een kleine maand later pakt goochelaar De Mos voor de topper thuis tegen Ajax opnieuw uit met zijn wit konijn Meijer. In een complexere variant, bovendien. Voor de aftrap laat hij iedereen in de waan dat Meijer op de bank zal zitten, om hem vervolgens toch op te stellen. Resultaat: 0-3 na een kwartier, en een 1-4 blamage na 90 minuten. Wanneer PSV ook zijn volgende wedstrijd verliest (2-1 uit bij Willem II) is het voorbij voor De Mos in Eindhoven. Erik Meijer ruilt PSV in 1995 voor het Duitse KFC Uerdingen en speelt er zo sterk dat hij het via – o ironie – Bayer Leverkusen tot bij het grote Liverpool schopt. Voor de goede orde: als midvoor, niet als linksback.

237 Daudi Kajembe (Sparki Youth): De grijpgrage handjes

Een wedstrijd in de Keniase voetbalcompetitie loopt in september 2012 danig uit de hand, en dat krijgt in april 2013 een bizar staartje. Scheidsrechter Martin Wekesa sleept dan namelijk de trainer van een van de betrokken clubs, Daudi Kajembe van Sparki Youth, voor de rechtbank wegens blijvende schade van wel heel vervelende aard. In het gewoel bij de bestorming van het veld zou Kajembe hem flink bij zijn edele delen gehad hebben. Letterlijk. In die mate zelfs dat Wekesa er impotent van geworden is. 'Mijn echtgenote en ik leefden vroeger als man en vrouw, en nu niet meer,' pleit de ongelukkige scheidsrechter, die het incident als volgt terughaalt: 'Nadat ik een van de spelers van Sparki Youth een rode kaart had gegeven, stormde hun trainer op me af. Hij greep mijn testikels en kneep er vervolgens keihard in. Ik probeerde me los te wringen, maar hij liet me niet los en ik sleepte hem met me mee.'

238 Rik Pauwels (SK Beveren): De fatale rekenfout

Rik Pauwels is een levende legende bij SK Beveren en heel België leert hem kennen als de assistent van trainer Robert Goethals tijdens de Europese campagne 1978-79. Het kleine Beveren schakelde toen in de Beker voor Bekerwinnaars het grote Inter Milaan uit. Op eigen benen staan als hoofdtrainer is echter een heel ander verhaal voor de man met ook nog een dagtaak als technisch tekenaar bij General Motors in Antwerpen.

In 1984 krijgt hij zijn grote kans. Beveren speelt als regerend landskampioen in Europacup I en schakelt in de eerste ronde ÍA Akranes uit. In de volgende ronde wacht IFK Göteborg. In Zweden heeft Beveren met 1-0 verloren en na 90 minuten staat op 7 november 1984 diezelfde stand op het bord op de Freethiel. Verlengingen dus, en in het eerste extra kwartier scoort Stefan Pettersson (later bij Ajax) voor Göteborg en Patrick Gorez op strafschop voor Beveren. 2-1 en bij die tussenstand gaan de Zweden door naar de kwartfinale. Over de twee wedstrijden heen staat het wel 2-2, maar het buitenshuis gescoorde doelpunt van Göteborg geeft de doorslag, dat weet het kleinste kind. Niemand begrijpt dan ook waarom Beveren in de tweede verlenging geen enkele moeite doet om de broodnoodzakelijke derde goal te maken. Geen extra aanvaller op het veld, niks... Göteborg houdt dan ook makkelijk stand en gaat door naar de volgende ronde. De Zweden vallen elkaar juichend in de armen, de spelers van Beveren stormen op de scheidsrechter af om luidkeels te protesteren. Hoezo? De verslaggevers ter plaatse begrepen er tijdens de tweede verlenging aanvankelijk niks van, maar plots was het hen duidelijk geworden. Het zal toch niet waar zijn?

'In de rust van de verlenging had Rik Pauwels ons op het hart gedrukt geen onnodige risico's meer te nemen,' haalt toenmalig Beverendoelman Filip De Wilde de bizarre avond terug. 'Hij wilde liever gokken op strafschoppen dan het risico te nemen een tegendoelpunt te incasseren. De scheidsrechter begreep niet *wat iedereen kwam doen*. Daarna was er woede, verbijstering en tenslotte was er schaamte. Hoe hadden we zo stom kunnen zijn?' 'We' zijnde in de eerste plaats Rik Pauwels. Hij was ervan uitgegaan dat 2-1 volstond voor strafschoppen. Volgens het toenmalige reglement van de Beker van België wel, maar Europees uiteraard niet. Tot het Pauwels te laat begon te dagen. 'Ik heb geblunderd,' geeft hij toe en hij gaat zich uitgebreid verontschuldigen bij zijn spelers. En toch is de 'we' van Filip De Wilde op zijn plaats, want tot op vandaag blijft het natuurlijk wel de vraag waarom niemand de dolende trainer op tijd heeft gecorrigeerd.

239 Kevin Keegan (Engeland): Het live-ontslag

7 oktober 2000, de laatste wedstrijd op het oude Wembley met zijn twee mythische torens, een WK-kwalificatie-interland tussen Engeland en Duitsland. Dietmar Hamann scoort het enige doelpunt en de Engelsen verliezen met 0-1. Een historische wedstrijd, maar niet bepaald een zinderende klassieker. Ware het niet dat Kevin Keegan van de traditionele interviews na de match gebruikmaakt om live zijn ontslag aan te bieden als bondscoach van Engeland.

240 Carlo Ancelotti (Chelsea):
De warme melk van oma

In november 2009 waart de Mexicaanse griep door Europa en de club-
artsen van Anderlecht en Club Brugge enten hun spelers ertegen in op
de vooravond van hun Europabekertrip. Chelsea-coach Carlo Ancelotti
weet echter beter. Hij is er volkomen gerust op: hoe hevig de pandemie
ook raast, hij is zelf volstrekt veilig voor het virus dankzij een wonder-
middel. Het gaat om – en wij citeren – 'warme melk met rode wijn van
mijn grootmoeder'. De baas van de Russische supportersfederatie
gooit het over een nog opmerkelijker boeg met zijn advies aan de fans
die voor een interland van de nationale ploeg naar Wales afreizen:
'Drink veel whisky, het is een goed desinfecterend middel tegen Mexicaanse griep.'

En dan zijn er ook nog...

Het WK voor vrouwen (2011): De Japanse bondscoach motiveert zijn
team met beelden van de recente aardbevingen en tsunami. Japan
wordt prompt verrassend wereldkampioen. * **Manchester United
(2009):** United wint de *Carling Cup* door Tottenham Hotspur in de finale te verslaan met de strafschoppen. Voor de beslissende penalty van
Tottenham heeft United-doelman Ben Foster van zijn keeperstrainer
iets in de handen gestopt gekregen. Foster keek er even naar, ging terug op zijn doellijn staan en stopte de strafschop. Het blijkt na afloop
om een iPod te gaan, waarop alle strafschoppen van Tottenham-spe-
lers in eerdere wedstrijden verzameld staan. * **FC Utrecht (2010):** Trainer Ton du Chatinier ontkent in alle toonaarden dat zijn spelers, onder
wie onze landgenoten Jan Wuytens, Kevin Vandenbergh en Dries
Mertens, een straftraining hebben gekregen. Op dat eigenste moment
meldt spits Ricky van Wolfswinkel via Twitter: 'Straftraining gehad na
wanprestatie.' * **Olympiakos (2013):** Eind januari houdt de Portugees
Leonardo Jardim het zelf voor bekeken als coach van de Griekse topclub. Hij verdwijnt zelfs als een dief in de nacht, want voorzitter Evan-
gelos Marinakos is erachter gekomen dat zijn trainer een relatie heeft
met zijn vrouw.

Van de Giro tot de Arctic Race of Norway

De meest bizarre Rondefratsen

23 juli 2000. De Nederlandse spurtbom Jeroen Blijlevens begint plots in te beuken op Bobby Julich. De Nederlandse spurter vindt dat de Amerikaan hem onderweg gehinderd heeft en slaat er met de blote vuist op los, op de Champs-Elysées na de aankomst van de slotrit van de Tour. Die is, met andere woorden, eindelijk helemaal voorbij maar Blijlevens wordt alsnog uit de Tour gezet. Een greep uit de merkwaardigste Rondemomenten, van die van Frankrijk tot die van Kameroen.

241 Giro 2009: De koersk(l)ak

Carlos Sastre wint de zestiende rit, tussen Pergola en Monte Petrano (Cagli). Kevin Seeldraeyers wordt knap twintigste in deze bergetappe. De beloftevolle Belgische klimmer is toch ontevreden, want het had beter gekund: 'Ik had last van diarree vandaag, en ik moest twee keer het bos in. Toen ik een derde keer *moest*, ging het veel te snel in het peloton. Dus zat er maar één ding op: me laten afzakken naar de volgwagen, truitje uit en broek naar beneden. En dan kakken in een *koersklakske*, dat ze onder mij hielden. Comfortabel is anders.'

242 Tour 2009:
De gênante wegvergissing

De bus met de renners van het Garmin-team komt in Cap d'Agde ei zo na te laat aan de start van de vijfde etappe. De chauffeur – met aan boord onder anderen spurter Tyler Farrar – heeft de weg niet goed gevonden. Knap gênant, want Garmin is een producent van gps-toestellen en andere navigatiesystemen.

243 Ronde van Kameroen 2010:
Staking in het peloton

Op 23 februari 2010 besluit driekwart van het peloton niet te starten voor de volgende etappe in de Ronde van Kameroen omdat de betaling van de winstpremies uitblijft. Het gaat om achttien van de in totaal vierentwintig deelnemers, en de volgende rit moet worden geannuleerd omdat de zes resterende renners het ook even niet meer zien zitten.

244 Tour 2010:
Knokken na de aankomst

Mark Cavendish wint op 9 juli in Guegnon de zesde etappe, maar het meest opmerkelijke spektakel speelt zich achterin het peloton af en na de aankomst. Plots brengt de Franse televisie twee renners in beeld die het niet met elkaar eens zijn. Wat heet, de Spaanse Quick.Step-renner Carlos Barredo en Rui Costa beuken met de blote vuist op elkaar in, waarna de Spanjaard de latere Portugese wereldkampioen van 2013 te lijf gaat met het voorwiel van zijn fiets, nooit gezien! Wat is er in 's hemelsnaam gebeurd om beide heren zo ver over de rooie te drijven? Volgens Barredo was het al hommeles twintig kilometer voor de streep: 'Hij duwde me met zijn elleboog ei zo na van de weg af! Het is een wonder dat ik niet zwaar gevallen ben.' Rui Costa zou dat manoeuver opgezet hebben om zijn ploegmaat bij Caisse d'Epargne en sprinter José Joaquín Rojas naar voren te kunnen brengen.

'Niks van!' reageert Rui Costa. 'Zoiets doe ik niet. Nu niet, nooit

niet! Naar het einde van de etappe toe was iedereen er inderdaad mee
bezig zo goed mogelijk positie te kiezen voor de spurt. Ik deed rustig
aan, zoals altijd, toen Barredo me plots links voorbijstak en me bijna
van de fiets reed. Ik riep hem toe dat hij moest uitkijken waar hij reed,
want het was niet de eerste keer dat hij me zoiets flikte. Dat beviel
Carlos blijkbaar niet, hij beledigde me en gaf me een vuistslag op mijn
linkerbeen. Na de aankomst kwam hij luid roepend mijn richting uit.
Ik probeerde hem uit de weg te gaan, maar later kwam hij me achterna
met een wiel in zijn handen. Wat er daarna gebeurde, hebben jullie
kunnen zien.'

De volgende ochtend volgen de obligate verontschuldigingen. Rui
Costa: 'Gisteren nog, toen we in de ploegbussen zaten, belde Carlos
mijn teamgenoot Rojas, die de telefoon doorgaf. Hij vroeg me het hem
niet kwalijk te nemen en gaf toe dat hij in de fout was gegaan. Ik deed
hetzelfde en alles is nu vergeten. Ik vraag iedereen me mijn reactie te
vergeven, maar de wielerliefhebbers moeten begrijpen dat het moeilijk is om niet te reageren en gewoon te blijven staan als je geslagen
wordt. Ik heb alleen maar mezelf verdedigd.' Ook Barredo buigt dee-
moedig het hoofd in mooi geformuleerde persberichtzinnen: 'Ik wil
alle wielerfans om vergiffenis vragen om mijn zielige vechtpartij. Er is
geen excuus voor mijn gedrag. Ik heb al met Rui Costa gesproken en
het boek is hierbij dicht. Zulke dingen gebeuren nu eenmaal tijdens de
wedstrijd, met alle spanning en stress.'

245 Giro & Tour 2011:
Verkeersovertredingen met gevolgen

Faustino Muñoz, mecanicien van Alberto Contador, wordt door de
wedstrijdjury uit de Ronde van Italië gezet. Tijdens de klimtijdrit heeft
hij gezien hoe een toeschouwer aan de kant van de weg Contador een
klap wilde geven. Waarop Muñoz in het voorbijrijden met de ploegwagen een zijdeur opende in de hoop de wielerhooligan neer te maai-
en. Hij miste, maar desalniettemin: *arrivederci Giro!* Een maand later
wordt Contador zelf bij een verkenning van de Galibier met het oog op
de Tour tegengehouden én teruggestuurd door de Franse politie wegens het rijden zonder licht in een tunnel.

246 Ronde van Wallonië 2011:
De gedenkwaardige achtervolging

Na een valpartij blijft Gorik Gardeyn wat verweesd achter. Pijn gedaan, maar dat valt nog wel mee. Veel erger is dat zijn ploegwagen nergens meer te bespeuren is. De teamleiding gaat er namelijk van uit dat de Vacansoleilrenner vast wel naar het ziekenhuis zal worden afgevoerd, en is vertrokken met zijn fiets op het dak. Opgave Gardeyn, bijgevolg? Nee, hoor. Hij leent een fiets van een toeschouwer, haalt de aankomst en krijgt daar de Prijs voor de Strijdlust. 'Te voet was het een beetje te ver tot aan de finish,' zegt hij aan de interviewer van de RTBf.

247 Giro 2012:
Het curieuze aanvalsplan

Luca Scinto, ploegbaas bij Vini Farnese, stormt op 21 mei de kamer binnen van zijn renner Pierpaolo di Negri en gilt: 'Vandaag ga jij aanvallen! Ik wil je in de eerste kilometer al zien aanvallen!' Beetje vreemd, want het is een rustdag.

248 Ronde van Zwitserland 2012:
De wraak op de bospoepers

Een ploegwagen van een niet nader genoemd team komt op 12 juni in Aarberg aan de start van de vierde rit met vreemde bruine vlekken op het koetswerk. Blijkt het gevolg te zijn van het feit dat het toilet in de ploegbus het niet deed, waarop een aantal renners dan maar een bos was ingedoken. De eigenaar daarvan had het echter zien gebeuren, nam een schop en stoomde met het *bewijsmateriaal* richting start, waar hij het tegen een volgwagen van de ploeg in kwestie smeerde.

249 Tour 2012:
Papier hier!

Sep Vanmarcke, eerder op het seizoen nog verrassend winnaar van de Omloop Het Nieuwsblad, heeft in de derde etappe last van maag- en darmklachten: 'Na 50 km was het niet meer te houden. Ik stapte af, zette mijn fiets tegen de gevel van een restaurant en vroeg de bazin waar het toilet was. Daarna haastte ik me weer op weg, maar de groene vlag *(die het einde van de karavaan aangeeft. GDV)* was al voorbij en ik kwam tussen het verkeer terecht.' Vanmarcke sluit toch terug aan bij het peloton, maar: 'Op elke lichte helling moest ik lossen en ik moest ook nog eens stoppen bij een wc op een parking.' Hij vertelt het aan de aankomst, waar hij naar zijn achterzak grijpt en er toiletpapier uithaalt.

250 Ronde van Wallonië 2013: Eerst in het ziekenhuis, dan pas uit de koers

Sander Armée (27) van Topsport Vlaanderen komt zwaar ten val. Hij sleept zich alsnog naar eerst de aankomst en daarna naar het ziekenhuis waar een hersenschudding, een gebroken schouderblad en een breuk aan een nekwervel worden vastgesteld. De wedstrijdjury beslist hem uit de koers te zetten omdat hij zich tijdens zijn lijdensweg richting streep even heeft vastgehouden aan de klink van de volgwagen van zijn ploeg.

251 Arctic Race of Norway 2013: Verse vis!

In de aanloop naar de eerste editie van deze rittenkoers in het uitzonderlijk hoge noorden legt ex-wereldkampioen en thuisrijder Thor Hushovd uit dat zijn landgenoten er bijzonder veel zin in hebben: 'Het is anders dan bij jullie in België bij de Flandriens. Hier zijn de mensen er vooral trots op dat ze zo'n sportevenement mogen ontvangen. Ze hangen vlaggen uit en tonen hun grootste vis wanneer het peloton voorbijrijdt.'

En dan zijn er ook nog...

Ronde van Californië 2009: Lance Armstrong gaat tegen de vlakte bij het ontwijken van een motor met een fotografe achterop. Het gaat om

Liz Kreuz, die beelden maakt voor zijn eigen *Livestrong*-stichting. *
Tour 2009: Relatiegeschenk van het gemeentebestuur van aankomstplaats Bourg Saint-Maurice aan alle Tour-volgers: een *Flower Power*,
zijnde een vibrator in de vorm van een margriet. * **Tour 2009:** Op bezoek in de Tour groet Johan Cruijff de renner met 'zijn' nummer 14,
Matthew Lloyd. Reactie van de Australiër van Silence-Lotto: 'Wie was
die vent eigenlijk?' * **Ronde van Turkije 2011:** Een van de busjes die de
journalisten op 28 april naar de aankomst brengt in de etappe van de
dag stopt bij een tankstation. De chauffeur en de reporters gaan binnen een ijsje kopen. Een halfuur later valt het busje stil aan de kant van
de weg. Vergeten te tanken.

Van seks op de middenstip tot wildpoepen

De opmerkelijkste ontslagen

Eden Hazard wordt in november 2013 door José Mourinho aan de kant geschoven bij Chelsea wegens te laat terug na een trip naar Rijsel. Michy Batshuayi en Ibrahima Cissé (Standard) die in maart van datzelfde jaar uit de Beloftenselectie worden gezet nadat er meisjes het spelershotel zijn binnengesmokkeld? Maxime Lestienne die eind september voor een halfjaar wordt geschorst voor de Rode Duivels, nadat hij met een vriendin op de kamer is betrapt bij diezelfde Beloften? Klein bier allemaal, in vergelijking met deze heren die zelfs enfants terribles als Joey Barton en uiteraard Mario Balotelli overvleugelen...

252 Dino Drpić (Dinamo Zagreb): Vrijen in het stadion

In februari 2009 wil de Kroatische verdediger en international Dino Drpić (27) graag met het suggestieve nummer 69 de wei in voor zijn nieuwe club, het Duitse Karslruhe. Ideetje van zijn vrouw, *Playboy*-model Nives Celzijus. Drpić is kort tevoren door Dinamo Zagreb ontslagen na een al even doorzichtige poging van zijn wederhelft om zichzelf te promoten op de nationale televisie: 'Dino droomde er al lang van eens te vrijen op de middenstip, en via wat vrienden heeft hij het zo geregeld dat de stadionverlichting speciaal voor ons werd aangestoken.' Rugnummer 69 wordt prompt verboden door de Duitse voetbalbond en Drpić's passage bij Karslruhe wordt allesbehalve een succes.

Opmerkelijk detail nog: in 2008 hebben hij en zijn vrouw om een wel heel bizarre reden de wereldpers gehaald. Tijdens een vakantie op het Kroatische eiland Krk meent een overijverige badgast in hun zoontje Leon de een jaar eerder in Portugal spoorloos verdwenen Madeleine McCann te herkennen.

253 Christian Fabbiani (Lanús): Seks met dochters van scheidsrechters

Tussen 2001 en 2011 ontpopt Fabbiani zich als een beer van een spits bij o.a. Lanús, Velez Sarsfield en River Plate in zijn vaderland Argentinië, bij Beitar Jeruzalem en bij het Roemeense CFR Cluj. Een aanvaller met een neus voor goals, maar met een al even flink ontwikkelde neiging tot spraakmakende stunts naast het veld. Zo wordt hij bij Lanús de laan uitgestuurd na een bepaald indrukwekkende uitvoering van het beest met de twee ruggen. In de kleedkamer, met de dochter van de voorzitter. Het is eens iets anders dan de fotomodellen, actrices en de occasionele dochter van een scheidsrechter die Fabbiani gewoonlijk binnendraait. Op het veld krijgt hij de ene rode kaart na de andere, en op de transfermarkt zorgt hij voor al evenveel kleur. Zo komt hij bijvoorbeeld niet opdagen voor de persconferentie waarop hij officieel wordt voorgesteld als nieuwe aanwinst van Velez Sarsfield. 'Ik ben van idee veranderd,' zegt hij op hetzelfde moment voor andere tv-camera's. 'Ik wil liever naar River Plate.'

254 Mickey Thomas (Manchester United en Chelsea): Vals geld voor de jeugdspelers

Zijn voetbalcarrière leidt de Welshe *wonderboy* tussen 1972 en 1993 van Wrexham naar Manchester United, Everton, Chelsea en Leeds, maar Mickey Thomas heeft een groot probleem: zijn brein is een stuk minder ontwikkeld dan zijn magische linkervoet. 'Ik kon niet schrijven,' vertelt hij er zelf over in zijn autobiografie, 'zelfs mijn naam niet.' Voorspelbaar gevolg: zijn centen gaan niet bepaald op de bank. 'Toen ik bij Chelsea speelde overnachtte ik voor 10 pond per nacht in een opvangcentrum voor daklozen of ik ging naar het trainingscentrum, troggelde de sleutel af van de terreinknecht en bracht de nacht daar door. Of in het stadion zelf, dat is ook gebeurd. Ik sliep dan in het kamertje van de scheidsrechter of in de kleedkamer. Nee, niet in mijn eentje, ik zorgde er wel voor dat ik vrouwelijk gezelschap had. Liefst in het meervoud en tegelijk.'

Thomas zwerft van de ene club naar de andere, beseft later pas dat hij overal problemen krijgt omdat hij eigenlijk de druk niet aankan, en beleeft zijn dieptepunt bij de club waar het ooit allemaal begon. Op zijn 38ste speelt hij opnieuw voor derdeklasser Wrexham en met een schitterende vrije trap knikkert hij hoogstpersoonlijk het grote Arsenal uit de Beker. Thomas begint er echter ook aan een avontuur dat het einde van zijn carrière betekent. Hij laat zich een vals gelddrukpers aansmeren. De kwaliteit ervan is van een even bedenkelijk niveau als het idee en wanneer hij zijn knullige namaakponden probeert wit te wassen bij de jeugdspelers van Wrexham loopt hij snel tegen de lamp. Thomas wordt ontslagen bij zijn club en door de rechter veroordeeld tot 18 maanden cel die hij in diverse gevangenissen doorbrengt. 'De eerste was die van Walton, in de buurt van Liverpool, de aartsrivaal van Manchester United. Liverpoolfans kwamen daar naar me toe en vroegen me om een handtekening op een vel toiletpapier. Ik kan me wel inbeelden wat ze er vervolgens mee deden.'

255 Abdelmalek Cherrad (AA Gent): Knokken met een baseballknuppel

'De samenwerking met Abdelmalek Cherrad wordt met onmiddellijke ingang beëindigd,' klinkt het in 2004 in de Gentse bestuurskamer nadat de Algerijnse spits het op de training aan de stok heeft gekregen met ploeggenoot Mustapha Oussalah. Behoorlijk letterlijk, zelfs, want nadat er wat klappen heen en weer zijn uitgedeeld, heeft Cherrad een baseballknuppel uit zijn auto gehaald, waarmee hij Oussalah aan het hoofd verwondt. Oussalah zelf wordt uitgeleend aan tweedeklasser Eupen en lijkt verloren voor het voetbal. De in Luik geboren Marokkaan knokt zich echter via Moeskroen en Standard terug naar de Belgische subtop bij KV Kortrijk.

256 Teófilo Gutiérrez (Racing Club):
Paintball in de kleedkamer

De Colombiaanse international speelt het in 2012 letterlijk en figuurlijk niet zo slim wanneer hij met zijn Argentijnse team Racing Club
uitkomt tegen Independiente. Racing Club staat al slechts met zijn tienen meer op het veld, wanneer Gutiérrez het nodig vindt de scheidsrechter te beledigen. Gevolg: ook hij krijgt rood en zijn team moet met
negen door. Na de wedstrijd maken zijn ploegmaats hem ondubbelzin-
nig duidelijk wat ze van zijn domme actie vinden, waarop Gutiérrez
eerst op de vuist gaat met zijn doelman, en daarna een paintballgeweer
uit zijn tas haalt waarmee hij de anderen bedreigt. Hij wordt prompt
versast naar CA Lanús.

257 Nikola Nikezić (Kuban Krasnodar):
Tekenen en zwijgen, of sterven

Een speler kleurt stevig buiten de lijnen, waarna zijn club per aangetekend schrijven afscheid van hem neemt. Zo gaat het bijna altijd, maar
het kan ook anders. Heel soms is het net de voetballer die zich keurig
aan de afspraken houdt en de club die beestachtig tekeer gaat. Absurd?
Nikola Nikezić weet wel beter. In maart 2010 tekent de Montenegrijn-
se aanvaller een contract tot november 2011 bij de Russische tweedeklasser Kuban Krasnodar. In januari 2011 wil Kuban echter al van hem
af, liefst door de overeenkomst te verscheuren om de resterende
maandlonen en premies niet meer te moeten betalen. Nikezić weigert,
Kuban dringt aan, Nikezić staat erop dat zijn contract wordt uitbe-
taald en zorgt ervoor dat hem juridisch niets kan worden aangewre-
ven. Hij meldt zich altijd keurig voor elke training. Zo ook op 7 maart
2011. Nikolai Khilistunov, lid van de trainersstaf, roept hem bij zich, en
vraagt hem mee te komen naar zijn kantoor. Nikezić: 'Hij vroeg me een
document te ondertekenen waardoor mijn contract beëindigd werd.
Als ik dat niet deed, liet hij me verstaan, zou het voor mij onmogelijk
zijn Krasnodar te verlaten tenzij ik gehandicapt terugwilde naar Montenegro.' Nikezić weigert zijn handtekening te zetten. 'Een paar minuten later kwamen er plots twee spierbundels de kamer binnen en

Khilistunov ging meteen weg. Een van die kerels duwde me het document onder de neus en snauwde me bijzonder agressief toe dat ik maar beter mijn handtekening kon zetten. Toen ik antwoordde dat mijn contract nog tot november liep en dat ik mijn managers erbij wilde voor eventuele onderhandelingen gaf hij me een geweldige dreun in de leverstreek. Zijn kompaan trok nonchalant zijn jasje uit. Twee holsters met in elk daarvan een pistool... Ze eisten nogmaals mijn handtekening. Toen ik weigerde, kreeg ik opnieuw een klap in de lever waarna ze me begonnen te wurgen en dreigden me voor het leven te verminken. Twintig minuten lang ging het zo maar door, tot ik geen greintje energie meer over had en ik zo bang was voor mijn leven dat ik toch maar mijn krabbel zette onder in totaal vijf documenten. Stuk voor stuk in het Russisch, ik had er geen flauw idee van waarmee ik akkoord ging.' De twee kleerkasten grissen de papieren van de tafel en verlaten de kamer. 'Net voor hij de deur sloot, draaide een van hen zich nog even naar me om. "Er wonen veel Russen in Montenegro," grijnsde hij, "en die weten jou of je familie altijd wel te vinden. Doe dus geen domme dingen."'

Lees: hou verder je mond hierover. Maar Nikezić praat wel. Hij neemt dezelfde dag nog foto's van zijn verwondingen, verlaat Rusland en stapt met zijn verhaal naar de FIFA en de UEFA. 'Ik wilde voorkomen dat andere voetballers hetzelfde zou overkomen. Als ik zweeg, zou de geschiedenis zich maar blijven herhalen.' De voetbalbonzen belonen zijn bewonderenswaardige moed door Kuban te veroordelen tot het betalen van een schadevergoeding van zegge en schrijve 181.000 euro.

258 Mao Jianqing (Shanghai Shengua): Zuipen tijdens trainingen én wedstrijden

Snel, sterk, zelfbewust, stevig schot, heerlijke balcontrole... Mao Jianqing heeft alles om het helemaal te maken op het veld. Het probleem is echter dat hij naast het veld al even sterk, zelfbewust enzovoort is. Jianqing heeft de onhebbelijke gewoonte zich altijd en overal onmogelijk te maken. Hij begint in de jeugdreeksen al stevig aan zijn reputatie te werken wanneer hij een supporter een trap verkoopt en een scheidsrechter aanvalt omdat het wedstrijdverloop meneer niet helemaal zint. Wanneer hij ondanks alles toch in het eerste elftal van Shangai Shengua raakt, vliegt hij er prompt weer uit nadat hij met een enorm stuk in zijn kraag een deur van de wagen van zijn trainer intrapt. Die heeft het gewaagd hem te vervangen.

Jianqing wordt disciplinair teruggezet naar de invallers, maar daar blijft hij tijdens trainingen en wedstrijden doodleuk in de kleedkamer zitten en bier zuipen dat fans hem door een raampje toestoppen. Omdat hij een bijzonder getalenteerde voetballer blijft, mag hij alsnog terugkeren in het eerste elftal. Tot Shangai Shengua op de laatste speeldag van het seizoen 2008-2009 de titel misloopt. Jianqing besluit zijn verdriet te verdrinken in een nachtclub met een handvol lichtekooien in zijn kielzog. Wanneer een andere bezoeker net iets te nadrukkelijk naar een van zijn gezelschapsdames lonkt, gaat hij helemaal door het lint. Hij velt de man met een paar vuistslagen, trapt hem vervolgens een paar keer flink aan en als toetje gaat hij hem te lijf met een zware asbak. Resultaat: er definitief uitgeflikkerd bij Shangai Shengua en een week in de cel.

259 Jean-François Larios (Saint-Etienne en Frankrijk): De verkeerde buitenechtelijke affaire

Soms verdwijnen spelers ook zonder op het moment zelf duidelijk aanwijsbare en/of officiële reden. Neem bijvoorbeeld Jean-François Larios. Dynamische middenvelder bij Saint-Etienne en vaste waarde bij Frankrijk, tot hij in 1982 plots niet meer opgeroepen wordt voor zijn land. Te veel concurrentie op het middenveld bij *Les Blues?* In meer dan een opzicht, zo blijkt later. Hij is niet langer welkom omdat de kapitein en sterspeler erachter is gekomen dat Larios een affaire heeft met zijn vrouw. Een zekere Michel Platini.

260 Noh Alam Shah (Tampines Rovers): Kniestoot op het hoofd van een ploeggenoot

De aanvaller uit Singapore geldt in zijn gloriejaren als een van de allerbeste spitsen in Azië, zijn esbattementen naast het veld zijn nog opmerkelijker. In zijn jeugd is Noh lid geweest van een straatbende, en dat is te merken op het veld. Tijdens de finale om de Beker van Singapore editie 2007 met Tampines Rovers trakteert hij een andere speler op een kniestoot op het hoofd, waarop die bewusteloos moet worden afgevoerd en Noh zelf mag opkrassen met rood. Tikje vervelend, want het gaat om een ploeggenoot en de Rovers moeten met zijn negenen verder want het aantal vervangingen is opgebruikt.

Onderweg naar de kleedkamer gaat Noh ook nog de fotografen te lijf en achteraf zegt hij: 'De scheidsrechters beoordelen me alleen maar op mijn verleden, en dat is niet eerlijk.' Noh wordt geschorst en door Tampines Rovers prompt uitgeleend aan het Maleisische PDRM FA. Voluit 'Polis Di-Raja Malaysia FA' of in het Engels: 'Royal Malaysian Police Force'. Jawel, de club van de plaatselijke politiemacht.

261 El Hadji Diouf (Sunderland): Messcherpe motivatie

Diouf, in 2002 nog uitblinker met Senegal op het WK, moet in februari 2009 al na amper zes maanden zijn Engelse club Sunderland verlaten. Hij heeft zijn ploeggenoot Anton Ferdinand op nogal nadrukkelijke wijze een gebrek aan inzet verweten. Met een mes in de hand.

262 Jeffrey de Visscher (FC Emmen): Dronken wildpoepen

Met afstand het meest bizarre verhaal in de rij. In november 2012 laat de Nederlandse tweedeklasser FC Emmen weten dat 'Jeffrey de Visscher en de club uit elkaar gaan. Het contract van de rechtsbuiten bij FC Emmen wordt per 1 januari, in goed overleg, beëindigd.' De club voegt eraan toe dat ze 'per direct' geen beroep meer zal doen op de 31-jarige aanvaller die in het verleden onder meer voor FC Twente en het Schotse Aberdeen speelde. Sinds juni 2010 stond hij onder contract bij Emmen. Tot ieders tevredenheid bovendien. Vanwaar die plotse ommezwaai? Het is vragen om speurwerk van de Nederlandse voetbaljournalisten.

Het Dagblad van het Noorden spit het eerste deel van het mysterie op: 'De Visscher raakte twee weken geleden zijn rijbewijs kwijt, toen de politie hem in Emmen in dronken toestand naast zijn auto aantrof. De voetballer zei niet in de auto te hebben gereden, maar claimde dat een vriend achter het stuur had gezeten. Hij wist alleen niet meer wie dat was en waar hij was gebleven. Dit incident was de reden voor FC Emmen om afscheid te nemen van de aanvaller.' De Visscher ontkent: 'Er gaan verhalen rond, maar dit is pure lariekoek. Ik heb hier niets mee te maken. Er zat voor mij *geen schot meer in* bij Emmen, daarom is mijn contract ontbonden.'

Het gerucht zingt rond dat De Visscher in de kleedkamer gevochten zou hebben met zijn trainer, Joop Gall. Oók niks van aan, bezweert de spits, en hij wordt daarin bijgetreden door Gall. Maar wat is er dan wél aan de hand? Als clubs elke speler die dronken achter het stuur wordt betrapt op staande voet ontsloegen, dan zouden er wereldwijd al snel nog amper halve elftallen overblijven.

'Ik heb het dit hele seizoen al moeilijk,' zegt De Visscher nog. 'Na een lange afwezigheid keerde ik terug, maar ik vond het lastig om de hele tijd vanuit mijn woonplaats Almelo op en neer te moeten naar Emmen. Het was moeilijk om dat op te brengen. Aan die verhalen kan ik niets doen, het is heel pijnlijk. Ik heb een vrouw en kinderen en heb voor de rest alles prima voor elkaar.' Oké, maar wat is er dan zo pijnlijk? Alleen maar dat glas te veel op en bijgevolg een gevaar op de weg? Nee, het gaat allemaal om dat ene bijkomende detail van het verhaal dat al snel de wereld rondgiert via het wereldwijde web. Een wel bijzonder kleurrijk detail dat gretig opgepikt wordt uit de regionale Nederlandse media: 'De Visscher moest zijn rijbewijs bij de politie inleveren toen hij zittend naast zijn auto was gesignaleerd.' Zittend, met de broek op de enkels en... Precies, ja, bezig aan een grote boodschap in het openbaar: 'FC Emmen heeft Jeffrey de Visscher weggestuurd, omdat de aanvaller in dronken toestand was betrapt op wildpoepen.' Wat hij overigens ook ontkent.

En dan zijn er ook nog...

Eric Cantona (Montpellier, 1990): Wanneer Olympique Marseille hem voor een seizoen verhuurt aan Montpellier raakt hij daar slaags met teamgenoot Jean-Claude Lemoult. Cantona levert nooit half werk af: hij gooit hem zijn schoenen keihard in het gezicht. Zes andere spelers eisen zijn ontslag, maar onder druk van sterspelers Carlos Valderrama en trainer Laurent Blanc houdt de club het bij een toegangsverbod van tien dagen. * **Adrian Mutu (Chelsea, 2004):** De Roemeen wordt niet alleen aan de deur gezet nadat hij betrapt is op het gebruik van cocaïne, hij moet de club hiervoor bovendien ook nog eens een schadevergoeding van 17 miljoen euro betalen. * **René Osei Kofi (Ajax, 2010):** De aan Almere City uitgeleende verdediger mag meteen opkrassen uit Almere én Amsterdam na een ruzie op training met ploegmaat Christian Gandu. Op zich niks ergs, ware het niet dat Osei Kofi (18) na afloop een pistool uit zijn wagen gaat halen en het Gandu tegen het hoofd drukt. * **Ernest Nfor (KV Kortrijk, 2013):** De spits uit Kameroen wordt op staande voet ontslagen nadat hij CEO Patrick Turcq en trainer Hein Vanhaezebrouck zo zwaar aanpakt dat ze klacht indienen bij de politie. 'Hij heeft me naar de keel gegrepen,' zegt Turcq, 'en zowel mij als mijn familie met de dood bedreigd.' Oorzaak van een en ander is dat Kortrijk dwarsligt bij een voor Nfor lucratieve transfer naar Nefchi Bakoe. De club waarbij Nfor na zijn ontslag een contract tekent.

Van Gino Bartali tot Tony Martin

De grootste pechvogels

Romelu Lukaku mist op 30 augustus 2013 voor Chelsea de beslissende strafschop om de Europese Supercup tegen Bayern München, Laurens De Bock krijgt in zijn debuutmaanden bij Club Brugge de ene rode kaart na de andere, Björn Vleminckx wordt in dezelfde periode uit de kern gezet van zijn Turkse Club Kayseri Erciyesspor na drie uitsluitingen in zeven wedstrijden... En toch kan het een mens nóg minder meezitten zodra hij zijn sportschoenen heeft aangetrokken, zo blijkt.

263 Gino Bartali (Tour 1937)

Voor de start van de zevende etappe in Aix-les-Bains laat de diepgelovige Gino Bartali zich zegenen door een priester. God blijkt echter net die dag een beetje in de war te zijn: de Italiaan zit onderweg keurig in het wiel van zijn knecht Jules Rossi, Rossi valt op een brug, Bartali stuikt over hem heen en tuimelt over een balustrade in het water.

264 Julien Lecomte (Templeuve – Quévy 2012)

Thuisspeler Lecomte krijgt in deze wedstrijd in Eerste Provinciale Henegouwen zijn tweede geel en dus rood wegens een *schwalbe*. Op dat moment ligt hij al op de brancard richting ziekenhuis. Daar worden *drie* verschoven ruggenwervels en een hersenschudding vastgesteld.

265 Aaron Eccleston (Old Hill Wanderers – Swinburne University 2011)

Eccleston, speler bij de Australische amateurclub Old Hill Wanderers, wordt in deze wedstrijd van het veld gestuurd om een wel heel opmerkelijke reden. De FIFA-reglementen bepalen dat een speler tijdens een wedstrijd geen sieraad mag dragen dat zijn medespelers of hemzelf in gevaar kan brengen. Wanneer Eccleston verzorgd wordt voor een blessure aan de onderbuik merkt de scheidsrechter dat hij een *Prince Albert* draagt. Een penispiercing, dus. Eccleston wordt naar de kleedkamers gebracht, waar hij de nodige verzorging krijgt, en loopt terug het veld op. Prompt krijgt hij twee gele kaarten: een voor het betreden van het speelveld zonder toestemming en nog een voor 'het dragen van een ongeoorloofd sieraad'.

266 Darren Clarke (Spanish Open 2010)

De Noord-Ierse topgolfer gaat er in mei 2010 van uit dat hij uitgeschakeld is op de *Spanish Open*, en keert terug naar huis. Hij blijkt zich echter vergist te hebben, en vliegt in allerijl terug met een privé-jet. Een foutje van een paar honderdduizend euro.

267 Jonathan Walters (Stoke City – Chelsea 2013)

Een omhaal à la Wayne Rooney of Zlatan Ibrahimović, het zou fantastisch zijn als Jonathan Walters die voor Stoke City uit zijn schoenen kon toveren in zijn 100ste wedstrijd in de Engelse Premier League. Tegen het grote Chelsea, bovendien! Of een strafschop, zijn specialiteit, dat zou ook wel mooi zijn. Walters zou wellicht zelfs tevreden zijn met een veldgoal als kroon op het jubileumwerk. Of heel misschien twee? Hij krijgt het allemáál voor elkaar, maar het levert hem alleen maar eeuwige hoon op. Eerst liggen het halve stadion en later op de avond alle *Match of the Day*-kijkers in een deuk wanneer hij de bal met een retro keihard in zijn eigen gezicht trapt. Daarna maakt hij inderdaad twee doelpunten. Owngoals helaas, en hij mist ook nog de penalty die hij zo graag wilde trappen. Chelsea wint met 0-4 met een goal van Eden Hazard, en Walters blijft sindsdien maar strafschoppen missen. Helemaal in het begin van het seizoen 2013-14 bijvoorbeeld, uit bij Liverpool. In de allerlaatste minuut mag hij een penalty nemen. Stoke staat met 1-0 achter, Walters kan er dus alsnog een punt uit slepen. Hij blijft koppig kiezen voor de hoek waarin de ene keeper na de andere de bal al uit zijn doel gehouden heeft. De op Anfield debuterende Simon Mignolet volgt het voorbeeld van zijn collega's en maakt zijn onzekere wedstrijdbegin helemaal goed. Het blijft 1-0, Mignolet wordt *Man van de Match*, Walters eens te meer *Dodo van de Dag*.

268 Chris Boardman (Tour 1995)

De Tourproloog wordt een drama voor Chris Boardman. Zes maanden lang heeft de Britse hardrijder bij uitstek er als een bezetene naartoe gewerkt, en hier en daar is hij zelfs getipt als *outsider* voor de eindzege. Boardman neemt risico's in de regen, maar na een zware valpartij wordt hij afgevoerd naar het ziekenhuis. Na nog geen twee van de in totaal 3.653 kilometer is zijn Ronde van Frankrijk al voorbij.

269 Trifon Heylen (wereldrecord push-ups 2010)

Trifon Heylen uit Zichem heeft in maart 2010 het wereldrecord push-ups verbeterd. De dappere en sterke medemens drukte zich toen 3.435 keer op in een uur. Een en ander was opgezet als cadeautje voor zijn vrouw voor hun 35ste huwelijksverjaardag. Een half jaar later worden er echter alsnog 22 ongeldig verklaard, waardoor Heylen drie push-ups tekort komt om het *Guinness Wereldrecordboek* te halen.

270 Victor Bernárdez (Honduras – Costa Rica 2009)

Anderlecht-invaller Victor Bernárdez ziet het helemaal zitten wanneer hij door de bondscoach van Honduras wordt opgeroepen voor de WK-kwalificatiewedstrijd tegen Costa Rica. Eindelijk weer eens meespelen in een echte wedstrijd, voor meer dan drie treurigmakende weduwnaars en een hond op het knollenveld van Neerpede, *yes!* Euh, veeleer *no...* Wanneer Bernárdez terug in Brussel staat, stelt hij vast dat hij

volslagen voor nop zo'n 18.000 km heen en terug is gereisd. Hij heeft
geen seconde gespeeld. Meer zelfs, zijn bondscoach heeft hem niet
eens een plaatsje op de bank gegund waardoor Bernárdez de 4-0 zege
van Honduras zoals de eerste de beste supporter vanuit de tribune
heeft gezien.

271 Bart Voskamp en Jens Heppner (Tour 1997)

De Nederlander Bart Voskamp en de Duitser Jens Heppner spurten na
een marathonontsnapping van 168 km voor de zege in de 19de etappe.
Zij zijn echter zo vermoeid van de inspanningen dat ze tegen elkaar
aanleunen om niet om te vallen. Beiden worden gedeclasseerd en de
zege gaat naar de Italiaan Mario Traversoni, die bijna een halve minuut later als derde over de streep is gekomen.

272 Kolo Touré (Arsenal – AS Roma 2009)

Voetballers en bijgeloof... Op 24 februari 2009 wil Arsenal-verdediger
Kolo Touré te allen prijze als laatste het veld op. Dat doet hij altijd en
overal, dus ook nu, bij het begin van de tweede helft tegen AS Roma.
Nog even wachten, concludeert Touré wanneer hij collega William Gallas nog in de kleedkamer ziet zitten. Niet bijster snugger, want hij
heeft niet in de gaten dat Gallas in allerijl opgelapt wordt voor de tweede helft die al begonnen is met slechts 9 spelers van Arsenal op het
veld. Wanneer iemand van de technische staf komt kijken waar Touré
in godsnaam blijft, stormt de Ivoriaan naar de spelerstunnel en van
daaruit meteen door naar zijn positie in de verdediging. Hij krijgt
prompt geel wegens het betreden van het veld zonder toestemming
van de scheidsrechter.

273 Isildur1 (Poker 2011)

Een deelnemer met als schuilnaam *Isildur1* ontpopt zich als een waar
fenomeen in het online-pokeren. Hij rijft in geen tijd miljoenen dollars
binnen, en zijn sponsor besluit dat het hoog tijd is om er een graantje
van mee te pikken. Met veel poeha wordt zijn ware identiteit onthuld:

Viktor Blom. De Zweedse belastingen lezen echter mee, en sturen hem prompt een aanslagbiljet met een gepeperde boete er bovenop, samen goed voor zo'n 200 miljoen euro.

274 Schalke 04 (Bundesliga 2000-2001)

Schalke heeft het gehaald, kampioen! Het heeft op 19 mei 2001 thuis in Gelsenkirchen met 5-3 gewonnen van SpVgg Unterhaching en titel-concurrent Bayern München is in de 90ste minuut 1-0 achter gekomen bij HSV. En het is gedaan daar in Hamburg, melden in Gelsenkirchen aanwezige medewerkers van betaalzender Premiere. Schalke is kampi-oen op basis van het doelsaldo! Bier, vuurwerk, 65.000 supporters die helemaal gek worden! De analisten ter plaatse, onder wie ex-internati-onal Andy Möller, beginnen al uitgebreid de lof te zingen van Schalke en zijn Nederlandse trainer Huub Stevens. Er is ook waardering voor HSV. Dat had niks meer te winnen of te verliezen, maar het is toch voluit gegaan tegen Bayern. Petje af, hoor! Schalke, *Meister*, voor het eerst sinds 1958, geweldig, fantas...

Wacht even, plots stopt het feestgewoel... Wat is dat daar, op het grote scherm in het stadion? Beelden uit Hamburg. Is HSV-Bayern dan niet lang afgelopen? Nee, zo blijkt. Foutje van de Premiere-reporters. Ze zitten daar nog in de blessuretijd en het angstzweet breekt iedereen in Gelsenkirchen uit bij het fluitsignaal van de scheidsrechter in de 94ste minuut. HSV-doelman Matthias Schrober – ironisch genoeg ge-huurd van Schalke – heeft in zijn strafschopgebied een bal opgeraapt die als laatste geraakt is door zijn ploegmaat Tomáš Ujfaluši. 'Bewuste terugspeelbal,' vindt de scheidsrechter en bijgevolg onrechtstreekse vrije trap voor Bayern. Op acht meter van het doel, de billen gaan mas-saal dicht in Gelsenkirchen. Patrik Andersson schiet, boem! Knalhard in de bovenhoek, 1-1 en Bayern toch nog kampioen. 'Iedereen werd gek,' zegt toenmalig Schalke-spits Youri Mulder er later over. 'Een aan-nemer heeft wel twee dagen nodig gehad om de schade in de kleedka-mer te herstellen. We waren drie minuten kampioen van Duitsland geweest...'

275 Jan Lecjaks (Partizan Belgrado – Anderlecht 2010)

Het begint allemaal bijzonder vrolijk en ook wel amusant voor Anderlecht, uit bij Partizan Belgrado in de laatste voorronde van de Champions League editie 2010-11. 0-1 in de 53ste minuut via Guillaume Gillet,
die zijn goal viert door een camera te kussen. 'Mijn vriendin is momenteel op bezoek bij Nicolas Frutos en zijn vrouw in Argentinië,' zal hij na
de match zeggen. 'Zij volgden de match daar op televisie, en ik had
haar een kus beloofd als ik zou scoren.' Gillet heeft echter geen televi-
siecamera gezoend, maar de lens van een fototoestel. Knap onnozel,
maar het verzinkt in het niets bij wat er daarna gebeurt. Vier minuten
na de 0-1 maakt de Braziliaan Cléo gelijk voor Partizan, en in de 64ste
minuut schiet Anderlecht-linksback Jan Lecjaks de bal magistraal in
de kruising. Helaas voor hem in het doel van Silvio Proto en het wordt
dus niet 1-2 maar 2-1. Amper twee minuten later ziet de wereld er weer
helemaal anders uit voor de Brusselaars wanneer Roland Juhasz er 2-2
van maakt, maar de pummelige pegel van Lecjaks breekt hen alsnog
zuur op. Of beter: duur. Zeer duur zelfs. Pakweg vijftien miljoen. In de
legendarische terugmatch in het Astridpark wordt het ook 2-2. Suarez,
Biglia en Boussoufa missen in de strafschoppenreeks en Anderlecht
sneuvelt voor het vierde jaar op rij in een voorronde van de Champions
League.

276 Jaanis Kriska (FC Levadia Tallinn – FC Kuressaare 2009)

Het was een stevig record dat Torquay United-verdediger Pat Kruse in
1977 had neergezet door na amper 6 seconden al een owngoal te maken
in de wedstrijd tegen Cambridge United. Maar alles kan beter en hila-
rischer. In 2009 heeft Jaanis Kriska in de Estse competitie niet alleen
genoeg aan 5 seconden om zijn eigen team, FC Kuressaare, met een bal
in eigen doel op een 1-0 achterstand te brengen tegen FC Levadia Tallinn, hij wordt ook nog eens in de eerste minuut na de rust van het veld
gestuurd met een tweede gele kaart en Kuressaare verliest de match
met 8-0.

277 Ilija Sivonjić (Cibalia – Dinamo Zagreb 2009)

Missen voor een open én leeg doel, het kan iedereen overkomen. Fernando Torres maakte er zelfs zijn handelsmerk van na zijn overstap naar Chelsea, maar toch zijn er altijd wel een paar die er net nog iets bovenuit steken. Khalfan Fahad om te beginnen, in de spits bij Qatar op de Aziatische Spelen editie 2010 tegen Oezbekistan. De Oezbeekse doelman laat de bal bewust door zijn benen lopen. Bedoeling is, zo mogen we toch veronderstellen, de aanvallers van Qatar op het verkeerde been te zetten en de bal dan met een brede grijns op te rapen. Fahad is hem echter te snel af, verovert de bal en trapt hem... tegen de paal.

Of neem Dinamo Zagreb-aanvaller Ilija Sivonjić. In de wedstrijd in de Kroatische competitie tegen Cibalia streelt zijn teamgenoot Pedro Morales de bal met een heerlijke lob over en achter de bezoekende doelman. Goal, en Dinamo van 0-1 naar 1-1. Zo lijkt het toch, want Sivonjić is zo'n spits die ten koste van alles zelf wil scoren. Hij wil de bal vanop 7,5 cm – centimeter! – van de doellijn nog een laatste tikje geven. De bal stropt echter onder zijn schoen en de verdedigers van Cibalia hebben hem maar voor het wegtrappen.

Chris Iwelumo zorgt echter voor dé klassieker bij de missers voor open doel, met Schotland op 11 oktober 2008 tijdens een WK-kwalificatiematch tegen Noorwegen. Op YouTube is in tientallen varianten te herbekijken hoe hij bij de tweede paal de bal vanop anderhalve meter ver voorbij de eerste paal trapt. Zou Iwelumo er zelf nog wel eens naar kijken? Hij moet het in elk geval stiekem doen, want toen zijn vrouw erachter kwam dat hij de beelden almaar weer afspeelde, dwong ze hem ze van de digibox te wissen.

278 Geli Roura (Finale UEFA Cup 2001)

Eerst 2-0 voorkomen en dan zelfs 3-1, het kan eigenlijk niet meer misgaan voor Liverpool in de UEFA Cup-finale tegen het Spaanse Alavés. Steven Gerrard, Michael Owen, Jamie Carragher... Zij maken het vast wel af tegen nobele onbekenden als Geli Roura. Niet, dus. Javi Moreno brengt Alavès terug tot 4-4 en verlengingen. Daarin scoort Geli zelfs de per definitie beslissende *golden goal*. Helaas in eigen doel, en Liverpool wint met 5-4.

279 Thierry Henry (New York Red Bulls – Dallas 2010)

Wanneer Mehdi Ballouchy van de New York Red Bulls scoort tegen Dallas, wil zijn ploeggenoot Thierry Henry de bal vreugdegebaargewijs nog een keertje extra en keihard tegen de netten knallen. De gewezen topspits van o.a. Arsenal en Barcelona heeft echter een kleinigheid over het hoofd gezien. Dallas-doelman Kevin Hartman is intussen tussen hem en de bal gaan liggen, en Henry trapt de rechterknie van de keeper helemaal aan gort.

280 Stan Van den Buijs (Germinal Ekeren – Anderlecht 1995) en Alvin Martin (West Ham – Newcastle 1986)

Van den Buijs scoort in het seizoen 1995-96 drie keer met Germinal Ekeren in de thuiswedstrijd tegen Anderlecht. Driewerf helaas telkens in eigen doel en paars-wit wint met 2-3. De meest onwaarschijnlijke hattrick in eigen doel staat echter op naam van Newcastle-verdediger Alvin Martin, die in april 1986 uit bij West Ham drie keer in eigen doel schoot tegen drie verschillende keepers. Eerst tegen eerste doelman Martin Thomas, daarna tegen invallerskeeper Chris Hedworthn die de gekwetste Thomas was komen vervangen, en daarna tegen veldspeler Peter Beardsley, die voor de ook geblesseerde Hedworth onder de lat was gaan staan. Eindstand: 8-1.

281 Tony Martin (Vuelta 2013)

Gepatenteerd tempobeul Martin – hij is niet voor niks wereldkampioen tijdrijden – dendert in de zesde etappe van de Ronde van Spanje 175 kilometer en 270 meter in zijn eentje in de aanval. De rit van Guijuelo naar Cáceres is in totaal 175 kilometer en 300 meter lang. Martin is er, met andere woorden, vandoor gegaan bij de start, wordt op 30 meter van de streep nog bijgehaald door het peloton en de Deen Michael Mørkøv wint de etappe.

En dan zijn er ook nog...

Jurgen Sierens' redding is behoorlijk onorthodox in de uitwedstrijd van Roeselare bij Anderlecht in het seizoen 2009-10, maar wat maakt het uit? Het schot van Mbark Boussoufa gaat er immers niet in, denkt Sierens en met hem het hele stadion. Blijkt echter dat de bal onder hem klem zit en bij het overeind klauteren werkt Sierens hem met zijn linkervoet alsnog in eigen doel. * **Stefan Leleu** van Zulte-Waregem maakt op 19 januari 2007 twee owngoals in de thuismatch tegen Racing Genk. Hij doet er slechts 9 minuten over om eerst een voorzet van Kevin Vandenbergh over de eigen doellijn te tikken en daarna een verdwaalde hoge bal in het voor hem verkeerde doel te koppen. Eindstand: 2-2. * **Borislav Mihaylov**, de doelman van FC Twente, blesseert zich in oktober 2011 in een interland met Bulgarije tegen Wales. Hij stapt in een kuiltje waarin een kop van de sproei-installatie zit en verzwikt een enkel. * **Fabian Espandola**, spits bij Real Salt Lake City, brengt zijn team in 2008 met 1-0 voor tegen de LA Galaxy met David Beckham. Denkt hij toch. Na zijn bijbehorende acrobatische salto moet hij namelijk worden vervangen met een enkelblessure en zijn goal wordt afgekeurd wegens buitenspel.

Van Zoeloes tot Luipaarden

De eerste zwarte voetballers

Een zwarte voetballer? Geen mens die er nog van opkijkt. In Bel-
gië al helemaal niet meer sinds de legendarische 'Ivorianen van
Beveren'. Copa, Eboué, Boka, Né, Romaric... Met zijn tienen
staan ze aan de aftrap van de Bekerfinale anno 2004 tegen Club
Brugge. Tien Ivorianen en één bijzonder blanke Let, de bij Ar-
senal gehuurde houten klaas Igors Stepanovs. Voor het eerste in-
tegraal zwarte elftal in Europa moeten we verder terug in de tijd.

282 Het eerste zwarte elftal in Europa

Het bizarre verhaal van The Zulus speelt zich af in Engeland, op het
moment dat het voetbal evolueert van een spelletje naar een georganiseerde sporttak. Koningin Victoria regeert over een wereldrijk, dat in
november 1879 kreunt onder de nasleep van zijn zoveelste koloniale
oorlog. In een poging om Zuid-Afrika helemaal onder controle te krijgen, worden kanonnen en blanke sabels ingezet tegen de Zoeloes. Niet
dat er *back home* ook maar iemand wakker ligt van het aantal slachtoffers bij de *niggers* en hun nabestaanden, maar voor de weduwen en
wezen van de omgekomen Britse soldaten gaan de harten en de porte-
monnees gul open. Met een voetbalwedstrijd voor het goede doel, bijvoorbeeld.

In Bramall Lane, vandaag nog steeds het stadion van Sheffield United, zijn 2000 enthousiaste toeschouwers helemaal klaar voor een
match tussen een selectie van de beste plaatselijke spelers en een Zoe-
loe-elftal. Bij The Zulus speelt hun afgezette koning Cetshwayo in
hoogsteigen persoon mee, net zoals zijn broer Dubalamanzi en de ge-

vreesde krijgsheer Sirayo. Ze worden in luxewagens tot bij het veld gebracht, leggen hun speren en schilden in ossenhuid neer bij de zijlijn en verslaan de Engelsen met 5-4. Consternatie alom. Iedereen wil die wonderlijke zwarte voetballers aan het werk zien, en er wordt een heuse tournee georganiseerd. Barnsley, Chesterfield... Overal staan de belangstellenden rijen dik en geen enkel blank team slaagt erin The Zulus te verslaan, wonderlijk! Tot ene Jack Hunter, de beste Schotse voetballer van zijn tijd, zijn bond laat weten dat hij forfait moet geven voor een interland. 'Omdat ik die dag met de Zoeloes moet spelen.'

Blijkt dat het zwarte wonderelftal helemaal niet uit Zuid-Afrikaanse krijgers bestaat, maar uit blanke voetballers die voor de wedstrijd hun gezicht en handen zwart maken met kurk. Ze dragen zwarte truien, pantalons en kousen. Veren op hun hoofd en kralen om hun hals zorgen voor de *finishing touch*. Ulmathoosi, Cetshwayo, Dabulamanzi, Sirayo, Methlagazu, Umcilyn, Ngobamabrosi, Magnenda, Jiggleumbeno, Muyamani en Amatonga... De opstelling van The Zulus leest als muziek, maar in werkelijkheid staan de heren Hinchcliffe, Buttery, Hunter, Herring, Malpas, Ramsden, Earnshaw, Cawley, Ainley en Lucas op het veld. Tegen vergoeding bovendien, en dat is pas echt verwerpelijk in de ogen van de plaatselijke voetbalbond, de Sheffield Football Association. Het eerste zwarte elftal wordt in de ban geslagen en voorgoed opgedoekt. Zonder ook maar een wedstrijd te hebben verloren, maar ook zonder een échte zwarte speler te hebben opgesteld.

283 De eerste zwarte profvoetballer

De allereerste zwarte profvoetballer ter wereld komt al in 1882 naar Europa. Arthur Wharton is geboren in 1865 in wat dan nog 'Jamestown' heet, het huidige Accra, de hoofdstad van Ghana. Hij is vanuit de Britse kolonie naar het moederland gestuurd om er voor dominee te studeren, maar in Engeland blijkt hij toch meer belangstelling en talent te hebben voor sport. Wharton ontpopt zich als een begenadigd wielrenner en cricket-speler, en vestigt tussen neus en lippen door als atleet ook snel even een nieuw wereldrecord op de 100 yard. Hij maalt de – omgerekend – 91,5 meter af in 10 seconden rond. Indrukwekkend, vinden ook de bestuursleden van diverse voetbalclubs. Vanaf dan combineert Wharton atletiek met een behoorlijk betaalde baan als doelman en vleugelspeler bij vandaag nog steeds bestaande clubs als Darlington, Preston North End en Sheffield United. Wharton is zo'n beetje de Jean-Marie Pfaff van zijn tijd. Op het veld zorgt hij voor spektakel. 'In een wedstrijd tegen Rotherham,' vertelt een medespeler van toen in 1942 in de *Sheffield Telegraph & Independent,* 'ging Arthur bij een aanval plots aan de deklat hangen, en hij ving de bal op tussen zijn benen. Drie aanvallers van Rotherham waren zo verbijsterd dat ze domweg in het doel liepen.'

Net zoals Pfaff heeft Wharton echter ook tegenstanders. Bondsleiders en toonaangevende journalisten vooral, die zijn exuberante stijl slechts matig waarderen. 'Verstandige waarnemers zullen beamen dat het een nadeel is voor een ploeg als Wharton in het doel staat bij de tegenpartij,' schrijft een van hen in 1887 in *The Athletic Journal.* 'Is deze *darkie* dan te dom om te begrijpen dat er tussen de palen geen plaats is voor een vliegende grappenmaker?' *Darkie* Wharton wordt uiteraard niet geselecteerd voor het nationaal elftal en bij zijn club moet hij zijn plaats afstaan aan de 127 kilogram zware Willy Foulke. Vanaf dan gaat het snel bergaf met Wharton. Nadat hij in 1902 stopt met voetballen, blijft hij nog een aantal jaren cricket spelen maar daarna glijdt hij af in doffe ellende. Hij is al een hele tijd verstoten door zijn familie, die voetbal maar een vulgaire bedoening vindt. Bepaald veel geld heeft hij ook niet opzijgezet, en hij moet noodgedwongen aan de slag in een steenkoolmijn. In 1915 neemt hij dienst bij de Home Guards en hij vecht mee aan het front tijdens de Eerste Wereldoorlog. Wharton komt, zoals zovelen, als een gebroken man terug. Hij vlucht in de drank en belandt in de goot. Na zijn dood in 1930 wordt zijn stoffelijk overschot gedumpt in een anoniem graf.

Vandaag is Arthur Wharton veel meer dan een curiosum en een voetnoot in de geschiedenis als 'eerste zwarte voetbalprof'. Hij geldt als een icoon in de strijd tegen racisme in het Engels voetbal. Er loopt een campagne om een standbeeld voor hem op te richten. Die wordt gesteund door een aantal vooraanstaande zwarte voetballers maar ook door onder anderen *Trainspotting*-auteur Irvine Welsh en Stevie Wonder.

284 De eerste zwarte voetballer op de vlucht voor racisme

Walter Tull speelt voor de Eerste Wereldoorlog bij onder meer Totten-ham Hotspur, en staat op het punt over te stappen naar Glasgow Ran-gers wanneer hij naar het front wordt gestuurd. De belangrijkste reden waarom hij naar Schotland wilde, zijn de voortdurende beledigingen die hij op het veld en daarbuiten naar zijn hoofd geslingerd krijgt.

Als kleinzoon van een slaaf is Tull de eerste zwarte officier die in Engeland is geboren, en hij vecht mee aan het Vlaamse front, bij Ieper en Passendale, en in Frankrijk. Op 25 maart 1918 leidt hij zijn mannen uit de loopgraven in een van de vele offensieven in de slag aan de Som-me. Zij maken deel uit van het *17th (1st & 2nd Football) Battalion of the Middlesex Regiment* dat, zoals de naam al aangeeft, voor een stuk be-staat uit profvoetballers. Tull komt om het leven en zijn lichaam wordt nooit teruggevonden. Pas tachtig jaar later wordt hij gerehabiliteerd, als militair en als voetballer. Tussen 2004 en 2008 worden verschil-lende films en documentaires over hem gemaakt, en Tottenham en de Rangers komen tegen elkaar uit in een postume huldewedstrijd, de *Walter Tull Memorial Cup*.

285 De eerste zwarte voetballers in Belgisch Congo

'De meest verspreide en gevaarlijkste slogan van onze dagen is: *Ge moet van uw tijd zijn, en met de tijd evolueren.* Dit betekent namelijk dat onder deze mom *(sic)* alle verstandelijke en zedelijke losbandigheid is toegelaten!' Aldus pater-scheutist Georges Six in 1940 in zijn jaarlijkse vastenbrief. Six is apostolisch vicaris in Leopoldstad, het huidige Kin-shasa en destijds het kloppend hart van de Belgische koloniale gebie-den in Afrika. In hun ongebreidelde beschavingsdrift pakken de zen-delingen de zaak bij de wortel aan, en ze zetten zwaar in op het lager onderwijs. Congolese ouders krijgen een beloning voorgespiegeld als ze hun kind naar een missieschool sturen, waar men hen dan kan op-voeden in de ware katholieke geest. Het leidt tot ronduit absurde tafe-relen, want de zwarte kinderen krijgen exact dezelfde leerstof als hun leeftijdsgenootjes in pakweg Oostende en Bastenaken. Heelder klasjes Congolezen dreunen braaf hun geschiedenisles op: *'Nos ancêtres, les*

Gaulois...'. Ambiorix, de voorvader van de kinderen van het Afrikaanse regenwoud?

Discipline is het sleutelwoord bij het redden van de zwarte zieltjes, en daarin spelen buitenschoolse activiteiten een belangrijke rol. Met name het voetbal wordt warm aanbevolen door de kerkelijke hiërarchie. 'Om het aangeboren egoïsme en de luiheid van de zwarte te vervangen door kwaliteiten als discipline, doorzettingsvermogen, lichamelijke beheersing en beslissingskracht,' schrijft vicaris-generaal Adrien de Schaetzen. Het sluit naadloos aan bij die andere bespiegeling van zijn collega Six: 'De Europese spellen, waaronder de voetbalsport maar ook het toneel, moeten komaf maken met inlandse vermaken, zoals de dans, die er enkel zijn op gericht de driften op te jagen!' De missionarissen zorgen voor de aanleg van velden, de bouw van stadions en een algehele organisatie van de sport in Belgisch-Congo onder de vleugels van een overkoepelende bond: de Association Royale Sportive Congolaise. Deze ARSC nodigt Belgische teams uit voor vriendschappelijke wedstrijden in de kolonie. Na onder meer Beerschot, Anderlecht en Standard is het in 1957 de beurt aan Union om op tournee te gaan door Belgisch-Congo.

De chique traditieclub – ze heet niet voor niets voluit Union Royale Saint-Gilloise – is op dat ogenblik een topteam dat met zeven internationals afreist naar Belgisch-Congo. Zij kijken vol bewondering naar de hoge muren van een nagelnieuw sportcomplex dat bijna afgewerkt is. Er kunnen al 60.000 toeschouwers in, en een naam is er ook al: het *Stade Roi Baudouin.* Daar speelt Union de belangrijkste wedstrijd van zijn tournee. Belangrijk omdat de sportieve inzet groot is, maar ook omdat de gebeurtenissen op die 16de juni 1957 een voorafspiegeling zijn van de langzaam kantelende relaties tussen de Belgische kolonialen en de plaatselijke bevolking. Tegenstander: *les Lions de Léopoldville.* De Leeuwen van Leopoldstad, met de beste spelers van de hoofdstad. De beste zwàrte spelers.

Het Stade Roi Baudouin zit afgeladen vol voor de wedstrijd van Union tegen de Leeuwen. Die zijn zelf net terug van een tournee door België, waar ze onder andere met 9-1 verpletterd zijn door Anderlecht. Hun zwarte supporters verwachten een klinkende revanche, maar er speelt meer. De spanning tussen de kolonialen en de plaatselijke bevolking begint te smeulen, en vanuit die optiek is de Brusselse club een symbool van het moederland. Wat zou het mooi zijn als de blanken alvast op het voetbalveld in het zand beten... Het lijkt nog te gaan lukken ook, want Union wordt bij vlagen helemaal weggespeeld door Bonga Bonga, Ndala, Mayunga en Lolinga. Met veel zwoegen en geluk gaan de Brusselaars toch de slotfase in met een 2-1 voorsprong. De scheidsrechter voorkomt met een paar twijfelachtige beslissingen een gelijkmaker van de Leeuwen, en Union wint met 4-2. De vlam slaat in de pan. De wedstrijd wordt namelijk – hoe kan het anders? – geleid door een blanke. Een commandant van de Force Publique bovendien, het Belgisch leger in de kolonie. De zwarte toeschouwers gaan na de match helemaal door het lint. De blanken kunnen nauwelijks terugkeren naar de Europese wijken van Leopoldstad. Wagens worden tegengehouden, er wordt met stenen gegooid... Balans: 132 gewonden, 50 beschadigde auto's en 10 arrestaties. De eerste *antiblanke* manifestatie in de Congolese hoofdstad is een feit.

286 De eerste zwarte superster in België

Léon Mokuna is een van die Congolezen die door de paters-scheutisten aan het voetballen is gezet om, zoals vicaris Six het omschreef, 'komaf te maken met inlandse vermaken'. Hij trapt voor het eerst tegen een bal op school in Leopoldstad. 'Maar al vlug belandde ik bij de grote ploeg van de stad: V. Club, met de 'V' van Victoria,' vertelt hij er later over. 'Een hele verbetering. Op school speelde we blootsvoets, maar bij V. Club voetbalden we al met *bottines*, een raar soort schoenen waarop we zelf leren *studs* spijkerden.'

Mokuna is de ster van het zwarte voetbal in de kolonie, maar toch trekt hij voor zijn eerste overzeese avontuur niet naar België. In 1953 scoort hij voor een gemengd Belgisch-Congolees elftal tegen Sporting Clube de Portugal. Het levert hem een transfer naar de club uit Lissabon op. 'Zo werd ik de eerste Congolese voetballer die naar het buitenland vertrok, en dat was groot nieuws. Op de luchthaven van Leopoldstad werd ik uitgewuifd door duizenden supporters! Ik vloog naar Portugal en – ik zal het nooit vergeten – de piloot riep me bij zich in de cockpit en vloog laag over de luchthaven van Lissabon. Daar stonden tienduizenden mensen mij op te wachten. Met politie te paard erbij, om de orde erin te houden. Ongelooflijk!'

Mokuna wordt in Portugal kampioen met Sporting, hij wint de Beker en hij wordt topschutter. 'Ik was daar voltijds prof en ik verdiende er 3.000 escudo per maand, plus de premies. Dat was in die tijd héél goed betaald.' Waarom keert hij dan op een bepaald moment toch terug naar Belgisch-Congo? 'Ach, ik besefte dat voetbal iets tijdelijks was. Ik vond dat ik op een leeftijd gekomen was om *normaal werk* te zoeken.' Het wordt uiteindelijk geen *normaal werk* in de kolonie, maar een baan in het moederland gecombineerd met voetballen bij La Gantoise. 'In die vijf matchen in België met de Leeuwen maakte ik tien goals, en na de match in Gent werd ik aangesproken door Bob Deps, de legendarische voetbaljournalist van de krant *Het Volk*: "Jij moet hier komen spelen, je zal hier een vedette zijn".' Mokuna tekent. 'Omdat in België nog altijd amateurvoetbal werd gespeeld, kreeg ik een job in de drukkerij van *Het Volk*. Overdag ging ik trainen, 's avonds werken. Met wat ik bij de krant verdiende, plus de premies van het voetbal, had ik een mooi inkomen.'

Mokuna maakt in zijn eerste seizoen in België 16 competitiegoals, amper ééntje minder dan Rik Coppens. 'Ik kwam in een compleet andere wereld terecht. Europa en Afrika, dat is dag en nacht, een heel andere manier van leven, maar Congolezen kunnen zich goed aanpassen. Wij zijn werkers, dat hebben de Belgen ons wel geleerd.' Beantwoordde de Belgische werkelijkheid aan het ideaalbeeld dat de paters-scheutisten hem op school hadden ingeprent? 'Het kwam er dichtbij, maar misschien vond ik dat omdat ik hier toen jaren in een roes van succes heb geleefd. Mijn ontzag voor de Belgen was enorm: alles werkte hier, de vooruitgang leek geen grenzen te kennen. Ik realiseerde me wel dat de Belgen Congo hadden leeggeplunderd en hun welvaart eigenlijk aan *de zwarten* dankten, maar ze wisten wel van aanpakken. Afrikanen zijn kinderen, dat hadden de kolonialen goed gezien: we waren trots dat we ons door de Belgen mochten laten leegzuigen, alleen maar om ook een beetje bij dat moderne land met die tricolore vlag te horen.'

Mokuna versiert zich ook naast het veld een reputatie die hem zijn leven lang zal achtervolgen: 'Ik was een ster in België. Na een match moest ik niet eens moeite doen om met een paar vrouwen thuis te komen. *Et quand on a la force, il faut travailler.* Maar wat me ergerde, was de hypocrisie. In Congo konden de blanke heren van stand gewoon krijgen wat ze wilden. En geloof me: ze pakten het ook. Of de meisjes 10 of 20 jaar waren, deed er niet toe. Ik was verbijsterd dat diezelfde maatschappij ineens veel hogere morele eisen stelde aan een zwarte. Maar ik had gezien hoe de blanken in mijn vaderland onze jonge meisjes het bed in sleepten, en ik heb revanche genomen in België.'

287 De eerste zwarte voetballers in Nederland

Wat Congo is voor België, is Suriname voor Nederland. Zowat tegelijkertijd – eind jaren vijftig – zijn de eerste voetballers uit de kolonie gearriveerd. Herman Rijkaard bijvoorbeeld, de vader van Frank. Humphrey Mijnals ook, die Nederlands eerste zwarte international zal worden en voor zijn debuut in een kille novemberwedstrijd in 1960 een ijsmuts aantrekt tegen de kou. Mijnals is de eerste in een heel lange rij gekleurde internationals, die Oranje mee naar de wereldtop zullen stuwen. De eerste buitenlandse voetbalprof in het Nederlandse voetbal komt echter uit Zuid-Afrika. Hij heet Steve Mokone, alias *De Zwarte Meteoor,* over wie NOS-collega Tom Egbers het gelijknamige, prachtige boek schreef dat ook werd verfilmd.

'Als Pelé de Rolls-Royce is van alle voetballers, Stanley Matthews de Mercedes-Benz en Alfredo di Stéfano de Cadillac, dan is Steve Mokone toch zeker de Maserati,' jubelde de legendarische Italiaanse voetbaljournalist Beppe Branco ooit over hem. Mokone is een van de weinige spelers in Europa die het destijds fabelachtige bedrag van 10.000 pond per jaar verdient, bij het Engelse Coventry City. Vandaar ook dat niemand begrijpt waarom hij in 1957 overstapt naar de Nederlandse tweedeklasser Heracles uit Almelo, terwijl hij ook naar Real Madrid kon. 'In Engeland kon ik het niet langer uithouden,' vertelt hij daar later zelf over. 'Ik werd er als zwarte speler gediscrimineerd en wilde terug naar huis. Omdat ik geen Spaans sprak, wilde ik ook niet naar Spanje. Toen kwam dus Heracles, een club waarvan ik nog nooit had gehoord. "Daar spreken ze Nederlands, net als in Zuid-Afrika," werd mij verteld. Dat gaf voor mij de doorslag. En ik moet zeggen dat ik mij als mens gedurende mijn hele voetbalcarrière nergens beter thuis heb gevoeld dan in Almelo.'

Een donkere medemens in het straatbeeld, het zorgt voor flink wat commotie in Almelo, en ook op het veld is hij een sensatie. Mokone brengt Heracles met een karrenvracht goals haast in zijn eentje naar de hoogste afdeling, maar na twee jaar is het sprookje uit. Plots is *De Zwarte Meteoor* met de noorderzon verdwenen. Hij gaat bij Cardiff City spelen en tekent zelfs een contract bij Barcelona. Daar valt hij echter af als buitenlander-op-overschot. Volgen passages bij toch ook niet bepaald marginale clubs als Olympique Marseille, Torino en Valencia. Na zijn carrière gaat Steve Mokone op zijn 35ste in Amerika studeren, waar hij in een schimmige gerechtszaak verwikkeld geraakt. Hij krijgt twaalf jaar cel waarvan hij er negen uitzit. Wanneer hij vrijkomt, keert hij terug naar Zuid-Afrika, waar hij wordt verafgood. Niet alleen is hij een persoonlijke vriend van Nobelprijswinnaar en vrijheidsheld aartsbisschop Desmond Tutu, met wie hij nog gevoetbald heeft in het schoolelftal. 'In die tijd heb ik ook Nelson Mandela leren kennen, maar dat was toen nog vooral een clown. Wat kon die jongen gek doen!' Mokone heeft zich ook actief ingezet in de strijd tegen de Apartheid. Hij is al sinds zijn 16de lid van het ANC en bij drie opeenvolgende Olympische Spelen trekt hij mee de kar in protestacties tegen het racistische regime in Zuid-Afrika.

288 De eerste zwarte voetballers in Duitsland

Op een paar kortstondige vlekjes in Afrika na, heeft Duitsland nooit kolonies gehad. Het verhaal van de zwarte voetballers ligt er dan ook heel anders. Na de Tweede Wereldoorlog komt het er tot diverse verbroederingen tussen de Amerikaanse bezetter en de plaatselijke bevolking, en in 1946 wordt Erwin Kostedde geboren, zoon van een Duitse moeder en een zwarte G.I. Kostedde gaat voetballen, en maakt furore als rommelende sluipschutter in de stijl van de legendarische Gerd Müller. In het seizoen 1970-71 wordt hij bij Standard topschutter in de Belgische competitie, en hij trapt ze al even makkelijk binnen bij Hertha Berlijn, Borussia Dortmund en het Franse Laval. In 1974 roepen de kijkers van *Die Sportschau* een van zijn goals uit tot Doelpunt van het Jaar en Kostedde wordt drie keer opgeroepen voor de West-Duitse nationale ploeg. Hij gaat zo de geschiedenis in als de eerste niet-blanke speler in de Mannschaft, Jimmy Hartwig en de al eerder als trainer-ijzervreter aangehaalde Felix Magath zijn de volgende.

Hartwig, ook een zoon van een Amerikaanse soldaat en een Duitse moeder debuteert als international in 1979. Het blijft bij twee selecties, maar met HSV wint hij in 1983 wel Europacup I onder de vleugels van Ernst Happel. Het enige doelpunt in de finale tegen Juventus wordt gescoord door Magath, kind van een Puerto Ricaan die hem en zijn moeder achterliet toen hij nog een baby was. 'Mijn vader was bij de Militaire Politie. Eerst werd hij overgeplaatst naar Frankrijk, en in die tijd kwam hij ons nog af en toe opzoeken in Aschaffenburg, waar we toen woonden. Daarna moest hij terug naar de Verenigde Staten. Natuurlijk heb ik mijn vader als kind wel gemist. Hij bleef schrijven, en toen ik een jaar of 15 was, is hij ons nog komen opzoeken in Duitsland.' Twee jaar na dat bezoek, kiest Magath ervoor zijn geboortenaam Wolfgang in te ruilen voor Felix, de naam van zijn vader. 'Wellicht heb ik in mijn onderbewustzijn toch een manier gezocht om dichter bij hem te zijn. Maar los daarvan hoor ik "Felix" ook gewoon liever.'

Erwin Kostedde raakt eind jaren tachtig alles kwijt na twijfelachtige beleggingen. Een nieuw leven als vertegenwoordiger wordt niets, en in 1990 pakt de Duitse politie hem op, op verdenking van een roofoverval op een speelhal. Een jaar later wordt hij vrijgesproken en vanaf dan leidt hij hij een berooid en teruggetrokken leven in zijn geboortestad Münster.

Jimmy Hartwig krijgt na zijn carrière problemen met drugs en wordt genoemd in een schimmig prostitutieverhaal, hij herstelt tot drie keer toe van kanker en begint een nieuw leven als acteur, met onder meer de hoofdrol in een opvoering van *Woyzeck* in Leipzig. Felix Magath – 3 goals in 43 interlands voor West-Duitsland, tussen 1977 en 1986 – blijft na zijn actieve carrière als trainer in het voetbal. Elke zomer bezoekt hij zijn vader in Puerto Rico.

289 Het eerste zwarte team op het WK

Het verhaal van de Congolese voetballers in België is intussen blijven doorgaan tegen het decor van de verhoudingen tussen moederland en kolonie, die in een cruciale fase zitten. Er is de onafhankelijkheid in 1960, de moord op premier Patrice Lumumba een jaar later, en in 1965 de machtsgreep van Joseph-Désiré Mobutu. Het voetbalcontact tussen beide landen danst mee op het ritme van de politieke relaties. Mobutu glundert. Zoals alle dictators aast hij op sportief succes dat de superioriteit van zijn regime moet aantonen. Op 27 oktober 1971 doopt hij zijn land om tot Zaïre, en het voetbal moet mee het bad in van de zogenaamde *zaïrisering*. Hij heeft dan al zijn landgenoten die in Europa voetballen manu militari terug naar huis geroepen. De zwarte Zonnekoning wil de nationale ploeg in eigen land smeden tot een wereldmacht in het voetbal. De Leeuwen van Leopoldstad heten voortaan *Les Léopards du Zaïre*. De Luipaarden winnen in 1974 de Africa Cup en plaatsen zich als allereerste zwart-Afrikaans land ooit voor de eindronde van de Wereldbeker.

Ook weer zo'n bizar verhaal, die kwalificatie. In de voorronden verslaat Zaïre Kameroen en Ghana, en samen met Marokko en Zambia speelt het de eindronde met drie voor één ticket. Marokko, vier jaar voordien de Afrikaanse deelnemer aan het WK in Mexico, is uitgesproken favoriet. Maar het is Zaïre dat het voortouw neemt met een dubbele overwinning tegen Zambia, waarna het in Kinshasa Marokko verslaat met 3-0. Dan gaan de poppen aan het dansen. De Noord-Afrikanen wenden zich tot de wereldvoetbalbond FIFA met een hele waslijst aan klachten. Over de scheidsrechter, om te beginnen. De heer Lamptey, in het dagelijks leven majoor in het Ghanese leger, heeft een in hun ogen glashelder Marokkaans doelpunt afgekeurd en de thuisploeg in het algemeen niet echt veel in de weg gelegd. De aanloop naar de wedstrijd, dan. De Zaïrese overheden hebben het Marokkaanse team ondergebracht in een hotel vlakbij een lawaaierige markt, waardoor ze geen seconde rust kennen. Transport naar het stadion is er niet zodat de Marokkanen niet of nauwelijks kunnen trainen, en de nacht voor de wedstrijd rinkelen de telefoons onophoudelijk in de kamers. Verkeerd verbonden, keer op keer. De FIFA laat weten dat het de klacht goed heeft ontvangen, maar geeft er verder geen gevolg aan. Waarop de Marokkanen alles in de weegschaal gooien. Ze weigeren de laatste wedstrijd, thuis tegen Zaïre, te spelen. Jammer, reageert de FIFA. Zaïre krijgt een 0-2 overwinning toegewezen, zoals het reglement het voorschrijft, en mag naar het WK.

In België kent iedereen Zaïre uiteraard als het vroegere (Belgisch-) Congo, maar op wereldvlak is het land in 1974 nog een grote onbekende bij de voetballiefhebbers. Zelfs in onze buurlanden. Zo schrijft Nederlands Wereldbeker-chroniqueur bij uitstek Hans Molenaar: 'De kwalificatie van Zaïre betekende dat men in de gehele voetbalwereld de nieuwste atlas probeerde te bemachtigen om na te gaan waar dat Zaïre nu toch eigenlijk lag. Het bleek gewoon het vroegere Belgisch-Congo te zijn. Bij nadere bestudering van de geografie kom je dan ineens tot de ontdekking dat Zaïre helemaal geen klein landje is, en dat er in de gehele wereld maar tien grotere landen zijn! De belangrijkste man van het land is generaal Mobutu. Zijn persoonlijke vreugde kende geen grenzen toen zijn land naar Duitsland mocht om zich met de echte voetballanden te gaan meten.' De *président-fondateur* vertaalt zijn vreugde ook in rijkelijke cadeaus. Elke speler krijgt van hem een auto en een woning, en de toelating om op zijn kosten een snoepreisje te maken naar een Europees land naar keuze. Dat laatste stuit echter op het veto van de bondscoach, de Joegoslaaf Blagoje Vidinic.

Vidinic is een ijzervreter. In Zaïre gebruikt hij zelden of nooit zijn echte naam. Iedereen, inclusief zijn spelers, wordt geacht hem aan te spreken met 'Excellentie'. Vidinic ziet de Europese trips op kosten van Mobutu niet zitten omdat hij bang is voor de gevolgen. Mobutu heeft hem weggelokt bij de Marokkaanse voetbalbond met een contract van onbepaalde duur dat goed is voor een destijds fabelachtig maandloon van omgerekend 3.000 euro, plus gratis villa en luxewagen. Vidinic heeft er bepaald geen zin in om dat gouden kalf te slachten wanneer zijn spelers er niets van zouden bakken in West-Duitsland.

Grote ster bij de Luipaarden is Ndayé Mulamba. De 26-jarige midvoor en aanvoerder is een fenomeen. Voor zijn club AS Vita Club uit Kinshasa scoort hij 50 keer in een kalenderjaar in de competitie, en zeven keer in één Bekerfinale. Op de Africa Cup heeft hij bewezen dat hij ook internationaal kan schitteren. Mulamba is vandaag nog steeds recordhouder met zijn negen goals in amper zes wedstrijden, waarvan vier in de dubbele finale. *Mutumbula* is zijn voetbalbijnaam, *Moordenaar*. Mobutu is zo ingenomen met de prestaties van zijn aanvoerder dat hij hem bedenkt met de Nationale Orde van de Luipaard, de hoogste nationale onderscheiding. 'Het land was toen stabiel en welvarend,' blikt Mulamba in 2008 terug op de gouden jaren van het Zaïrese voetbal. 'President Mobutu was helemaal gek van voetbal, en we kwamen niets tekort. Verplaatsingen deden we in luxevliegtuigen, en de ene goede coach na de andere werd aangetrokken. 1974 was zonder enige twijfel het mooiste jaar ooit in ons voetbal, maar het was ook het jaar waarin alles weer bergaf begon te gaan.' En dat gebeurt uitgerekend op het WK waar zoveel van werd verwacht. Bondscoach Vidinic is nochtans vol vertrouwen bij de aankomst in West-Duitsland. 'Ik heb nog nooit een land gezien met zoveel talent,' glundert hij. 'Zaïre zit er vol van, die jongens hebben het van in de wieg meegekregen. Ik heb alleen maar zoveel mogelijk lijn en systeem in hun spel geslepen. Geloof me, Zaïre wordt dé verrassing van het tornooi!' Dat worden de Luipaarden inderdaad. Maar op een heel andere manier en het is uitgerekend Vidinic die in het oog van de storm zal terechtkomen.

In de eerste groepswedstrijd wacht Schotland, met Billy Bremner, Peter Lorimer, Joe Jordan, Denis Law en de nog jonge Kenny Dalglish. Ze gooien er al hun fysieke kracht tegenaan in de hoop de Zaïrezen van de sokken te blazen. De Luipaarden reageren met technische hoogstandjes. Voetbal in zijn puurste vorm, de internationale journalisten kraaien het uit van de pret. 'Wat een verademing!' juicht de Nederlandse verslaggever Cees van Nieuwenhuizen. 'Eindelijk weer eens voetballers aan het werk zien die genieten van het spel met de bal en die ook werkelijk alles en nog veel meer kunnen met die bal! Onvoorstelbare kronkels haalden ze uit, ze draaiden als tollen om de dolgedraaide Schotten heen.' Efficiënt is het helaas niet. De Schotse doelman wordt niet één keer bedreigd, en goals van Lorimer en Jordan zorgen voor een 2-0 zege voor Schotland. Een eervolle nederlaag, maar ze biedt wel perspectief voor de volgende wedstrijd, tegen Joegoslavië. Het gaat echter gigantisch mis. In één wedstrijd – een halve, zelfs – wordt het Zaïrese voetbal teruggeworpen naar zijn donkerste prehistorie. Jawel, de Joegoslavische scouts hebben in de wedstrijd tegen de

Schotten gezien dat de Luipaarden met tempo-voetbal op de knieën te krijgen zijn, maar het gaat wel heel erg makkelijk.

6de minuut: 1-0, Bajevic. 13de minuut: 2-0, Dzajic. 18de minuut: 3-0, Surjak.

Vidinic vervangt prompt zijn doelman Kazadi, nochtans een van de uitblinkers tegen Schotland. Invallersdoelman Tubilandu is bovendien een hoofd kleiner dan de kopbalsterke Joegoslaven. Vreemde ingreep, en Kazadi zit nog niet eens neer op de bank, wanneer zijn vervanger zich ook al mag omdraaien.

22ste minuut: 4-0, Katalinski. 30ste minuut: 5-0, Bajevic. 35ste minuut: 6-0, Bogicevic.

De Joegoslaven sparen dan hun energie voor het vervolg van het tornooi, en pas op het uur besluiten ze toch nog even gas te geven.

61ste minuut: 7-0, Oblak. 65ste minuut: 8-0, Petkovic. 81ste minuut: 9-0, Bajevic.

Scheidsrechter Delado fluit af. 9-0. Een afgang voor de wereldcamera's, Mobutu's ergste nachtmerrie. Bovendien hebben de Luipaarden slechts één actie getoond die de samenvattingen haalt. In de 22ste minuut is verdediger Mwepu Ilunga het niet eens met een beslissing van de Colombiaanse scheidsrechter Delgado, en hij geeft hem doodleuk een trap tegen zijn achterwerk. Rood uiteraard, maar in de algemene verwarring is het niet Ilunga die van het veld wordt gestuurd maar topspits Ndayé Mulamba, die er niets mee te maken heeft. Hij stapt echter zonder verder protest van het veld. Omdat beslissingen van de scheidsrechter in 1974 nog zonder morren worden aanvaard? Of is hier meer aan de hand?

Mobutu laat weten dat hij allerminst *amused* is, en dat de Luipaarden maar beter hun hoofd voor de bal kunnen leggen in hun laatste wedstrijd op het WK. Tegen Brazilië, nota bene... De Zaïrese voetballers zijn prompt zo bang dat er de vreemdste dingen gebeuren op het veld, waaronder een van dé top-*bloopers* uit de geschiedenis van de Wereldbeker. Bij een vrije trap voor Brazilië zorgt alweer Mwepu Ilunga voor een hilarische stunt. Hij stormt plots uit de muur en trapt de bal weg, nog voor de compleet verbouwereerde Roberto Rivellino zijn aanloop heeft genomen. Met een 0-3 nederlaag komen de Zaïrezen uiteindelijk nog relatief goed weg, maar voor bondscoach Vidinic zit het goedbetaalde sprookje erop, precies zoals hij had gevreesd. 'Doodzonde,' vindt Ndayé Mulamba vandaag nog steeds. 'Hij was bezig ons de principes van het moderne voetbal bij te brengen.' Maar iemand moet de prijs betalen voor Mobutu's gezichtsverlies. Vidinic krijgt het verwijt dat hij onder een hoedje heeft gespeeld met zijn Joegoslavische landgenoten. 'Een regelrechte schande,' zegt Mulamba. 'Ik ben er nu nog steeds van overtuigd dat hij niets te maken had met dat debacle. De goden delen hun geheimen ook niet met mij, maar ik geloof echt niet dat de coach onze tactiek vooraf had doorgebrieft aan de Joegoslaven. Hij was erg professioneel met iedereen. Nee, er waren heel andere problemen, vóór die wedstrijd. We waren erachter gekomen waarom we al maanden zaten te wachten op de beloofde WK-premies: het geld was in de zakken van de begeleiders van de voetbalbond verdwenen. We hebben er toen zelfs mee gedreigd de wedstrijd niet te spelen. Uiteindelijk hebben we het zover niet laten komen, maar de motivatie was helemaal weg. Eerlijk gezegd, we hadden wel twintig goals kunnen binnenlaten, makkelijk zelfs.'

En dan zijn er ook nog...

De eerste zwarte voetballer in Frankrijk: Doelman Raoul Diagne wordt in 1931 voor het eerst geselecteerd voor een interland en zal tot 1940 achttien keer onder de lat staan bij de Fransen. Zijn vader, Blaise Diagne, zetelt op dat ogenblik namens Senegal in het Franse parlement. * **De eerste zwarte voetballer in Italië:** Het is wachten tot 1981 op de eerste Afrikaan in de Serie A: de Ivoriaan François Zahoui. Zijn club, Ascoli, krijgt er echter al snel spijt van want een wereldvoetballer blijkt hij niet te zijn. Na amper één seizoen wordt Zahoui alweer afgevoerd. * **De eerste zwarte voetballer in het ex-Oostblok:** In 2007 wordt Theo Gebreselassie als eerste kleurling opgeroepen voor een nationale jeugdselectie van Tsjechië, en in mei 2011 maakt hij zijn debuut als volwaardig international in een vriendschappelijke wedstrijd tegen Peru. Gebreselassie is de zoon van een Ethiopische vader en een Tsjechische moeder. Zijn laconiek commentaar: 'Iemand moet de eerste zijn'.

Van Romelu Lukaku tot Kim Clijsters

De domste blessures

Judoka Gella Vandecaveye laat net voor het WK 2001 een groot mes uit haar handen glippen in de keuken. Het valt met de punt naar beneden en scheurt een pees van haar grote teen af. Santiago Cañizares, tweede doelman van de Spaanse nationale ploeg, laat in de aanloop naar het WK 2002 na het douchen een flesje aftershave in gruzelementen vallen. Pal op zijn voet, resultaat: een afgescheurde pees en vaarwel WK. En de Argentijnse spits Martin Palermo, die springt in 2001 dan weer na een goal voor Villarreal CF op een muurtje waarachter zijn supporters staan te juichen. Die worden nu helemaal gek, dringen naar voren en het muurtje bezwijkt onder hun gewicht. Palermo wordt afgevoerd met een dubbele beenbreuk. Op ziekenbezoek bij een aantal slachtoffers van wel heel bizarre blessures.

290 Romelo Lukaku en Bob Peeters: Geblesseerd door vreugde

Zijn eerste goals in onze Eerste Klasse viert de nog jonge en onbevangen Lukaku met spectaculaire salto's. Tot groot jolijt van de Anderlechtsupporters, maar niet van trainer Ariël Jacobs. 'Te hoog risico op blessures dus niet meer doen,' prent hij zijn spits in. Waarop de 17-jarige Lukaku zich op 21 maart 2011 na zijn beslissend doelpunt thuis tegen AA Gent (3-2) beperkt tot de bekende buikschuiver. Resultaat: een blessure aan de aanhechting van de quadriceps aan de heupbeenkam.

Salto's na een doelpunt? Bob Peeters moet er met zijn lange lijf niet eens aan denken. Al helemaal niet tijdens zijn ongelukkige passage bij Racing Genk in het seizoen 2005-06. Peeters staat meer naast dan op het veld, en hij is dan ook behoorlijk door het dolle heen wanneer hij als invaller scoort in de wedstrijd tegen Germinal Beerschot. *Lange Bob* viert zijn goal echter zo enthousiast dat hij een maand *out* is met een verrekking.

291 Cadel Evans:
Geblesseerd door een dans

De Australische kopman van Silence-Lotto is op zondag 27 juli 2008 weliswaar als tweede gefinisht in de Tour, maar er kan toch een feestje af. Een rock-'n-rollavond zelfs, maar Evans is niet bepaald een uitbundige fuiver. Dansen? *No f***ing way!* Tot eerst zijn vrouw Chiara en daarna ploegmaat Yaroslav Popovych lang genoeg hebben aangedrongen om Evans toch op de dansvloer te krijgen. Dik tegen zijn zin en met vervelende gevolgen: na amper een paar pasjes verrekt hij een spier in de knie en hij moet forfait geven voor het eerste na-Tourcriterium.

292 Aad de Mos:
Geblesseerd door de dug-out

Al wekenlang heerst er grote opwinding bij de Nederlandse amateurclub HMSH uit Den Haag: het grote Ajax komt langs voor een oefenwedstrijd! Aad de Mos, op dat moment trainer van de Amsterdammers, gaat er op 29 januari 1984 eens goed voor zitten in de dug-out. Eens kijken wat Frank Rijkaard, Marco van Basten, Ronald Koeman, Jesper Olsen, Gerald Vanenburg en zijn andere sterren ervan bakken. Naast hem zitten zijn assistent Hassie van Wijk (vader van Dennis van Wijk en schoonvader van Marc Degryse), penningmeester Lou Bartels en doelman Hans Galjé (later bij KV Kortrijk en Club Brugge). Het loopt prima. Ajax leidt met 0-13, en De Mos roept Olsen en Koeman naar de kant. Dertiende minuut tweede helft, tijd om te wisselen. Van Basten mocht bij de rust al in de kleedkamers blijven, zodat ook hij in principe op de bank zou moeten zitten. *San Marco* is echter nog onderweg naar de dug-out, en Olsen en Koeman verkiezen eerst te gaan douchen in de kleedkamers. De Mos staat zelf net vóór het betonnen bouwsel wanneer het gebeurt...

Een 15-tal plaatselijke jongeren is in de eerste helft al op het dak van de dug-out geklauterd, waar ze vrolijk staan te dansen en te springen. Razend gevaarlijk, ze zijn al een paar keer aangemaand er weer af te komen, maar tevergeefs. Zelden was 13 zo'n ongeluksgetal. Al helemaal voor de, zoals bekend, extreem bijgelovige De Mos. Dertiende minuut, dertien goals gescoord en de dug-out stort met een donderend geraas in elkaar. Van Basten, Olsen en Koeman zijn er door een dom toeval aan ontsnapt, Galjé blijft ongedeerd, De Mos moet met gelukkig slechts lichte verwondingen naar het ziekenhuis, maar penningmeester Bartels en vooral assistent Van Wijk zijn er erger aan toe. Er zijn betonplaten op hun voeten gevallen, en de artsen hebben geen andere keuze dan respectievelijk twee en vijf tenen te amputeren. Meteen het einde van Hassie van Wijks trainerscarrière.

293 Wietse Bosmans:
Geblesseerd door een speelgoedauto

Veldrijder Wietse Bosmans trekt er op 9 december 2013 op uit voor een flinke trainingstocht. 'Op een rustige landweg in Wernhout, net over de Nederlandse grens,' doet hij een paar dagen later het verhaal. Vanop zijn ziekbed, want... 'Ineens kwam er zo'n telegeleide speelgoedauto met hoge snelheid aangereden. Eerst leek het erop dat het ding mij zou ontwijken, maar plots knalde het vol in mijn voorwiel. Een auto van wel zestig centimeter lang en dertig kilo zwaar!' Bosmans vreest dat hij bij zijn val beide polsen gebroken heeft, maar dat is gelukkig niet het geval. Een opsteker die hij wel kan gebruiken in een pechjaar. In maart heeft hij al zijn linkerknie gebroken bij een ongeval met een crossmotor. En toen hij, na een zware en lange revalidatie, op 23 november aan de start kwam van de Wereldbekercross in Koksijde, was hij prompt tegen een dranghekken aangeknald. Diagnose: whiplash, lichte hersenschudding en een paar loszittende tanden.

294 Marko Arnautovic, Julien Escudé en Darren Barnard: Geblesseerd door de hond

De Oostenrijker Arnautovic, in maart 2012 nog spits bij Werder Bremen, doet bij land en club zowat alles wat God verboden heeft. Maar hoe loopt hij een blessure op, die hem zes weken aan de kant houdt? Door met zijn hond te spelen, met zijn voet in het gras verstrikt te raken en zo een knieband te scheuren.

Twaalf jaar eerder, in de zomer van 2000, overkomt Julien Escudé (20) zowat hetzelfde, maar met grotere gevolgen. De Franse centrale verdediger is op dat ogenblik sterkhouder achterin bij Stade Rennes en de nationale beloften, en op een paar details na is een transfer naar Manchester United helemaal rond. Tot ook hij met zijn hond gaat wandelen, die hem letterlijk voor de voeten loopt. Escudé struikelt en scheurt de ligamenten in een knie. De blessure houdt hem drie maanden van de velden. De Fransman bouwt nog wel een aardige carrière uit bij o.a. Ajax en Sevilla, maar schitteren op Old Trafford blijft voor eeuwig en altijd een verre droom.

Darren Barnard heeft in 1999 overigens al bewezen dat je als voetballer zelfs niet naar buiten hoeft met de hond om een domme blessure op te lopen. De linksback van het Engelse Barnsley glijdt uit over een plas urine die zijn huisvriend in de keuken heeft achtergelaten en staat – of beter: ligt – meteen voor bijna een half jaar aan de kant.

295 Carles Busquets: Geblesseerd door een strijkijzer?

Met vraagteken, ja. Jarenlang doet de bekende officiële versie de ronde dat de doelman-met-de-lange-broek zich thuis heeft geblesseerd aan de handen. Busquets, vader van huidig *Barça*-middenvelder Sergio, ligt te rusten op de bank wanneer hij vanuit een ooghoek ziet dat zijn andere zoon, kruipkleuter Aitor, tegen de strijkplank botst. De plank wiebelt vervaarlijk heen en weer, kantelt om en het strijkijzer dreigt op Aitors hoofd te vallen. De anders allesbehalve balvaste doelman ontpopt zich in zijn woonkamer plots als een wereldkeeper en onderschept het strijkijzer nog net op tijd. Het is echter wel gloeiend heet en

Busquets is maanden uit met tweedegraads brandwonden aan beide handen. Knuffelbeer en held in één, geweldig!

Jaren later komt echter druppelsgewijs aan de oppervlakte dat het in werkelijkheid anders gegaan is. Busquets zou zich helemaal niet geblesseerd hebben met een heroïsche redding, melden steeds meer ooggetuigen aan diverse Spaanse kranten: 'Hij is gevallen met de motor, zijn handen schuurden over het asfalt, vandaar die verwondingen.' Lees: Busquets heeft het strijkijzerverhaal verzonnen. Waarom? Toenmalig Barcelona-trainer Johan Cruijff en het bestuur zouden het uiteraard niet zo fijn gevonden hebben dat hun doelman zich in zijn vrije tijd aan dit soort gevaarlijke grappen bezondigde. Busquets zelf weigert er tot vandaag op terug te komen.

296 Sam Torrance:
Geblesseerd door een bloempot

Schotlands Grote Golfhoop heeft structureel last van een zeer lichte slaap. Zeker wanneer hij in een hotel logeert, zoals die fatale nacht in 1993. Torrance schiet voor de zoveelste keer wakker, ziet een inbreker in zijn kamer en stort zich onvervaard op de indringer. Het blijkt om een bloempot te gaan. Een vrij stevige zelfs. Gevolg van de worstelpartij voor Torrance: een breuk aan het borstbeen.

297 Darius Vassell:
Geblesseerd door doktertje spelen

Letterlijk. In het seizoen 2002-03 heeft de spits van Aston Villa last van een bloedblaar op een dikke teen. Vassell besluit die zelf door te prikken. Met een draadloze boor uit de doe-het-zelfzaak. In verhouding tot de therapie valt de schade al bij al mee: een bliksembezoek aan het ziekenhuis, een zware infectie en onbeschikbaar voor de topper tegen de Blackburn Rovers.

298 Ian Greig:
Geblesseerd in het ziekenhuis

Behoorlijke brokkenpiloot, deze Engelse cricketer. Het gaat een eerste keer mis wanneer hij terugkeert van een wedstrijd en vaststelt dat hij zijn huissleutel niet bij zich heeft. Greig probeert binnen te raken via een open raam op de bovenverdieping. Hij valt zes meter naar beneden en betaalt zijn poging tot Spider-Man met een gebroken enkel. Vier jaar later blijkt er na onderzoek in het ziekenhuis van een wedstrijd-blessure aan een hand helemaal niets mis te zijn. Greig staat opgelucht op, knalt met zijn hoofd tegen het röntgenapparaat en de artsen kunnen meteen aan de slag om de open wonde te hechten.

299 Yannick Noah:
Geblesseerd door merguez

In september 1989 is de excentrieke Fransman op zijn 29ste aan een tweede tennisleven bezig wanneer hij de zomer wil afsluiten met een barbecue. De sfeer is bijzonder uitgelaten en Noah verliest de merguez-worstjes uit het oog die achter hem boven het vuur liggen. De hele barbecue gaat in de fik en Noahs kleren vatten vuur. Hij komt er wonder boven wonder vanaf met een grote brandwonde, acht dagen platte rust en slechts twee weken zonder tennis. Noah haalt een paar maanden later, in januari 1990, zelfs de halve finale van de Australian Open.

300 Alan Wright:
Geblesseerd door het gaspedaal

In 1995 stapt de – belangrijk detail – kleine linksachter over van Black-burn Rovers naar Aston Villa. Wright vindt dat hij dat best mag vieren met een cadeautje voor zichzelf. Een Ferrari, kwestie van iedereen dui-delijk te maken hoe goed hij vanaf nu verdient. Met zijn 1 meter 63 is Wright bij de laatste telling nog steeds de kleinste speler ooit in de Premier League. Kleine mensen hebben korte benen, en in Wrights geval zijn die net te kort om het gaspedaal helemaal in te drukken. Bij zijn eerste poging al loopt hij een knieverrekking op, waarna hij de Ferrari noodgedwongen maar weer van de hand doet.

Met zijn 1 meter 82 hoeft Ghanees international Charles Akkonor (Fortuna Köln) zich geen zorgen te maken over de lengte van zijn benen en de pedalen van zijn nieuwe auto. Maar er zijn uiteraard andere lichaamsdelen en onderdelen zat. In zijn geval zorgt een onwaarschijnlijk duet ervoor dat Akkonor vier weken *out* is. De middenvelder krijgt maar niet genoeg van de antenne die hij volautomatisch kan laten uitschuiven. 'Kijk maar!' zegt hij trots tegen een stel vrienden, waarop de antenne zich recht in een van zijn neusgaten boort.

301 Kevin Keegan en Eldridge Rojer: Geblesseerd onder de douche

De ene schittert in de jaren 70 bij Liverpool en HSV en krijgt zowel in 1978 als in 1979 de Gouden Bal als beste voetballer van Europa, de andere hobbelt dertig jaar later wat mee in de marge van het Nederlandse voetbal. En toch hebben Kevin Keegan en Eldridge Rojer iets gemeen: allebei zijn ze ooit buiten strijd geraakt onder de douche. De Engelse superster moet twee wedstrijden laten schieten nadat hij met een teen geklemd is geraakt in het afvoerputje. Hoe dat precies is gekomen, heeft hij nooit willen vertellen. In tegenstelling tot Rojer, die in 2007 een zware blessure aan de kruisbanden heeft opgelopen. Na een jaar revalideren is hij eindelijk aan zijn comeback toe. Althans, dat is toch de bedoeling maar de aanvaller van tweedeklasser Excelsior glijdt uit onder de douche. Rojer moet opnieuw maanden revalideren en bezwijkt onder de druk om te vertellen hoe het precies is gebeurd: tijdens een vrijpartij met zijn vriendin onder het stromende water.

302 Ivano Bonetti: Geblesseerd door kippenvleugeltjes

Honderdduizend pond heeft het Engelse Grimsby Town neergeteld om Ivano Bonetti los te weken bij Torino. Een best wel pittig bedrag in 1995, en manager Brian Laws heeft er dan ook behoorlijk de pest in wanneer de Italiaan er volgens hem in februari 1996 met de pet naar gooit in de uitwedstrijd tegen Luton Town. Na de 3-2 nederlaag slingert een ziedende Laws een schotel kippenvleugeltjes richting Bonetti.

Die krijgt ze pal op zijn hoofd en gaat als een blok neer op de kleedka-
mervloer. Met als gevolg een gebroken kaakbeen, blijkt in het ziekenhuis.

303 Bret Barberie:
Geblesseerd door pepersaus

Baseball blijkt een behoorlijk gevaarlijke sport te zijn, vooral naast het
veld. Zo wil John Smoltz (Atlanta Braves) nog snel een kreuk uit zijn
hemd strijken. Terwijl hij het draagt, en hij loopt ernstige brandwonden op. Wade Boggs (Boston Red Sox) loopt dan weer een hernia op bij
het aantrekken van zijn cowboylaarzen, Adam Eaton (Philadelphia
Phillies) verwondt zichzelf met een keukenmes in de maagstreek bij
het uitpakken van een nieuwe dvd, en zo gaat het maar door. De absolute topper in het genre is echter toch Bret Barberie van de Baltimore
Orioles. Hij is maanden *out* met een oogontsteking nadat hij een kom
nacho's met extrahete pepersaus bijkruidt en zijn handen vergeet te
wassen vóór hij zijn contactlenzen inbrengt.

304 Thierry Henry:
Geblesseerd door de cornervlag

De Franse wereldspits scoort in totaal 176 goals voor Arsenal, vaak
gevolgd door een juichritueel bij een cornervlag. In 2000 werkt dat
ding echter niet echt mee. Henry heeft gescoord in de Londense derby
tegen Chelsea, rent naar de hoek van het veld en steekt zichzelf ei zo
na een oog uit met de vlaggenstok.

Ook uit het grote blunderboek van de *Gunners:* Steve Morrow
scoort in de League Cup editie 1993 tegen Sheffield Wednesday en
wordt door aanvoerder Tony Adams hoog in de lucht gehesen. Waarop
Adams hem laat vallen en Morrow met een armbreuk wordt afgevoerd.

305 Carlos Moreno:
Geblesseerd door het kleedkamerzitje

De Spaanse middenvelder van de intussen ter ziele gegane eersteklasser Moeskroen moet op 25 oktober 2009 op de valreep afhaken voor de competitiewedstrijd uit bij Germinal Beerschot. Moreno is met een vinger geklemd geraakt in zijn kleedkamerzitje, en er wordt zelfs even gevreesd voor een amputatie.

306 Lindsey Vonn:
Geblesseerd door een champagnefles

Wanneer de Amerikaanse skikampioene de Wereldbeker afdaling editie 2009 definitief binnenheeft, mag de kurk uit de champagnefles. De fles die Vonn hiervoor uitkiest is echter gebarsten. Ze breekt en een scherf snijdt een pees in haar duim helemaal door.

307 Jérôme Fernandez:
Geblesseerd door de kraan

Rood is warm water, blauw staat voor koud. Veel kwantumfysica komt er niet bij kijken als je onder de douche staat, maar toch loopt Jérôme Fernandez er het EK handbal 2000 door mis. Net voor de afreis met de Franse nationale ploeg draait hij in een tijdelijke vlaag van kleurenblindheid aan de verkeerde kraan. Derdegraads brandwonden kosten hem het Europees Kampioenschap én een huidtransplantatie.

308 Jim Bilba:
Geblesseerd door een glazen deur

In de *Final Four* van de Euroleague editie 1997 moeten de basketters van het Franse Vileurbanne op de vlucht voor de supporters van het Tsjechische Efes Pilsen, die hen bestoken met allerlei projectielen. Bilba zoekt zo snel veiliger oorden op dat hij niet in de gaten heeft dat hij recht op een glazen deur afstormt. Knal ertegenaan, zware blessure aan een duim en *out* voor de rest van het seizoen...

309 Chris Lewis:
Geblesseerd door de zon

In de aanloop naar de cricketklassieker tegen de West-Indies scheert Engels international Chris Lewis al zijn hoofdhaar af bij wijze van poging tot intimidatie van de tegenstander. Hij vergeet echter zijn kale kop in te smeren voor de training en moet forfait geven voor de wedstrijd met een zonneslag.

310 Vladimir Radmanović:
Geblesseerd door een bevroren plas

De Servische *forward* van de LA Lakers verschijnt op 18 februari 2007 met een zware schouderblessure op de eerste training na het *All-Star Weekend* in het winterse Utah. Hij heeft er een perfect logische verklaring voor: uitgegleden over een ijsplek in Park City. Kan gebeuren, maar het gevolg is wel dat hij voor minstens twee maanden *out* is. Radmanović zakt echter al snel ook figuurlijk door het ijs. Amper vijf dagen later moet hij opbiechten dat het in werkelijkheid gebeurd is bij een val tijdens het snowboarden. In zijn contract staat een strikt verbod op sneeuwsporten. Lakers-coach Phil Jackson kan het bijgevolg maar matig appreciëren, Radmanović krijgt een boete van een half miljoen dollar en wordt al snel afgevoerd naar de Charlotte Bobcats.

311 Tony Allen:
Geblesseerd na het fluitsignaal

Overtreding in de slotfase van de NBA-topper tussen de Boston Celtics en de Indiana Pacers in januari 2007, en dus leggen de scheidsrechters de wedstrijd stil. Celtics-*guard* Allen speelt echter toch door en gooit er een even loze als machtige *dunk* uit. Testosteronzwanger haantjesgedrag of frustratie omdat zijn team hopeloos achter staat? Feit is in elk geval dat Allens knie bij het neerkomen helemaal aan gruzelementen gaat en dat het een mirakel is dat zijn carrière niet definitief voorbij is.

312 Timo Hildebrand:
Geblesseerd door een opblaaspop

Nee, geen exemplaar van twijfelachtig allooi uit de stationsbuurt maar een opblaaspop die bij Schalke 04 op de training gebruikt wordt als nep-tegenspeler. Hildebrand springt er op 4 september 2012 met typisch Duitse volle overtuiging tegenaan met als resultaat een verdraaide knie, een scheurtje in een kruisband, schade aan het kniekapsel, en zes weken *out*.

313 Brandon Marshall:
Geblesseerd door een Big Mac

Op het veld zeulen American football-spelers zowat hun lichaamsgewicht aan beschermingsmateriaal mee, maar daar hebben ze naast het veld uiteraard niet zoveel aan. En net zoals hun collega's uit het honkbal is het dáár dat een aantal van hen de meest waanzinnige blessures oploopt. Brandon *The Beast* Marshall, bijvoorbeeld. De *receiver* van de Denver Broncos loopt in 2008 in het tussenseizoen een indrukwekkende rist snijwonden op aan zijn rechtervoorarm: één slagader geraakt, één ader, een zenuw, twee pezen en drie spieren. 'Uitgegleden over de papieren wikkel van een Big Mac die thuis op de vloer gevallen was,' zegt hij er zelf over. 'Ik stak mijn arm uit om mijn val te breken en die ging dwars door het televisiescherm.' Allerlei geruchten willen dat het in werkelijkheid het gevolg is van een uit de hand gelopen echtelijke ruzie, maar Marshall moet hoe dan ook vier maanden revalideren.

Twijfels zijn er al evenzeer bij het verhaal dat zijn collega-Bronco Brian Griese ophangt over zijn blessure. De *quarterback* houdt vol dat hij zijn enkel verzwikt heeft toen hij van de trap kwam en over zijn hond struikelde. Gezien Grieses verleden met een arrestatie wegens het vernielen van het grote raam van een bar gaat men er echter van uit dat hij met een dronken kop wellicht ergens letterlijk op het verkeerde been is gezet. Over de blessure van Bill Gramática (Arizona Cardinals) is er in 2001 dan weer weinig discussie. Iedereen heeft namelijk op televisie kunnen zien hoe hij bij het vieren van een veldgoal hoger opsprong dan hij zelf blijkbaar in de gaten had. Bij het neerkomen gaat hij onderuit en de ligamenten in een van zijn knieën liggen aan flarden. Washington Redskin Gus Frerotte zet het vier jaar eerder, in 1997, nog enthousiaster op een feesten na een *touchdown*: hij ramt zijn hoofd euforisch tegen een van de stadionmuren. Nu zijn die wel bekleed met een beschermende laag, maar het resultaat is toch een forse halsverrekking en een ritje richting ziekenhuis.

Over naar de kleedkamer van de Jacksonville Jaguars waar coach en meestermotivator Jack Del Rio in 2003 een blok hout en een bijl binnensleept. Bij wijze van metafoor voor zijn spelers: 'Blijf erop inhakken, jongens!' Waarop een van hen – Chris Hanson – de daad bij het woord voegt en de bijl met een enorme zwaai naast het blok en in zijn voet plant.

Orlando Brown, tot slot, heeft gewoon pure pech. Een beetje toch, en hij slaat er uiteindelijk zelfs een flink slaatje uit. In het American football geven scheidsrechters een overtreding aan door een verzwaard vlaggetje het veld in te gooien. Dat doet ref Jeff Triplette op 19 december 1999 in een wedstrijd van de Cleveland Browns tegen de – daar hebben we de houthakkers weer – Jacksonville Jaguars. Maar het vlaggetje belandt precies in het rechteroog van Orlando Brown. De scheidsrechter verontschuldigt zich uitvoerig, maar Brown gaat helemaal door het lint. Hij geeft de scheidsrechter een forse duw en slaat hem vervolgens tegen de vlakte. Gevolg 1: Brown wordt uitgesloten en geschorst door de National Football League (NFL). Gevolg 2: hij mist het hele seizoen 2000 omdat zijn oog maar niet beter wil worden, waarop zijn schorsing ingetrokken wordt. Gevolg 3: Brown sleept de NFL in 2001 voor de rechter en eist 200 miljoen dollar schadevergoeding wegens gemiste inkomsten. De zaak wordt uiteindelijk in der minne geregeld, en Brown is een jaar later – de schattingen lopen uiteen – tussen de 15 en de 25 miljoen dollar rijker.

314 Bobby Cruickshank:
Geblesseerd door zijn eigen golfstok

Cruickshank kan zijn ogen niet geloven in de slotfase van de US Open golf anno 1934: hij heeft het balletje compleet verkeerd geraakt, maar met een onwaarschijnlijk gelukkige bots belandt het via een rots als-nog perfect op de *green*. Opgelucht en dolgelukkig omdat zijn zekere zege door dit godsmirakel toch niet om zeep is, gooit hij zijn golfstok omhoog. Cruickshank kijkt er verder niet naar om, tot de stok opnieuw landt. Pal op zijn hoofd. Hij is dermate van zijn melk dat hij de eind-zege alsnog prijsgeeft met een hele rist missers.

315 Lionel Letizi en David Seaman:
Geblesseerd door een Scrabble-letter en een karper

Om de tijd door te komen tijdens een afzondering halen de spelers van PSG in 2002 een Scrabblebord uit de kast. Tijdens het spel valt een van de letters op de grond, doelman Letizi bukt zich om het blokje op te rapen, er schiet een verrekking in zijn rug en hij is twee weken buiten strijd.

Collega-doelman David Seaman van Arsenal loopt twee keer een gelijkaardige blessure op: ook aan de rug en ook in behoorlijk hilari-sche omstandigheden. Eerst wanneer hij net iets te enthousiast naar de afstandsbediening van de televisie grijpt, later bij het optillen van een 13 kilo zware karper bij het hengelen.

316 Jesse Stroobants:
Geblesseerd door een vogel

De Leuvense lange afstandsloper wordt in 2007 tijdens een training aangevallen door een uit zijn kooi ontsnapte roofvogel. De ketting aan de poten van de vogel slaat een diepe wonde in zijn hoofd en bij het wegduiken loopt Stroobants een verrekking aan de hamstrings op. Hij raakt pas op het nippertje klaar voor het WK halve marathon.

317 Ken Griffey Jr.:
Geblesseerd door een scrotumschelp

In zijn 22 seizoenen in het Amerikaanse tophonkbal ontpopt Griffey zich met zijn 630 *home runs* als een van de besten aller tijden. En het had nog mooier kunnen zijn als de sterspeler van de Seattle Mariners en de Cincinnati Reds niet zo vaak last had gehad van blessures aan de achterdijbeenspieren, alias 'de hamstrings'. Eén wedstrijd moeten missen is dan ook niet meer dan een krabbel in zijn ellenlang carrièreverhaal. Ware er niet de oorzaak. Zoals alle baseballers draagt Griffey een schelp om zijn edele delen te beschermen tegen de ballen die snoeihard op hem afgeworpen worden. Bescherming dus, maar zo heel af en toe doen die dingen net het tegenovergestelde. Griffey's scrotumschelp is tijdens een wedstrijd losgekomen en verschoven, waardoor een van zijn teelballen dringend toe is aan rust en verzorging.

318 Robinho:
Geblesseerd door een camera

Op 2 januari 2011 wordt de Braziliaanse flankaanvaller tijdens een oefenwedstrijd met AC Milan tegen het Egyptische Al-Ahli afgevoerd met diepe snijwonden aan knie en scheenbeen. Nee, niet het gevolg van een moordtackle van een dolgedribbelde verdediger, Robinho is tegen een televisie-camera aangeknald.

319 Kim Clijsters:
Geblesseerd door een trouwfeest

Clijsters had zich in de seizoensaanloop veel meer voorgesteld van het Parijse Grand Slam-tornooi dan er in de tweede ronde al uitgaan tegen het Nederlandse tabelvullertje Arantxa Rus. Na haar comeback staat ze voor het eerst weer op het gravel van Roland Garros sinds 2006, en dan dit... Maar het heeft haar dan ook niet meegezeten. Last gehad van een pols- en schouderblessure en net wanneer ze daarvan aan het revalideren was, is ze op 9 april 2011 door haar enkel gegaan. Op het huwelijksfeest van haar neef Tim, wanneer ze zich op net iets te hoge hakken op de dansvloer waagt. Diagnose: zware verstuiking, verrekte ligamenten, een bloeduitstorting en peesschade.

En dan zijn er ook nog...

Milan Rapaić: De latere middenvelder van Standard staat in het begin van het seizoen 1995-96 aan de kant bij Hajduk Split. Zichzelf in het oog gestoken met zijn boarding pass op de luchthaven. ＊ **Julien Benneteau:** De Franse tennisser mist de Australian Open 2011 wegens een blessure aan een vinger opgelopen bij het met stokjes eten in een Japans restaurant. ＊ **Paulo Diogo:** In december 2004 scoort de middenvelder in de Zwitserse competitie voor Servette Genève tegen Schaffhausen. Diogo gaat zijn goal vieren met de supporters en blijft met zijn trouwring in de hekken hangen. Het kost hem zijn vinger én een gele kaart wegens te uitbundig vieren. ＊ **Ever Banega:** De 23-jarige Argentijnse middenvelder van Valencia vergeet op 20 februari 2012 de handrem op te zetten bij een tankbeurt. Zijn wagen rijdt over zijn voet en Banega breekt een enkel. ＊ **Jimmie Johnson:** Deze NASCAR-racer gaat in 2006 in zijn vrije tijd een potje golfen. Het lijkt hem wel een geinig idee op het dak van het golfkarretje te gaan staan en zich zo naar de volgende hole te laten rijden. Hij valt eraf en breekt zijn pols.

Van Chamonix 1924 tot Sotsji 2014

De sterkste Olympische winterstunts

De laatste Winterspelen-oude stijl worden in 1920 in Antwerpen gehouden, en de eerste moderne versie wordt pas officieel de eerste wanneer ze goed en wel voorbij is. Hoe dat zo komt? Omdat het roemruchte Olympisch opportunisme van alle tijden is, dus ook in de winterse variant. Op de Zomerspelen van 1908 in Londen wordt er voor het eerst een wintersport op het Olympisch programma opgenomen: het kunstschaatsen. Vier jaar later, uitgerekend in het Zweedse Stockholm, is er weer geen plaats meer voor welke wintersporttak dan ook. Op de eerstvolgende Spelen, in Antwerpen dus, duikt het sierschuiven op een verdomde gladde ondergrond echter weer op. Meer zelfs, drie maanden voor het begin van deze lange Zomerspelen– ze lopen van 20 april t.e.m.12 september, bijna 5 maanden dus! – wordt er ook een Olympisch ijshockeytornooi georganiseerd. Dik tegen de zin van Olympisch bovenbaas van weleer, baron Pierre de Coubertin.

Zijn weerzin verklaart ook de bizarre evolutie van de Olympische wintersporten. De Coubertin heeft zich door zijn Zweedse vriend en IOC-bestuurslid generaal Viktor Gustaf Balck wel laten ompraten om ze vanaf Londen 1908 met mondjesmaat te introduceren. Maar eigenlijk vindt hij het de hele tijd maar niks. Ook niet wanneer er vier jaar later al zestien wintersporttakken op het programma staan in Chamonix, in de aanloop naar de Spelen van 1924 in Parijs. 'Chamonix 1924' staat vandaag in alle sportgeschiedenisboeken als 'de eerste Winterspelen', maar helemáál his-

torisch correct is dat niet. Aanvankelijk wil de Coubertin name-
lijk onder geen beding verder gaan dan wat het IOC-congres – hij-
zelf, dus – in 1921 heeft beslist: voorafgaand aan de Zomerspelen
in Parijs mag er een 'Internationale Wintersportweek' georgani-
seerd worden, point final. Maar wanneer die winterweek een gi-
gantisch succes blijkt te zijn, keert de Coubertin zijn kar. Laat
maar komen, die Olympische Winterspelen. En in een moeite
door wordt Chamonix na afloop herdoopt tot de eerste editie. Het
is niet eens het opmerkelijkste verhaal uit 90 jaar Olympische
Winterspelen, want...

320 Chamonix 1924:
Brons met 50 jaar vertraging

In de oertijd van de Winterspelen gaat er nog een en ander mis. Het verkeerd noteren van de scores bij het schansspringen bijvoorbeeld, waardoor de Amerikaan Anders Haugen officieel als vierde de tabellen ingaat terwijl hij eigenlijk derde geworden is. Pas volle vijftig jaar later vindt het IOC dat die fout rechtgezet mag worden en Haugen krijgt in 1974 alsnog zijn bronzen medaille.

Meer dan een curiosum is echter het verhaal van de jongste deelnemer (m/v) aller tijden in de geschiedenis van de Olympische Spelen. De amper 11-jarige Sonja Henie uit Noorwegen wordt achtste en laatste in het kunstschaatsen. Drie jaar later wint zij haar eerste van tien opeenvolgende wereldtitels en op de drie volgende edities van de Winterspelen wordt zij Olympisch kampioene.

321 St. Moritz 1928:
Langlaufen bij 25 boven nul

Lang voor de opwarming van de aarde zelfs nog maar een ver vermoeden is, beginnen de deelnemers aan de 50 km langlaufen eraan bij een temperatuur rond het vriespunt. De Zweed Per Erik Hedlund komt over de streep bij een lekker zomerse 25 graden. Het weer maakt overigens helemaal een zootje van deze Winterspelen. Een felle föhn blijft

maar warme lucht aanvoeren en het begint om de haverklap te rege-
nen. Een aantal competities wordt geschrapt, andere half afgewerkt,
en nog andere afgebroken en later afgewerkt wanneer het eindelijk
begint te sneeuwen.

322 Lake Placid 1932:
Bobsleegoud voor een bokser

Een medaille op Zomer- én Winterspelen? Het is slechts heel weinig
atleten gegund. Edward *Eddie* Eagan blijft voor eeuwig en een dag een
heel bijzonder voorbeeld. De Amerikaan heeft al goud gehaald in het
boksen bij de halfzwaargewichten op de Spelen in Antwerpen wanneer
hij twaalf jaar later met twee andere 40-jarigen (!) en de 22-jarige piloot
Billy Fiske in de viermansbob stapt. Alsnóg in de bob stapt, want door
het slechte weer kan het viermansbobben pas ná de sluitingsceremo-
nie plaatsvinden. Team USA 1 wint vóór Team USA 2 en Edward Eagan
is vandaag nog steeds de enige atleet met goud op Zomer- en Winterspelen.

323 Garmisch-Partenkirchen 1936:
Skiën verboden voor skiërs

Vandaag geldt het alpineskiën als 'de atletiek van de Winterspelen',
maar in de beginjaren is het lange tijd de paria onder de wintersporten.
Het heeft alles te maken met het fundamentalisme van het Internationaal Olympisch Comité: op Zomer- én Winterspelen zijn alleen pure
amateurs welkom. Lees: wie ook maar een cent verdient met zijn sport,
is niet welkom. Het gros van de topskiërs komt aan de kost als ski-
leraar, vandaar. Na jarenlang palaveren staat het alpineskiën in het
Duitse Garmisch-Partenkirchen toch voor het eerst op het programma, zij het dan met een niet onbelangrijke restrictie: iedereen mag
deelnemen, behalve skileraars. Dat leidt dan weer tot een boycot door
de Oostenrijkse en Zwitserse skiërs en heel wat heisa. Het IOC besluit
het skiën dan maar opnieuw te schrappen van het programma voor de
volgende Winterspelen. Die zijn gepland voor 1940, maar ze gaan uiteindelijk niet door. Een gevolg van de zee van nazi-vlaggen die de Winterspelen van 1936 sinister hebben gekleurd.

324 St. Moritz 1948:
Twee Amerikaanse teams voor de prijs van één

Voor de eerste naoorlogse Winterspelen komen er twee Amerikaanse ijshockeyteams aan in Zwitserland: een dat is samengesteld door het Amerikaans Olympisch Comité, en een ander dat de goedkeuring wegdraagt van de internationale ijshockeybond. Beide besturen rollen om allerlei redenen vechtend over de keien. Het IOC beslist dat het ene team wel mag deelnemen aan de openingsplechtigheid maar niet aan het tornooi, en het andere vice versa. Pas echt potsierlijk wordt het wanneer de hoge heren er in een adem aan toevoegen dat de Amerikanen sowieso het tornooi niet mogen winnen. Meer zelfs: ze worden bij voorbaat uitgesloten van een medaille. De potentiële tijdbom lijkt ontmijnd wanneer de Verenigde Staten vierde worden, maar het IOC vindt het toch nodig hen uit de officiële uitslag te schrappen.

Uit het Grote Nationale Sportmomentenboek is er in St. Moritz het eerste en tot nog toe enige Belgisch goud op de Winterspelen met Micheline Lannoy en Pierre Baugniet in het kunstrijden voor paren. Na hen is het precies een halve eeuw wachten op de volgende medaille: brons op de 10.000 meter voor 'schaatsbelg' Bart Veldkamp in 1998.

325 Cortina d'Ampezzo 1956:
Met de vlam in huis gevallen

De qua wereldwijde publieke belangstelling nog vrij marginale Winterspelen zijn voor het eerst te volgen op televisie, te beginnen met de openingsceremonie. De drager van de vlam schrijdt plechtig het stadion binnen en struikelt. Over een televisiekabel...

326 Squaw Valley 1960:
Toen waren ze al met één

Squaw Valley is zonder meer de meest opmerkelijke plek waar ooit Olympische Spelen – zomer- én wintereditie – zijn gehouden. Wanneer het IOC in 1955 beslist dat de Winterspelen vijf jaar later daar zullen plaatsvinden, telt dit dorp in de Californische Sierra Nevada welgeteld één (1!) inwoner. Die ene man, advocaat Alexander Cushing, is bovendien de organisator van de Spelen.

327 Innsbruck 1964: Een bout voor goud

Alles en iedereen is klaar voor de Winterspelen, op een niet geheel onbelangrijk detail na: er ligt geen sneeuw. Even Aepfeldörn bellen dan maar, in dit geval het Oostenrijks leger dat in allerijl 20.000 ijsblokken uit een gletsjer hakt om een bobsleepiste te kunnen aanleggen en evenveel kubieke meter sneeuw voor diverse wintersportdoeleinden. Net voor het begin komt er echter alsnog iets uit de wolken gedenderd. In grote volumes, zelfs. Helaas geen sneeuw maar stortregen, waardoor de soldaten hun net afgewerkte bobsleepiste in een noodvaart met plastic moeten inpakken om ze te redden.

Op die piste speelt zich tijdens de Spelen zo'n typisch Olympisch fair play-tafereel af dat sindsdien op eeuwige lauweren rust. Onbaatzuchtige held met dienst is de Italiaan Eugenio Monti, achtvoudig wereldkampioen in de twee- en de viermansbob maar nog nooit winnaar van Olympisch goud. Twee keer tweede in Cortina d'Ampezzo, twee keer niks in Squaw Valley bij gebrek aan bobsleeën op het programma... Het moet voor hem dus eindelijk eens gaan gebeuren in Innsbruck. Hiervoor zal Monti wel voorbij het onverwacht sterk presterende Britse team moeten geraken, dat na drie van de vier manches aan de leiding staat. De Britten maken zich klaar voor hun laatste run en plots... *Krak!* Een bout breekt af. Ze hebben geen wisselstuk bij de hand, dus noodgedwongen opgave? Nee, want Monti schroeft een bout van zijn bob en leent die uit aan zijn grote concurrenten. Eindresultaat: goud voor Groot-Brittannië, en niet eens zilver maar slechts brons voor Monti en Italië.

328 Grenoble 1968: Altijd hetzelfde met die Fransen...

De Fransman Jean-Claude Killy wint de drie onderdelen van het alpineskiën in Grenoble, maar zijn zege in de slalom is omgeven door een bepaald onwelriekend chauvinistisch geurtje. We zijn niet voor niks in Frankrijk, niet waar?

Er hangt een dichte mist wanneer de slalommers aan hun wedstrijd beginnen. Belangrijk gevolg: wat er op de piste gebeurt, is niet of nauwelijks met beelden te bevestigen of te weerleggen. Feit is in elk geval dat Killy tot winnaar wordt uitgeroepen en dat zijn grote Oostenrijkse rivaal Karl Schranz door de jury gediskwalificeerd wordt. Logisch want Schranz heeft de aankomstlijn niet bereikt. Dat klopt, geeft de Oostenrijker toe. Hij is inderdaad bij poortje nummer 22 ook figuurlijk de mist ingegaan, maar dat kwam alleen maar omdat er plots een Franse agent de piste was opgelopen en hem had gehinderd.

Veel lange discussies later mag Schranz zijn race overdoen en hij zet een betere tijd neer dan Killy. Best mogelijk, sputteren de Franse delegatieleiders, maar die tweede race van Schranz mag tóch niet meegerekend worden. De Oostenrijker heeft die volgens de Fransen namelijk alleen maar mogen skiën omdat hij bij het 22ste poortje gehinderd zou zijn, d'accord? Maar wat wil het toeval? De Fransen zijn er toch wel net achter gekomen dat Schranz vóór dat poortje al in de fout is gegaan, zeker? En dus vervalt de reden waarom de Oostenrijker zijn race mocht overdoen. Het woord is aan de vijf juryleden, het eindverdict weinig verrassend: goud in Frankrijk voor Fransman en later IOC-lid Jean-Claude Killy.

329 Sapporo 1972: Eenmaal, andermaal, pineut!

Opnieuw is Karl Schranz de klos. Drie dagen voor het begin van de Spelen laat het IOC hem weten dat hij niet welkom is in het Japanse Sapporo. Meneer heeft het namelijk bestaan zijn foto te laten gebruiken voor een reclamecampagne. En hij heeft er zich – The horror, the horror! – nog voor laten betalen ook. Professioneel sporten dus, en dat kan nog steeds niet getolereerd worden.

330 Innsbruck 1976:
Schaatsmedailles en koerskluwen

Aanvankelijk was het de bedoeling deze Winterspelen in Denver (Colorado) te organiseren. Het IOC houdt echter niet zo van protesterende inwoners die vrezen dat een en ander hun stad in een financiële afgrond zal storten en dat de natuur er onherroepelijke schade van zal ondervinden. Dus, hop, met zijn allen opnieuw naar Innsbruck, net zoals in 1964. Jammer voor de Amerikaanse Sheila Young, want drie schaatsmedailles – van elke kleur eentje, op zich al bijzonder: goud op de 500 m, zilver op de 1500 m en brons op de 1000 m – in eigen land zou toch mooier geweest zijn dan *ginderachter* in Oostenrijk.

Later op het jaar wordt Young wereldkampioene sprint op een heel andere piste: de wielerbaan. Op de vooravond van de Spelen heeft ze zich trouwens verloofd met een landgenoot, wielrenner Jim Ochowicz, later manager van de Motorolawielerploeg met de nog jonge Lance Armstrong. En om er helemaal een koerskluwen van te maken: Sheila's broer Roger Young trouwt later met Connie Paraskevin, haar opvolgster als snelste vrouw van Amerika op de wielerpiste.

331 Lake Placid 1980:
Geveld door een bloemperkje

De Amerikaanse schaatser Eric Heiden is de absolute koning van deze Winterolympiade in zijn eigen land. Hij pakt vijf keer goud op één editie van de Spelen, een prestatie die enkel overtroffen wordt door de iconische zwemmers Mark Spitz (7, München 1972) en Michael Phelps (8, Peking 2008). Heiden staat bijgevolg voor eeuwig en altijd in de Olympische boeken, maar het had ook heel anders kunnen lopen. Hij wint, om te beginnen, de 500 m pas nadat de subliem schaatsende Sovjetrus Jevgeni Koelikov hem de hele wedstrijd voorblijft maar in de allerlaatste bocht een domme fout maakt. De 1500 m haalt Heiden vervolgens op het nippertje binnen nadat hij ei zo na gevallen is. En op de 5000 m profiteert hij van een zelden geziene verzuring in de benen van de Noor Kay Arne Stenshjemmet in de laatste ronde. Veel goud dus, maar ook flink wat geluk.

Zoals de meeste schaatsers is Heiden in de zomer een fanatiek fiet-
ser, maar er zijn er niet bijster veel die hun kans wagen in het prof-
peloton op de weg. De *Golden Boy* van Lake Placid wel. Hij rijdt van
1980 tot 1990 voor het Amerikaanse pioniersteam 7 Eleven, samen
met Girowinaar 1988 Andy Hampsten en baarlijke duivel van het WK
in Ronse Steve Bauer. Heiden wint in totaal 10 koersen, waaronder het
Amerikaans kampioenschap in 1985, en een jaar later komt hij zelfs
aan de start van de Tour. Na een zeer behoorlijk begin – 25ste in de
proloog – wordt het echter vooral afzien in de achtergrond om uiteindelijk op te geven in de 18de en op vijf na laatste etappe na een val in
een bloemperkje.

332 Sarajevo 1984:
Bommen en Bolero's

De Spelen worden gekleurd door het Britse danspaar (Jayne) Torvill en
(Christopher) Dean en hun ijsballet op de *Bolero* van Maurice Ravel.
Opvallend: Dean blijft bij het begin een twintigtal seconden op zijn
knieën op het ijs zitten. Een dramatisch geladen passage die er mee
voor zal zorgen dat de jury hem en zijn partner unaniem het maximum
van 6.0 punten toekent. Het verhaal achter dat sufgeprezen geniale
idee is echter behoorlijk prozaïsch. De *Bolero* duurt in totaal zo'n 19
minuten. Veel te lang voor een kunstschaatsdans, en voor de Spelen
hebben Torvill en Dean er een compilatie van 4'28" van laten maken.
Nog steeds 18 seconden te lang, waarna van de reglementaire nood een
artistieke deugd is gemaakt en Dean er 20 seconden afpikt door nog
niet te beginnen schaatsen.

Qua tragiek stelt het allemaal echter volstrekt niets voor bij wat er
later gebeurt met de Olympische voorzieningen in Sarajevo: tijdens de
Balkanoorlogen van de jaren 90 gebruiken Servische milities de bob-
sleebaan op de hooggelegen Trebevic-heuvel als lanceerplatform voor
raketten waarmee ze de belegerde stad bestoken. Het is vanop die plek
dat het springtuig wordt afgevuurd dat op 5 februari 1994 ontploft op
de Markale-groentenmarkt. Er vallen 67 onschuldige slachtoffers, een
van de meest moorddadige momenten in de godsgruwelijke burger-
oorlog.

333 Calgary 1988:
Goud, zweet en tranen

De Spelen van de bijziende Brit Eddie *The Eagle* Edwards, die zich met ware doodsverachting van de springschans stort en van het Jamaicaanse bobsleeavontuur, later verfilmd in *Cool Runnings*. De echte held van alle Olympische harten is echter de Amerikaan Dan Jansen. Jansen is een van de allergrootsten in de geschiedenis van het snelschaatsen en met de wereldtitel in de sprint op zak, twijfelt niemand eraan dat hij in Calgary iedereen naar huis zal rijden op de 500 en wellicht ook de 1000 meter.

Het zou Jansen ook van harte gegund zijn. Hij heeft zich niet alleen teruggeknokt naar de top na een ernstige aanval van klierkoorts, er is ook dat aangrijpende familieverhaal dat de hele wereld beroert. Zijn zus Jane (27) lijdt aan leukemie, en uitgerekend op de dag van de 500 m krijgt Jansen te horen dat haar toestand kritiek is. Hij probeert haar via de telefoon nog een laatste keer te spreken, maar dat lukt niet. Een paar uur voor het begin van de wedstrijd komt het bericht dat Jane overleden is. Jansen verschijnt toch aan de start, vastbesloten zijn zus postuum te eren met een gouden medaille. Maar hij valt in de eerste bocht.

Vier dagen later kan de Amerikaan het alsnog goedmaken in de 1000 m. Hij doet er ook alles aan, vliegt als een gek over het ijs, laat hallucinant sterke tussentijden noteren maar net voorbij het 800 meterpunt gaat hij opnieuw onderuit. Geen medaille, dus. Vier jaar later in Albertville ook niet (4de in de 500 m), en pas in 1994 kan hij een Olympische medaille opdragen aan zijn overleden zus: goud op de 500 m in Lillehammer.

334 Lillehammer 1994:
Helaas gruyèrekaas

Franz Heinzer geldt niet alleen als de grootste pechvogel van de Winterspelen editie 1994, hij gaat de geschiedenis in als een van de grootste sportschlemielen aller tijden. De Zwitserse skiër is een van de favorieten voor goud in de afdaling. Hoe kan het anders, als drievoudig en opeenvolgend wereldkampioen in de voorgaande seizoenen 1991, 1992 en 1993? Amper drie (3!) meter nadat hij zichzelf uit het starthok heeft gekatapulteerd breken zijn bindingen af. Exit Heinzer.

335 Nagano 1998:
De echte val van 1 miljoen

Hermann Maier mag al blij zijn als hij het overleeft, laat staan dat hij ooit nog zal skiën! Daarover is iedereen het eens en als je de beelden vandaag terugziet, krijg je er nog steeds koude rillingen van. De val van de Oostenrijker tijdens de afdaling in het Japanse Nagano is ver-schrik-ke-lijk. Na 19 seconden gaat het bij een sprong helemaal mis: alle controle kwijt, drie keer overkop, dwars door een rij van drie vang-netten... Nee, dit is het einde, in het beste geval alleen maar van zijn carrière. Niet, dus. Twee dagen later wint de Oostenrijker goud op de Super G en nog eens drie Olympische dagen verder ook de reuzen-slalom.

336 Salt Lake City 2002:
Goud voor de laatste

Nog één keer wil de Australische shorttracker Steven Bradbury vlam-men. Want hoeveel pech kan een mens hebben in zijn sportcarrière? Gecrasht op het WK van 1994 en twee liter bloed armer en 111 (!) hech-tingen rijker, zes jaar later opnieuw knalhard tegen het ijs gegaan en twee nekwervels gebroken... In Salt Lake City wil Bradbury eindelijk op een andere manier de wereldpers halen. Ook omdat er zakelijke belangen op het spel staan. Hij is namelijk al een tijdje in de schaatsen-business gestapt en levert aan de Amerikaanse topfavoriet Apolo An-ton Ohno. Zou het ook daarom niet geweldig zijn als ze samen in de finale stonden? Uiteraard, maar daarvoor zal de eeuwige pechvogel wel erg veel meeval nodig hebben.

Maar zie, Bradbury gaat door naar de halve finale van de 1000 m met dank aan twee tegenstanders die zo vriendelijk zijn onderuit te gaan. En kijk, Bradbury haalt de finale van de 1000 m wanneer er op-nieuw twee tegen het ijs smakken! En het houdt niet op: in de finale sukkelt Bradbury helemaal achterin, in volstrekt kansloze positie, wanneer op een halve ronde van de streep àlle anderen vallen, inclusief Ohno. Goud voor Bradbury!

337 Turijn 2006:
Alles voor de show, niks voor het nageslacht

Er kan Lindsey Jacobellis niets meer overkomen, zij en niemand anders gaat zo meteen het allereerste goud winnen in de Olympisch opgewaardeerde snowboardcross. Als je zóveel meeval hebt, dan zit je in een goddelijke *flow* die alles mogelijk maakt. Eerst is de Canadese Dominique Maltais in het decor gekogeld terwijl zij royaal aan de leiding ging, daarna moest de eveneens Canadese én gevallen Maëlle Ricker afgevoerd worden naar het ziekenhuis en Jacobellis heeft mede daardoor tientallen meters voorsprong op de resterende concurrentes. Daar hoort, in het zicht van de streep, een showsprongetje bij, niet? Jacobellis komt verkeerd neer, valt op haar achterwerk en de Zwitserse Tanja Frieden gaat haar alsnog voorbij.

338 Vancouver 2010:
The show must go on

Jawel, de Spelen waarop de Nederlander Sven Kramer het goud op de 10.000 meter mist nadat zijn coach Gerard Kemkers hem een verkeerde baanwissel toeschreeuwt. Maar wie herinnert zich nog Nodar Koemaritasjvili? De Georgische deelnemer aan het rodelen, die op de vooravond van de feestelijke opening tijdens een training met meer dan 140 per uur uit een bocht vliegt, tegen een betonnen pijler knalt en kort nadien overlijdt? De Spelen gaan, na wat obligate rouwmomentjes, uiteraard vrolijk verder.

Net zoals de Zomerspelen in München, na de aanval van het Palestijnse Zwarte September op de Israëlische delegatie.

Net zoals de Winterspelen van 1964 met twee doden nog voor de openingsceremonie. In Innsbruck is eerst de Brit Kazimierz Skyszpeski overleden bij een ongeval op de rodelbaan. En daarna is de Australiër Ross Milne in volle vaart tegen een boom aangeskiet, met dodelijke gevolgen.

Net zoals in 1992 in Albertville ook, toen de Zwitser Nicholas Bochatay zijn deelname aan de demonstratiesport speedskiën met zijn leven betaalde. *The show must go on,* altijd en overal.

339 Sotsji 2014:

De New Yorkers Gary (47) en Angelica Silvestri (48) nemen namens Dominica deel aan de Winterspelen. Ze hebben een identiteitskaart van de Caraïbische ministaat gekregen uit dank voor het opzetten van een aantal humanitaire projecten, en ze betalen alle kosten voor reis en verblijf in Sotsji uit eigen zak. Samen Olympisch langlaufen is hun grote droom en daar hebben ze wel iets voor over. Helaas moet Angelica in extremis forfait geven voor de 10 km en een dag later – uitgerekend op Valentijn – geeft Gary in de 15 km al op na de startronde in het stadion. Ze zijn allebei geveld door een bacteriële maagontsteking die ze opgelopen hebben in het Olympisch dorp.

Van Marouane Fellaini tot Lionel Messi

De vreemdste varia (2)

Gert Verheyen wil in maart 2011 zijn villa in Sint-Andries in alle discretie te koop aanbieden, maar hij is te zien in een deurgat op een van de bijhorende foto's op de immo-site. Samuel Eto'o – op dat moment spits bij Inter – heeft een maand later huisvestings-problemen van een heel andere aard. Hij en zijn gezin voelen zich niet langer veilig in hun woning na een inbraak, en ze besluiten een tijdje op hotel te gaan. De rekening bij het uitchecken: 980.000 euro. Tot slot nog een laatste gulle greep uit de meest uiteenlopende opmerkelijke verhalen uit de wonderlijke wereld van de sport.

340 De hooimijt van Marouane Fellaini

The Times brengt in februari 2009 een overzicht van de meest lachwek-kende voetbalkapsels aller tijden. De legendarische ragebol-XXL van de Colombiaan Carlos Valderrama is de winnaar, op de voet gevolgd door het rare toefje van Ronaldo tijdens de WK-finale van 2002. Op nummer 9 staat de discohooimijt van Marouane Fellaini, waarover even later op een BBC-blog verschijnt: 'Het is maar een kwestie van tijd voor de bal erin zoek geraakt, en dan zullen ze een team spoorzoekers met machetes moeten uitsturen om hem terug te vinden.'
Het is niet echt het jaar van Fellaini. Op 30 mei verliest hij met Everton de Cup Final tegen Chelsea (2-1), en de volgende ochtend wil Natalie Rooney – nichtje van Wayne en drie weken voordien nog top-

less te bewonderen in *The Sun* – een en ander kwijt over een *hot date* die ze, naar eigen zeggen, met hem had. Fellaini was alleen geïnteresseerd in seks en hij had haar niet verteld dat hij een vriendin had en... 'Hij vroeg of hij mijn achterwerk mocht zien. Ik weigerde, waarop hij zijn broek liet zakken om me zijn kontje te tonen. Toen vroeg hij of ik hem mijn borsten wilde tonen. Geen probleem want ik doe niets liever. "Groot, erg groot!" was zijn reactie.' Fellaini ontkent uiteraard alles, het delletje-Rooney meldt – nog minder verrassend – dat ze een carrière in de media ambieert.

341 Het promopraatje van Frédéric Dupré

De organisatoren van de Keizer Karel Cup lichten het programma toe van hun minivoetbaltornooi, dat tussen 26 tot 29 juni 2009 in Gent plaatsvindt. Een nieuwigheid is de zogenoemde *panna-competitie*, waarbij het de bedoeling is de bal zo vaak mogelijk tussen de benen van de tegenstander door te spelen. Reactie in de microfoon van nota bene peter van het tornooi Frédéric Dupré (op dat moment speler bij Lokeren): 'Ik zie daar *het nut niet van in*. Als ik mijn benen de hele tijd dicht hou, dan win ik.'

342 De royale blunder van Erben Wennemars

Bij zijn terugkeer van de Olympische Winterspelen 2010 in Vancouver opent ex-topschaatser en NOS-cocommentator Erben Wennemars zijn koffers. Hij merkt dat hij op Schiphol die van iemand anders heeft mee gegraaid van de bagageband. Een valies van – toen nog – prinses Máxima.

343 De korte interlandcarrière van Fatima Bangoura

Sprintster Fatima Bangoura, een politieke vluchtelinge uit Sierra Leone die in Engeland woont maar voor België mag uitkomen, meldt zich in Gent voor het nationaal indoorkampioenschap. Bij haar allereerste wedstrijd op Belgische bodem test ze positief op het gebruik van anabole steroïden.

344 Het selectieve geheugen van Rorys Espinoza

De Ecuadoriaanse ex-doelman van Standard is in 2010 teruggekeerd naar eigen land, na faliekant afgelopen passages bij diverse clubs buiten België. Prompt rakelt Espinoza in de plaatselijke kranten nog eens het verhaal op van de dag waarop hij de titel van de Rouches in 2008 vierde met een sprong vanop een brug in de Maas. 'Bij een temperatuur van min zeven graden,' beweert hij, 'en de rivier lag er bevroren bij.' Een laag ijs, op de Maas, aan het einde van een Belgisch voetbalseizoen? Op die bewuste 21ste april, leert navraag bij het KMI, was het in Luik 17 graden, bij een lekker zonnetje.

345 De vreugde van Mirko Vučinić

In de voorronde van het EK 2012 wint Montenegro op 8 oktober 2010 met 1-0 van Zwitserland. Doelpuntenmaker Vučinić – hij verdient op dat moment zijn dagelijks brood bij AS Roma – viert dit door een kledingstuk uit te spelen en het over zijn hoofd te trekken. Niet zijn truitje, maar zijn broek.

346 Het controversiële podium van de Commonwealth Games

Op de Spelen van het Britse Gemenebest wint de Australische Sally Pearson in oktober 2010 de 100 meter bij de vrouwen. Goed voor goud, dus. Euh, toch niet. Een paar uur later wordt Pearson alsnog gediskwalificeerd wegens een valse start. Het goud gaat bijgevolg naar de Nigeriaanse Osayomi Oludamola, die als tweede is geëindigd. Voor even toch, want zij test dan weer positief bij de dopingcontrole, zodat het goud uiteindelijk naar nummer drie gaat: Natasha Mayers, die de allereerste atletiekmedaille behaalt in de geschiedenis van haar land, Saint Vincent en de Grenadines. Ze was hiervoor net op tijd terug uit een dopingschorsing wegens te veel testosteron in het bloed.

347 De vreemde aandoeningen van Michael Schumacher en Mario Balotelli

Michael Schumacher, zeven keer wereldkampioen Formule 1, bereidt zich in januari 2011 in een simulator voor op het nieuwe seizoen. Dat blijkt echter niet zo best te lukken. Schumacher heeft last van, zo stellen de artsen vast, wagenziekte. Een al even bizar verhaal speelt zich in maart van datzelfde jaar af rond Mario Balotelli. De veelbesproken spits moet vervangen worden in de Europa League-uitwedstrijd met Manchester City tegen Dynamo Kiev wegens een opgezwollen gezicht. 'Allergisch voor gras,' stelt de clubarts.

348 De verboden broek van Ilse Heylen

Na zeven maanden keihard revalideren na een knieblessure doet de Belgische topjudoka in januari 2011 haar wederoptreden op het tornooi van Sofia. Ze gaat er al in de eerste ronde uit. Zonder op de tatami te komen want Heylen wordt door de jury gediskwalificeerd wegens een 'te wijde broek'.

349 Het avondje-uit van Gerald Asamaoah

Gerald Asamaoh viert in april 2011 samen met zijn ploegmaats van Bundesliga-club Sankt-Pauli de verjaardag van middenvelder Max Kruse. De heren trekken na de wedstrijd tegen Eintracht Frankfurt naar de roemruchte Reeperbahn, en het kost Asamoah dan ook weinig moeite om twee bereidwillige dames mee te tronen naar zijn appartement in de stad. Door de week woont hij met vrouw en kinderen in een huis in het Ruhrgebied, dus de kust is veilig. Denkt Asamoah toch, want hij wordt in zijn appartement opgewacht door zijn vrouw, die hem wil verrassen met een bezoekje. Vier straten verder kunnen ze de daaropvolgende scheldpartij nog horen.

350 De prijzenpot van Elliot Saltman

De Schotse golfer slaat in oktober 2011 een *hole-in-one* op de *Madrid Masters*. Zo'n slag is goed voor het gewicht in serranoham van de golfer die daarin slaagt, hebben de organisatoren vooraf beloofd. Saltman weegt 108 kilo, en de organisatie mag zo'n 8000 euro neertellen voor de beloofde hoeveelheid hoogwaardige ham.

351 De reconversie van Verona van de Leur

In 2002 is ze nog goed voor 5 medailles op het Europees Kampioenschap, maar in 2008 is de carrière van de Nederlandse turnster voorbij en wacht het bekende zwarte gat. Het gaat goed fout. Nadat Van de Leur in mei 2011 al een keertje bij politie en rechter is moeten langskomen wegens het afpersen van een overspelig koppel, start ze in oktober van dat jaar een nieuw bedrijf dat gespecialiseerd is in pornobeelden. In november komt daar nog een job bij: *webcamgirl* bij een sekssite. 'Er zijn meer kanten van mezelf die ik graag laat zien dan alleen maar de sportvrouw,' zegt ze. Een dubbelzinnige voorzet voor een open doel die de uitbater van de site niet echt verrassend binnenkopt: 'Ze beheerst standjes en kunstjes die niemand vertoont.'

352 Het protest van Tina Maze

De Sloveense skister wordt op 14 januari 2012 derde in de Super-G in Cortina d'Ampezzo. Maze is dan al twee keer op de korrel genomen door de Zwitserse skibond, die beweert dat zij vals speelt. Zij zou té aerodynamisch ondergoed dragen, wat haar een onsportief voordeel zou opleveren. Om het tegendeel te bewijzen ritst Maze voor de tv-camera's haar skipak open en ze toont haar beha. Een gewoon sportexemplaar met het opschrift: '*Not your business*'.

353 De mislukte wraakactie van Alexander Radulov

De Russische top-ijshockeyer die eerder ook al in de NHL uitkwam, is in februari 2012 het gescheld van een toeschouwer flink zat tijdens een wedstrijd met zijn club Salavat Yulaev Ufa. Radulov haalt uit met zijn stick en mist zijn doelwit. Hij raakt echter wel zijn coach, Ilari Näckel, vol in het gezicht.

354 De quizafgang van Gregory van der Wiel

In de Nederlandse tv-quiz *Ik hou van Holland* krijgt een deelnemer op 10 maart 2012 de vraag: 'Noem Nederlandse gemeenten die beginnen met een A.' Tot twee keer toe blijkt Gregory van der Wiel geen flauw idee te hebben. Hij is nochtans de rechtsachter van Ajax. Ajax uit Amsterdam, met een 'A'.

355 Het gênante volkslied voor Maria Dmitrienko

De Kazakse wint op 24 maart 2012 goud op een schiettornooi in Koeweit. Dmitrienko staat bijgevolg op het bekende hoogste schavotje bij de huldiging, waarna het volkslied van haar vaderland door de boxen schalt. Alleen, het is niet het echte maar de parodie uit de *Borat*-film uit 2006. Die waarin de lof wordt gezongen van de Kazakse prostituées als 'de netste in de regio, op die van Turkmenistan na', en meer van die dingen.

356 Het brokkenparcours van Petter Solberg

In de Rally van Frankrijk editie 2012 gaat de Noorse toprijder het decor in. Zijnde achtereenvolgens een wijngaard, een asfaltweggetje, nog een wijngaard en ten slotte een elektriciteitspaal. Dat laatste zorgt ervoor dat de bewoners van het hele nabijgelegen dorp zonder stroom vallen.

357 De zuinigheid van Andrei Arshavin

Arshavin, multimiljonair, Russisch international en eind 2012 nog speler bij Arsenal, gaat met vrouw en kinderen naar een Londense McDonald's. Bij de afrekening aan de kassa haalt hij een hele stapel kortingbonnen tevoorschijn. 'Hij vindt het hier voordelig eten voor zijn gezin,' vertelt het meisje achter de toonbank aan de altijd gretig noterende Engelse roddelkranten.

358 De driehoeksverhouding van Paul Wood

De Engelse rugbyvedette Paul Wood heeft begin 2013 zijn vrouw amper in de steek gelaten voor porno-actrice Holly Henderson, wanneer zij het alweer uitmaakt. Henderson – ze deed het eerder ook al met Mario Balotelli – pikt het niet dat Wood het niet metéén uitgemaakt heeft nadat zij elkaar hebben leren kennen. Lees: dat zij aanvankelijk zijn minnares was en dat hij haar bijgevolg in het begin van hun relatie bedrogen heeft met zijn vrouw. 'Het wordt tijd dat hij ballen aan zijn lijf krijgt,' sneert Henderson in de smullende Britse tabloids. Bijzonder vicieus, want Wood verloor een jaar eerder een teelbal nadat hij tijdens een wedstrijd een knie in het kruis had gekregen.

359 De ondankbaarheid van Nick Dempsey

Minder ranzig maar ook behoorlijk tenenkrullend: de Britse windsurfer Nick Dempsey verlaat eind mei 2013 zijn vrouw, Sarah Ayton, en trekt in bij Hannah Mills. Dempsey heeft een klein jaar eerder in Londen Olympisch zilver gehaald. Echtgenote Ayton deed tot voor de Spelen ook aan windsurfen op hoog niveau. Maar zij heeft zich opgeofferd voor haar man en zorgde voor de kinderen zodat hij zich optimaal kon voorbereiden. Dat betekende dat zij vrijwillig haar plaats afstond in het nationale windsurfteam en dat zij er zelf niet bij was in Londen. Zij werd in de Olympische windsurfploeg vervangen door... Hannah Mills.

360 De vruchteloze inspanning van de ijsvissers

Op 24 januari 2013 wordt het allereerste Nederlands kampioenschap ijsvissen georganiseerd. De sport bestaat erin eskimogewijs een hengel op een gat in het ijs te richten en zoveel mogelijk vissen boven te halen binnen een vooraf vastgelegde tijd. In twee uur tijd slaagt geen enkele van de 25 deelnemers er echter in ook maar één vis aan de haak te slaan. Er is bijgevolg geen winnaar en de prijzen worden bewaard voor volgend jaar: een beker en – echt iets voor gepassioneerde vissers – een mountainbike.

361 De curieuze combinatie van Vladimir en Vitali Klytsjko

Schaakboksen is een opmerkelijke combinatie van twee sporten die heerlijk provocerend balanceert op de grens tussen kunst en kitsch. Ze is eind jaren 70 van de vorige eeuw bedacht door de Engelse broers James en Stewart Robinson, allebei verwoede schakers én boksers, maar het is de Nederlandse kunstenaar Iepe Rubingh die er in 2003 een 'officiële' sport van maakt met een heus wereldkampioenschap, in Berlijn. De arena? Een boksring met in het midden een schaakbord. De twee spelers? Zij gaan er zonder handschoenen maar verder in volledige boksuitrusting bij zitten. De spelregels? Een partij bestaat uit elf ronden van afwisselend vier minuten schaken en twee minuten boksen, met tussenin telkens een pauze van twee minuten. Om even bij te komen maar óók om de bokshandschoenen uit dan wel aan te trekken. De beslissing? Schaakmat, knock-out of een beslissing van de jury.

Een uit de hand gelopen grap en/of *arty farty*-fantasietje? Mogelijk, maar dan wel erg ver doorgedreven én met de actieve steun van een paar zeer grote namen in beide sporttakken. Er bestaat namelijk een officiële schaakboksbond – de WCBO (World Chess Boxing Organisation) – en drie kanjers zetten zich actief in als pleitbezorger: schaakgrootmeester Garri Kasparov en de even imposante als hoogbegaafde Oekraïense boksbroers Vladimir en Vitali Klytsjko.

362 De lange reis voor (bijna) niets van Thierry Voeckler

Voeckler gaat bij zijn aankomst in Australië voor de Tour Down Under van 2014 meteen naar zijn hotel, waar hij zich omkleedt voor een trainingstocht. De Fransman knalt op een auto en zit dezelfde avond al terug op het vliegtuig met een sleutelbeenbreuk. Netto-resultaat bij zijn thuiskomst: Voeckler heeft 42 uur in een vliegtuig gezeten met 24 uur vertraging bij de heenreis, samen goed voor 66 uur reizen om 20 minuten te fietsen.

363 De dovemansoren van Marco van Basten

In januari 2014 speelt Heerenveen een oefenwedstrijd tegen Lierse.
Tijdens de rust stormt een vertegenwoordiger van de Nederlandse eersteklasser de cabine van de stadionomroeper binnen. Of de muziek
niet wat zachter kan, want die staat zo luid dat de spelers in de kleedkamer de aanwijzingen van hun trainer, Marco van Basten, niet kunnen horen.

364 De zachte landing van Bart De Clercq

Bart De Clercq komt op 15 januari 2014 ten val in de Tirreno-Adriatico
en maakt een buiklanding. Hij houdt er lichte schaafwonden en een
geblokkeerde rug aan over, en zegt bij de start van de volgende etappe:
'Het was tamelijk vuil. Mijn truitje heb ik kunnen uitwassen, maar gelukkig heb ik een andere broek gekregen.' De Clercq is in een mestvaalt
terechtgekomen.

365 Het spionagewerk van Lionel Messi

De Syrische zender Addounia TV, die het prima kan vinden met het
regime-Assad wegens in handen van de neef van de president, wijdt op
20 maart 2012 in een duidingsprogramma een reportage aan Lionel
Messi. Daarin wordt haarfijn onthuld hoe *Leo* eigenlijk een marionet
is van het verzet. Zijn dribbels zouden geheime boodschappen zijn die
de rebellen aangeven hoe ze wapens het land moeten binnensmokkelen vanuit Libanon en ze vervolgens verspreiden.

En dan zijn er ook nog...

Zdenek Stybar, kersvers wereldkampioen veldrijden, verdwaalt in januari 2014 op weg van zijn vlakbij het parcours gelegen hotel naar de
cyclocross in Zolder. Hij belandt in Genk, en heeft vóór de start al 40
km in de benen. * **Marco Büchel** neemt op 11 maart 2010 op zijn 36ste
afscheid van het topskiën. De Liechtensteiner doet dit door zijn laatste

race, de Super G in Garmisch-Partenkirchen, af te werken in een korte broek, een geklede jas en een hemd met das. * **Santiago Silva** van het Argentijnse Velez Sarsfield schrijft in april 2011 een nieuwe variant bij in de niet aflatende reeks originele vieringen van een doelpunt. Hij rent naar de dug-out om er een kaars aan te steken voor de 25ste verjaardag van een ploeggenoot. * **Wayne Rooney** krijgt in juni 2011 een seksverbod van een week voorgeschreven. Dit omwille van de haartransplantatie die hij heeft ondergaan, want anders kunnen – en wij citeren zijn behandelende arts – 'de nieuwe haarvaten afgestoten worden'.

BRONNEN

Kranten, weekbladen en andere perspublicaties

AD Sportwereld, African Soccer Magazine, Belang van Limburg, Belga, Corriere della Sera, Cyclo Sprint, De Morgen, Der Spiegel, De Standaard, De Telegraaf, De Volkskrant, Diario de Navarra, FHM, FourFourTwo, France Football, Elsevier, Gazet van Antwerpen, Gazzetta dello Sport, Het Laatste Nieuws, Het Nieuwsblad (op Zondag), Het Volk, Humo, Il Tirreno, La Conscience, La Dernière Heure, La Libre Belgique, L'Equipe, Le Soir, NRC Handelsblad, Observer Sport Monthly, Paris Match, Sport/Voetbalmagazine, Sports Illustrated, The Daily Express, The Daily Mail, The Daily Mirror, The Daily Telegraph, The Financial Times, The Guardian, The Independent, The New York Times, The Observer, The Sheffield Telegraph & Independent, The Sun, The Times, Trouw, TuttoSport, Voetbal International, Vrij Nederland, Wired en de in de tekst al aangegeven bladen.

Boeken, bijlagen, naslagwerken e.a.

22 ans de Coupe d'Europe, Christian Hubert (Arts & Voyages Sport, 1977)
1001 greatest football moments (Carlton Books, 2009)
Club Brugge kampioen!, Bob Deps (Banana Press NV, 1973)
De Zwarte Meteoor, Tom Egbers (Thomas Rap, 2010)
Feet of the chameleon – The story of African Football, Ian Hawkey (Portico Books, 2010)
Football's strangest matches – Extraordinary but true stories from over a century of football, Andrew Ward (Robson Books, 1992)

In het teken van de bevoogding – De educatieve actie in Belgisch Kongo
    1908-1960, Marc Depaepe & Lies Van Rompaey (Garant,1995)
Juan Lozano – De biografie, Karel Michiels (Houtekiet, 2005)
München 74 Wereldkampioenschap, Hans Molenaar & Cees van
    Nieuwenhuizen (De Boekerij BV, Baarn, 1974)
Neerlands voetbalglorie – Alle interlands van 1905 tot heden, Ir. Ad van
    Emmenes (Omega Boek / Nieuwe Wieken, 1980)
Olympisch bewogen… Honderd jaar Belgisch Olympisch en Interfederaal
    Comité, 1906-2006, Roland Renson e.a. (Roularta Books, 2006)
Rode Duivels & Oranje Leeuwen – 100 jaar Derby der Lage Landen,
    Matty Verkamman & Raf Willems (Solo-Lannoo, 2000)
The Olympics – The ultimate sports event, Total Sport (1986)
Voetbal van hier en overal, John Langenus (Snoeck Ducaju en zoon,
    1943)

Televisie

FC Indépendance. De eerste Congolese voetballers veroveren België, Jan
    Antonissen en Joeri Weyn (Belga Sport, Canvas, 20 juli 2009)

Internet

Arthur Wharton Foundation – www.arthurwharton.com
Les Irréguliers du Brazza, Célestin S. Mansévani (vieuvan.overblog.
    com, 30 augustus 2009)
Union 1957 – La tournée au Congo (Unionhisto.skynetblogs.be/www.
    mbokamosika.com, 16 maart 2009)
En: Bleacherreport.com, Cyclingnews.com, Graz.radln.net,
    Hetiskoers.nl, Lepetitbraquet.fr, Metro.co.uk, Quasirete.gazzetta.
    it, Sport.infonu.nl, Sports.espn.go.com, stuyfssportverhalen.
    wordpress.com, www.askmen.com, www.clubbrugge.be, www.cnn.
    com, www.dewielersite.net, www.elshout.nu, www.eurosport.fr,
    www.hmsh.nl, www.inflandersfields.be, www.memoire-du-
    cyclisme.eu, www.realclearsports.com, www.rsca.be, www.sport.
    be, www.sportgeschiedenis.be, www.sportsfan.com.au, www.
    sports-reference.com, www.sporza.be, www.theoffside.com, www.
    toptenz.net, www.velonation.com en www.voetbalstats.nl.

DANKWOORD

Van harte, Hilde, Eva en Dennis, zoals elke keer weer.

Van harte, Leo de Haes, voor het vertrouwen en de samenwerking sinds *De gouden jaren van het Belgisch voetbal,* intussen ook alweer zes jaar geleden. Het ga je goed!

Van harte, iedereen bij Houtekiet, voor de goede zorgen.

Van harte, in chronologische volgorde, Alain Grootaers, Bart Hikspoors, Edwin van Overveld, Ben Pays, Günther van Hassel, Michaël Lescroart, Jonas Heyerick, Jelle Vermeersch en Jeroen Denaeghel, (gewezen) hoofdredacteurs van de fijne bladen *P-magazine, Ché* en *Bahamontes.*

Van harte, Gert Geens en Tom Vandenbulcke *(Sporza Radio),* Maarten Verdoodt en Luk Alloo *(Koning Sport, Radio 2)* en Joke Heedfeld *(TVLimburg),* voor de belangstelling en de aandacht.